W9-CUS-072

LE ROI STANISLAS

Du même auteur

Les Grandes Heures des Invalides, Paris, Perrin, 1989.

L'Hôtel des Invalides, Bruxelles, Complexe – CNMHS, 1992.

Parmentier, Paris, Plon, 1994.

Anne Muratori-Philip

Le roi Stanislas

Fayard

© Librairie Arthème Fayard, 2000.

In memoriam
René Taveneaux

CHAPITRE PREMIER

Député à vingt ans dans une Pologne déboussolée

Les Parisiens qui s'écartent au passage d'un carrosse royal, ce 23 septembre 1727, ignorent qu'il emmène le père de la reine de France, Marie, épouse de leur bien-aimé Louis XV. Ils ignorent aussi que le passager, ce quinquagénaire à l'œil vif mais à la mine renfrognée et à l'embonpoint marqué, fut roi lui-même sous le nom de Stanislas Ier. « Fut », car le malheureux a été chassé de son trône de Pologne en 1709.

Il y avait de cela dix-huit ans, et ces heures terribles, suivies d'une fuite et d'un exil douloureux, paraissaient déjà lointaines à Stanislas Leszczynski. Aussi lointaines que sa découverte de Paris au printemps de 1696. Le jeune aristocrate polonais n'avait pas encore dix-neuf ans et voyageait en compagnie de son gouverneur. Il arrivait fourbu de Lyon, via Fontainebleau, pestant contre l'inconfort de la diligence.

Le tour d'Europe d'un adolescent

En cette année 1696 qui marquera sa vie, le jeune homme achève son tour d'Europe. Un voyage éducatif comme en effectuent tous les fils de dignitaires polonais. Entamé l'année précédente, ce long périple l'a d'abord conduit à la cour de Vienne, où sa famille a de solides accointances. En Italie, il a visité Venise et Rome, où, dit-on, le pape Innocent XII lui a accordé une audience privée. Puis il est allé à Florence, où ses ancêtres Leszczynski avaient pris goût à l'architecture de la Renaissance. En Toscane, Stanislas a eu l'occasion de s'entretenir plusieurs fois avec Cosme III Médicis.

Mais Paris reste l'étape la plus importante de ce tour d'Europe. Probablement parce que toute son enfance a été bercée par des récits parisiens : ils contaient l'ambassade conduite par son grand-père Leszczynski, cinquante ans plus tôt, pour conclure le mariage du roi Ladislas IV avec Marie de Gonzague, princesse de Nevers.

En arrivant, le jeune Stanislas songe à ces souvenirs magnifiés par la famille. Hélas, les siens s'annoncent moins riches : à Versailles, noyé dans la foule des courtisans, il a tout juste le temps d'entrevoir Louis XIV et son fils le Grand Dauphin.

À Paris, lorsqu'il n'est pas en visite, les journées de Stanislas défilent sous la houlette de maîtres qui se succèdent pour l'instruire. Entre les cours, l'adolescent se colle aux fenêtres de l'hôtel Saint-Paul qui dominent la rue Jacob. Sous le soleil du printemps, cette jolie rue de la rive gauche ne manque pas d'attraits. Mais le jeune Polonais ne s'y intéresse guère : il leur préfère une fenêtre toute proche où une jeune fille passe de longues heures à rêver.

Cette relation muette tombe à pic pour le gouverneur de Stanislas qui voit là le meilleur moyen de précipiter son retour en Pologne. Informé des « incartades » de son fils, Raphaël Leszczynski ordonne à son héritier de quitter Paris, de poursuivre la route par les provinces des Pays-Bas et de rallier les domaines paternels au plus vite, sa mère Anna Jablonowska étant souffrante. L'éducation à la française de Stanislas tourne court.

Éducation sévère pour un élève exceptionnel

En réalité, le jeune homme n'avait aucun besoin de cette éducation française, à la mode dans la haute noblesse polonaise. À l'heure de son tour d'Europe, sa formation était déjà achevée, au terme d'une enfance menée à la dure et d'une adolescence studieuse.

Né le 20 octobre 1677, à Lvov[1], un fief des Jablonowski ancré au cœur de la Ruthénie rouge, Stanislas Leszczynski doit aux soins de sa mère d'avoir survécu à une petite enfance chétive et souffreteuse.

À l'âge de six ans, il a quitté le giron maternel pour entrer chez les hommes. La famille est désormais installée en Grande-Pologne, sur ses terres de Leszno, près de Poznan. Son père Raphaël et son grand-père maternel Jablonowski optent pour une éducation à la dure.

Pour aguerrir l'enfant, ils l'habituent à dormir sur une simple paillasse et à se passer de domestiques, bannissant toute atmosphère propice à la vanité et à la paresse. Jésuites, professeurs polonais et étrangers lui inculquent tout ce qu'un fils de dignitaire promis à un grand avenir doit savoir. Stanislas excelle en sciences et en mathématiques. Il maîtrise parfaitement le latin, parle et écrit l'allemand ainsi que l'italien. En revanche, son français est moins brillant : il le parle aisément mais l'écrit difficilement, rebuté par les subtilités grammaticales.

Les professeurs du collège de Leszno qu'il fréquente assidûment ne tarissent pas d'éloges sur cet élève exceptionnel. Bien qu'élevé dans la religion catholique, Stanislas est profondément attaché à ce collège protestant : lien quasi familial, car l'établissement a été fondé par un ancêtre de la famille Leszczynski.

Brillants débuts en politique

À peine revenu de son tour d'Europe, Stanislas se retrouve en pleine crise : le 17 juin 1696, le roi de Pologne Jean III Sobieski meurt, foudroyé par une attaque d'apoplexie dans son château de Wilanow. Il laisse une veuve de cinquante-cinq ans, Marie-Casimire, dont les intrigues politiques ont fini par lasser la Cour, et trois fils, Alexandre, Constantin et Jacques. Sa disparition annonce des problèmes de succession dont cette monarchie élective si fragile se serait bien passée...

Depuis le XVe siècle, la noblesse, n'ayant eu de cesse d'imposer son pouvoir au roi, a fait de la Pologne une monarchie élective. Elle intervient dans le choix du souverain et dispose de la richesse et de la puissance grâce aux exemptions fiscales, aux privilèges d'administration et de justice. Le roi doit la consulter pour lever les impôts et pour la conduite des guerres. À quelques différences près, le grand-duché de Lituanie, qui s'est associé à la Pologne en 1386, connaît un système semblable. Cela a facilité son absorption définitive, en 1569, dans l'Union de Lublin, dont l'un des plus ardents initiateurs a été Raphaël Leszczynski, un des ancêtres prestigieux du jeune Stanislas. Ce mariage a donné naissance à un État polono-lituanien qui a fonctionné près de trois siècles sous la forme d'une « république nobiliaire » (*Rzeczpospolita Szlachtika**) avant de disparaître dans les *partages* de la fin du XVIIIe siècle.

La république nobiliaire s'étendait sur près de neuf cent mille kilomètres carrés au total et rassemblait plus de huit millions d'habitants, alors que la France, à la même époque, avec une superficie inférieure de moitié, totalisait vingt millions d'âmes.

---

* Les mots suivis d'un astérisque renvoient au glossaire en fin d'ouvrage.

Les pouvoirs de la noblesse s'exprimaient à travers les diétines provinciales*, dont les vœux devaient être portés par des députés à la Diète*. Le maréchal* en convoquait les cent soixante-cinq membres pour adopter une « constitution* » qui fixait les impôts et édictait les lois. À côté de la Diète, constituée par la noblesse ou *szlachta**, siégeait un Sénat* de cent quarante membres composé d'archevêques, d'évêques, de voïévodes*, de palatins*, de castellans* et de hauts dignitaires. En réalité, le Sénat était aux mains des magnats*, qui, à plusieurs reprises, avaient tenté d'éliminer la Diète au seul bénéfice de leur chambre. Au fil des règnes, les magnats s'étaient taillé des domaines considérables aux dépens des biens de la Couronne dont la *szlachta* réclamait sans cesse la restitution.

Le débutant conquiert la notoriété

Pour Stanislas, la mort brutale de Jean III Sobieski prend un tour particulier : quelques semaines plus tôt, le roi a accordé à Raphaël Leszczynski la charge de staroste* du palatinat d'Odolanow pour son fils. Mais cet honneur devient un tourment pour le jeune homme, qui n'a pas eu le temps de faire son apprentissage de représentant du pouvoir.

Le 8 septembre 1696, il pénètre pour la première fois dans la salle de la Diète, qui doit statuer sur l'élection d'un nouveau roi. Stanislas s'y est rendu avec le trac d'un débutant, limitant ses ambitions au seul désir de s'instruire à l'audition de ses pairs. Surprise : la Diète le désigne pour présenter les condoléances des députés à la reine. Son aisance, sa bonne mine et son éducation l'ont distingué. Il s'en acquitte de fort belle manière en étonnant plus d'un témoin.

De retour à la Diète, Stanislas découvre une assemblée déchirée par les cabales et tiraillée entre dix-huit candidats au trône. Ce spectacle pitoyable le secoue. Oubliant son inexpérience, il descend dans l'arène et s'écrie d'une voix indignée qui ne tarde pas à obtenir le silence : « Je ne puis, mes frères, vous dissimuler plus longtemps mon étonnement et ma douleur : j'avais cru jusqu'aujourd'hui qu'une assemblée de la Nation ne formait qu'une famille de frères, réunis par le plus tendre amour pour leur Mère commune, la Patrie ; et je vois cette Nation divisée en mille factions qui se combattent et se déchirent ! J'avais cru, jeune encore et sans expérience, que je n'entendrais parler ici que le sentiment et la tendresse. Je l'avais cru[2] ! »

Ce premier coup d'éclat, qui lui attire le respect des députés, fera plus tard dire au grand chancelier* de Pologne et futur évêque de Warmie, André-Chrysostome Zaluski : « Stanislas Leszczynski, fils unique du grand général de la Pologne et regardé parmi nous comme l'honneur de la patrie. [...] Une heureuse facilité de mœurs, qui se produit dans ses discours et dans ses manières, lui soumet généralement tous les cœurs. Je ne doute pas qu'il soit né pour la gloire de son siècle. Du moins est-il dès à présent la joie de sa Nation. [...] Tout est grand en lui, son génie, son caractère, ses sentiments, et jusqu'à l'espoir qu'il donne à nos Peuples des avantages qu'il peut un jour leur procurer[3]. »

En quelques jours, le jeune staroste a conquis une certaine notoriété. Mais la confusion qui règne à la Diète continue de l'inquiéter.

Deux prétendants

L'élection est fixée au 27 juin 1697. Entre-temps, les postulants au trône se livrent, par représentants inter-

14

posés, aux plus viles manœuvres d'intimidation et de chantage. Les grandes puissances, en quête d'appuis à l'intérieur du pays, pratiquent sans vergogne la corruption des magnats. L'or du roi de France et celui de l'Électeur de Saxe arrosent les députés, les sénateurs et même des hommes de paille.

Jacques Sobieski, fils du roi défunt, n'a le soutien que d'une poignée de nobles menée par Stanislas Leszczynski. Même la reine Marie-Casimire ne veut pas de son fils pour roi... Elle changera d'avis mais trop tard, quand les assemblées auront décrété qu'un Polonais ne peut être éligible !

Décision folle qui limite de facto le débat à deux prétendants : d'un côté l'Électeur de Saxe, Frédéric-Auguste, candidat de l'empereur Léopold Ier et du tsar Pierre Ier; de l'autre côté, le prince de Conti, aidé par les deniers de son cousin Louis XIV et soutenu par l'entregent machiavélique de l'ambassadeur français, l'abbé de Polignac.

Pour éviter de voir un Saxon sur le trône, la reine prend le parti du prince de Conti, qui pourtant ne paraît guère enthousiaste à l'idée de monter sur le trône de Pologne. Il quitte la France sans hâte avec la flotte de Jean Bart...

Il est encore bien loin du port de Dantzig quand la diète d'élection investit la plaine près de Varsovie. Nobles et magnats, tous en armes, y sont rassemblés dans des tenues hétéroclites allant du simple manteau de grosse laine à l'uniforme chamarré d'or.

Au centre du terrain, un hangar entouré d'un fossé a été édifié. C'est là que prennent place sénateurs et députés. Trois portes ouvrent sur la foule assemblée par voïévodies correspondant aux trois grandes provinces de la Pologne : la Grande-Pologne, la Petite-Pologne et la Lituanie. Il ne reste plus qu'à recueillir les suffrages des vingt mille hommes présents. Le jésuite Hubert Vautrin donne un aperçu de l'atmosphère : « Le fils aîné de Sobieski avait déjà en sa faveur la proclamation des deux premières voyvodies, lorsqu'un coup de pistolet, ayant abattu un individu qui voulait les imiter, fit tomber ce parti[4]. »

Finalement, vers six heures du soir, le primat proclame l'élection de François-Louis de Bourbon, prince de Conti. La confusion est à son comble, les réclamations fusent de toute part. Les partisans de l'Électeur de Saxe et les amis du prince Jacques exigent un nouveau scrutin qui désigne l'Électeur de Saxe à l'unanimité. La Pologne se retrouve avec deux rois. L'affaire s'est déjà produite cent dix ans plus tôt... Cette fois, elle va se régler rapidement. À la tête d'une armée de huit mille hommes, Frédéric-Auguste entre dans Cracovie le 15 septembre. Il abjure le protestantisme et coiffe aussitôt la couronne sous le nom d'Auguste II.

Conti n'accoste à Dantzig que le 26 octobre. Ravi de la tournure des événements, il rembarque aussitôt, suivi de l'abbé de Polignac, que les hommes d'Auguste II ont chassé.

Cette élection – douteuse – rassure les Habsbourg et le tsar, mais elle bafoue les Polonais, ayant exclu de la candidature les descendants du roi défunt et couronnant le candidat de la minorité. Pis, elle offre le trône à un prince allemand. Ni Raphaël Leszczynski ni son fils ne peuvent se réjouir de ce que la noblesse de jadis aurait refusé. Ils craignent aussi que la Pologne ne replonge dans les tourments que lui coûtent depuis deux siècles son système politique original.

Le roi est prisonnier de la noblesse. Il doit obtenir l'accord du Sénat pour les déclarations de guerre et la signature des traités, celui de la Diète pour appeler à une levée en masse ; seule la Diète peut envoyer des ambassades, le roi se contentant de dépêcher en secret ses propres agents dans les cours européennes. De plus, il est assisté – voire surveillé – par un conseil du Sénat composé de sénateurs-résidents qui s'est arrogé tous les pouvoirs en matière de politique étrangère. L'usage abusif du *liberum veto*, qui permet à un seul député de paralyser les institutions, contribue lui aussi à l'affaiblissement du pouvoir.

L'héritage d'une impressionnante lignée

En dépit de ces inquiétudes, tout n'est pas noir pour Stanislas en cette fin de siècle houleuse : il songe à convoler ! Aux yeux de son père, qui vient de lui céder sa charge de palatin de Poznanie, l'annonce arrive à point nommé pour renouer avec les grandes heures de sa glorieuse famille. Celle-ci descend d'une lignée de Moravie installée en Bohême jusqu'en 965, les Perztyn. C'est le nom qu'ils portaient quand ils sont arrivés en Pologne à la suite d'un mariage princier unissant Dubravka, la fille du duc de Bohême, au prince polonais Mieszko Ier, premier maillon de la dynastie des Piast* qui régnera jusqu'en 1370.

L'histoire précise que les Perztyn ont obtenu le droit de prendre le nom de Leszczynski au xve siècle en fondant sur leur domaine la ville de Leszno.

Mais comme il est de bon ton, dans la Pologne du xvII^e siècle, de se trouver des ancêtres toscans, la famille Leszczynski croit descendre également des Lenzi de Florence, dont une branche aurait émigré en Pologne. Il est vrai que le blason des Lenzi s'orne d'un buffle, comme celui des Leszczynski...

Le plus glorieux des Leszczynski a vécu dans la seconde moitié du xve siècle. Raphaël – ce prénom sera souvent donné ensuite –, qui était castellan de Poznan et général de Grande-Pologne, avait reçu en 1470 le titre héréditaire de comte de Leszno des mains de l'empereur

Frédéric III de Habsbourg en récompense des longues années passées à son service à la cour de Vienne et pour les nombreuses ambassades conduites en Pologne.

À son retour au pays, le roi Casimir IV Jagellon* fait de lui son conseiller privé, rôle qu'il assumera aussi pendant les neuf années de règne de Jan-Olbracht[5].

C'est l'époque où la Pologne se trouve en conflit avec tous ses voisins : les chevaliers Teutoniques pour cause de visées annexionnistes, les Tchèques et les Hongrois pour des questions dynastiques, Moscou et les Tatars pour des raisons défensives. Raphaël Leszczynski reprend son bâton d'ambassadeur itinérant pour défendre les intérêts des Jagellon en Hongrie, auprès de l'Électeur de Brandebourg et même à Rome.

Par sa culture et par les liens qu'il a tissés au fil de ses voyages, Raphaël Leszczynski finit par placer sa famille au niveau des grands dignitaires de l'État. Ses descendants n'ont plus qu'à s'en montrer dignes.

Parmi eux, un autre Raphaël, staroste de Radziejowice, a vécu dans la seconde moitié du xvie siècle. Ardent partisan de réformes politiques, artisan de l'Union de Lublin entre la Lituanie et la Pologne, réorganisateur de l'armée et de la justice sous le règne de Sigismond II Auguste[6], il a conquis une certaine popularité en menaçant son roi en plein Sénat : « Nous sommes polonais et les Polonais, si vous les connaissez, se font autant de gloire d'honorer les Rois s'ils respectent les lois, que d'abaisser la hauteur de ceux qui les méprisent. Prenez garde qu'en trahissant vos serments, vous ne nous rendiez les nôtres[7]. »

Le même Raphaël s'illustre par son ouverture d'esprit. Sensible aux idées de la Réforme, il traduit les œuvres du poète huguenot français Du Bartas et fonde le collège protestant de Leszno destiné à la noblesse réformée de Grande-Pologne, plus tard cher à son descendant Stanislas.

Propriétaire de 17 villes et 116 villages

L'un des plus marquants de la lignée fut encore un autre Raphaël, l'arrière-grand-père de Stanislas. Considéré comme l'un des magnats les plus riches de la Grande-Pologne, il possédait pas moins de dix-sept villes et cent seize villages. Érudit, il avait forgé son éducation au fil d'un périple de plusieurs années dans les grandes villes de l'Europe occidentale. Il en avait gardé le souvenir de ses rencontres avec la reine Élisabeth d'Angleterre, Henri IV et le prince d'Orange.

De retour au pays, ce protestant s'était érigé en défenseur des confessions minoritaires. Soucieux de ses domaines, il s'était efforcé d'embellir et de développer Leszno, qui lui devait la création d'une imprimerie et d'une maison d'édition. Raphaël s'était aussi intéressé à l'art de la guerre qu'il liait à une bonne connaissance de la cartographie. Poète à ses heures, il restera le « pape des calvinistes de Pologne » pour lesquels il avait installé une imprimerie protestante à Baranow. Quant à son fils, Boguslas, le grand-père de Stanislas, il s'était rendu célèbre dans les diètes par son éloquence. Général de la Grande-Pologne, il fut vice-chancelier de la Pologne. Malgré ses talents, la noblesse ne l'aimait guère, lui reprochant sa soif de profit. Protestant de naissance, il finit par se convertir au catholicisme en 1641.

Trésorier du royaume, poète et artiste

En 1650, apparaît un nouveau Raphaël, fils de Boguslas et futur père de Stanislas. Il sera duc et comte du Saint Empire et de Leszno, palatin de Kalisz, général de la Grande-Pologne, grand-enseigne du royaume. Il occupera aussi la charge de grand trésorier du royaume, avec le douloureux privilège de veiller à remplir les caisses de l'État... Ce qui ne l'empêchera pas de composer des vers pour célébrer les faits d'armes de son roi.

Homme de forte personnalité et d'ambition débordante, Raphaël veut un château à la hauteur de ses espérances. À quelques kilomètres de Leszno, il rachète à Jan Czernina la vieille forteresse médiévale de Rydzyna, qu'il fait reconstruire par le plus célèbre architecte de l'époque, l'Italien Bellotti. L'élève de Sébastien Serlia dresse quatre tours d'angle et érige un monument autour d'une belle cour intérieure. Stucs, miroirs, sculptures et fresques de Michelange Palloni composent un ensemble baroque digne des palais habsbourgeois. Ce décor somptueux servira d'écrin à la première représentation du *Bourgeois gentilhomme* de Molière en Pologne. Malheureusement, le château sera partiellement incendié pendant la guerre du Nord.

En 1676, Raphaël Leszczinzski épouse la toute jeune Anna Jablonowska, fille de la comtesse Marie-Anne Kasanowska et de Stanislas-Jean Jablonowski, palatin de Russie, castellan de Cracovie et surtout grand hetman* de la Couronne. Protecteur des jésuites et ami de la France, dont il soutient le parti en Pologne, il reçoit une pension annuelle de Louis XIV.

Le gendre et son beau-père occupent donc deux postes clés dans le royaume de Jean III Sobieski, dont ils sont les plus fidèles soutiens. Aux côtés de son roi, Raphaël est de toutes les guerres, sur tous les fronts, chassant les Suédois, repoussant les Moscovites et les Tatars. Il est aux côtés de Sobieski au Kahlenberg le 12 septembre 1683 pour délivrer Vienne assiégée par les Turcs. Et quand le roi n'a plus la force d'entraîner l'armée polonaise au combat, c'est Jablonowski qui prend les troupes en main.

La soixantaine vigoureuse, Jablonowski traque toujours les Turcs, cherchant à récupérer la Podolie ravie par l'Infidèle en 1672. Ses armées font merveille ; le

26 janvier 1699, il contribue à la signature du traité de Karlowitz qui met fin à la domination turque sur la Podolie. Parmi les plénipotentiaires chargés d'établir le texte se trouve son gendre, Raphaël.

Les Jablonowski ont une autre corde à leur arc : la poésie : chez eux, on est poète de père en fils. Un contemporain de Stanislas chantera les faits d'armes du vieux Jablonowski, son grand-père paternel, dans un long poème épique ; quant au député Jean-Stanislas Jablonowski, il écrira un ouvrage critique, *Scrupule sans scrupule en Pologne*[8].

Le jeune gentilhomme se marie

En dépit des difficultés de gouvernement de son pays, l'avenir du jeune Stanislas Leszczynski est donc plutôt engageant. Riche, influent par sa charge de palatin de Poznanie que vient de lui céder son père, ses récentes prestations à la Diète l'ont fait apprécier de ses pairs. Rien ne s'oppose à son union avec Catherine Opalinska, fille du magnat Jean-Charles Opalinski, comte de Bnin et castellan de Poznanie, et de Catherine-Sophie-Anne Czarnkouski.

Stanislas a vingt et un ans, la jeune fille, dix-huit. La famille Opalinski est moins puissante que celle des Leszczynski, mais elle compte une gloire : Krzystof, le grand-père de la jeune fille, s'est illustré en 1645 par son entrée triomphale dans Paris à la tête de l'ambassade envoyée dans la capitale française pour signer les contrats de mariage faisant de la princesse de Nevers, Louise-Marie de Gonzague, l'épouse du roi Ladislas IV[9]. Et c'est un Leszczynski, Waclaw, qui a béni le mariage de la jeune Française ! L'union des deux jeunes gens, scellée en 1698, s'annonce prometteuse.

CHAPITRE II

Le roi éphémère

Quand sonnent les dernières heures du xviie siècle, l'Europe savoure la paix. Pour la première fois depuis bientôt cent ans, elle a cessé de se déchirer.

Les traités de Ryswick, signés les 21 septembre et 30 octobre 1697, officialisent la domination du roi de France, Louis XIV, sur ses rivaux. Invaincu et magnanime, le Roi-Soleil a déposé les armes.

Côté oriental, la tempêtueuse Turquie s'est assagie à son tour. Le 26 janvier 1699, à Karlowitz, elle a signé un traité de paix avec les Autrichiens, les Vénitiens et les Polonais. Enfin, les Russes lui ayant pris Azov, elle signe aussi une trêve avec le tsar Pierre Ier [1].

Pour la première fois, l'Empire ottoman accepte les règles de la diplomatie occidentale. Quant au tsar, il a réalisé la première étape de son plan d'occidentalisation de la Russie en accédant à la mer Noire... à défaut d'obtenir le droit d'y naviguer.

La Russie veut abattre la Suède

Pour l'heure en paix avec les Turcs, le tsar de Russie peut tourner son regard vers la Suède. Il hait ce pays qui contrôle le commerce et l'approvisionnement de la Russie et de la Pologne en régnant sans partage sur la Baltique. Pierre Ier sent son heure venir, à la faveur du mépris que lui inspire le roi de Suède, Charles XII.

Ce dernier a tout juste quinze ans à la mort de son père, le 16 avril 1697. Charles XI lui laisse des finances saines, des ministres habiles, une armée disciplinée, bien entraînée, et un trône respecté par les grandes puissances.

Le 24 décembre 1697, le jeune homme se fait couronner, au grand dam de ceux qui espéraient le coiffer par une régence...

Même les intrigants de la cour de Stockholm ont compris qu'il faudra désormais compter avec ce souverain déterminé. Seuls les ambassadeurs des cours européennes continuent de le dépeindre comme un roitelet médiocre dont il sera facile de se jouer.

Cet adolescent de grande taille, au nez démesurément long sous un front immense, est plein de contradictions. Il a reçu et assimilé une bonne instruction, mais on le dit amateur de distractions brutales, par exemple tester le fil de son épée sur la gorge des chiens ou des moutons... Il ignore la crainte physique et sait juguler ses passions. Il a soif de gloire militaire mais c'est dans la prière qu'il trouve le réconfort.

« Auguste le Fort » complice du tsar

Les rapports faits au tsar sur le manque de maturité du jeune Suédois le confortent dans son intention de mettre son royaume à genoux. Pour mieux dépecer celui-ci, Pierre Ier s'allie au roi du Danemark et au roi de Pologne, Auguste II.

« Auguste le Fort », comme l'ont surnommé les Polonais, tente de s'acclimater à un royaume dont il découvre les difficultés de gouvernement. Par précaution, l'Électeur de Saxe a conservé son armée, ce qui déchaîne l'ire des députés. On doute de lui, on lui prête même le dessein de mettre la Pologne au pas en la réunissant avec la Saxe.

C'est d'ailleurs bien plus en Électeur de Saxe qu'en roi de Pologne qu'Auguste II traite avec Pierre Ier. La république nobiliaire est exclue de cet accord, et les troupes saxonnes recevront le soutien des Russes.

La diète du 16 juin 1699 n'est guère favorable au roi Auguste II. Raphaël Leszczynski en profite pour réclamer une nouvelle fois le départ de ses troupes, tandis que Jablonowski tente de calmer les officiers de l'armée de la Couronne qui crient à la trahison.

Le roi gagne du temps par des promesses qu'il n'a pas l'intention de tenir.

Pendant ce temps, un certain Patkul, Livonien de naissance, a su gagner la confiance d'Auguste II. Naguère arrêté par Charles XI pour s'être insurgé contre le joug suédois, Patkul s'est exilé en Pologne pour ruminer sa vengeance. « Charles XII n'est qu'un enfant, dit-il à Auguste II, et les Livoniens, aigris par la dureté du règne précédent, vous tendront les bras dès que vous vous annoncerez pour leur libérateur[2]. »

Jadis possession des chevaliers Teutoniques, puis au XVIe siècle province de la République polono-lituanienne, la Livonie avait été cédée à la Suède un siècle plus tôt. Le plan échafaudé par Patkul séduit Auguste le Fort.

1700 : la guerre reprend ses droits

C'est le roi du Danemark, Frédéric IV, qui donne le coup d'envoi de cette guerre du Nord. Après avoir rassemblé une importante armée dans le Holstein, il envahit et ravage le duché de Gottorp, tandis que sa flotte croise dans la Baltique. Charles XII réplique en envoyant vingt-quatre mille hommes secourir le duché, possession de son beau-frère. Parallèlement, les armées saxonnes pénètrent en Livonie en février 1700. Après avoir mis de l'ordre dans le gouvernement de ses États et installé un conseil de défense, Charles XII entre lui-même dans la guerre.

Il quitte Stockholm le 8 mai 1700 à la tête d'une flotte de quarante-trois vaisseaux. En quelques semaines, il ne fait qu'une bouchée des Danois dont il menace la capitale, contraignant Frédéric IV à demander la paix.

Puis il s'attaque à ses deux autres ennemis : Auguste le Fort et Pierre le Grand. Le premier, secondé par son fidèle ministre Flemming et par Patkul, mène en personne le siège de Riga, tandis que les troupes du second encerclent la forteresse de Narva.

Auguste II perdant pied à Riga, qui résiste vaillamment, Charles XII choisit de voler au secours de Narva. Les Russes sont quatre fois plus nombreux que les Suédois, mais Charles XII n'a aucune peine à mettre en déroute une armée dont le tsar lui-même a fui le commandement. Pierre Ier avouera, vingt-quatre ans plus tard : « Les pertes ne sont rien en comparaison de la leçon que nous avons reçue[3]. »

La Diète veut traiter avec la Suède

À dix-huit ans, Charles XII accède ainsi à la gloire des grands chefs de guerre grâce à ses trois victoires contre trois armées différentes. Il peut se tourner vers son dernier ennemi, Auguste II, le Saxon, roi de Pologne, qui se bat désormais sur deux fronts : le premier contre la Suède, poussé par Patkul, et le second contre les aristocrates polonais, qui jugent ce conflit inutile.

Charles XII dirige de nouveau son armée vers la Livonie. Le 9 juillet 1701, elle écrase les Saxons sur les bords de la Dvina. La situation d'Auguste II est alors des plus critiques. Son conflit avec la Diète a atteint le point de rupture malgré le geste d'apaisement qu'il a dû faire en renvoyant ses troupes saxonnes aux frontières de la république.

La Diète exige davantage, elle veut la paix et décide d'envoyer une députation au roi de Suède. Elle n'en aura pas le temps, victime de ses propres règles de fonctionnement : un mécontent ayant opposé son veto, elle doit se séparer le 7 février 1702, avant d'avoir statué. Le conseil du Sénat, qui a pris le relais, décide alors de traiter directement avec le roi de Suède.

Charles XII profite d'un incident pour séduire les classes dirigeantes polonaises. Contraint de régler un conflit entre deux seigneurs dans la zone qu'il occupe, il choisit de prendre le parti du plus faible, l'hetman Casimir-Jan Sapieha, en réduisant au silence le grand-enseigne Oginski. Du coup, il s'attire la sympathie et le soutien des classes dirigeantes polonaises.

L'armée suédoise aux portes de Varsovie

Entre-temps, Auguste II s'est repris. Il envoie au camp suédois son grand chambellan, Vizdumb, pour demander la paix. Peine perdue : Charles le fait arrêter comme espion, l'homme n'étant pas muni d'un sauf-conduit...

Au même moment, la députation du Sénat se fait annoncer. Charles XII la reçoit pour lui préciser qu'il veut bien la paix à condition d'obtenir l'abdication d'Auguste II. Mais le roi de Suède n'est pas pressé de conclure. À la tête de son armée, il traverse lentement la Pologne, laissant le temps à Auguste de compter ses partisans. Ceux-ci se font rares !...

Raphaël Leszczynski – qui a fini par voter pour le Saxon – et son fils Stanislas ont depuis longtemps marqué leur désaccord, reprochant à Auguste II de mettre la Pologne en coupe réglée au profit de la Saxe.

Mais les Leszczynski préfèrent suivre de loin l'affrontement qui va opposer le Suédois au Saxon. Stanislas, son épouse, Catherine, et leur fille de trois ans, Anne, ont rejoint la famille, autour du patriarche Stanislas-Jean Jablonowski, âgé, malade et quasi reclus dans son domaine de Silésie, près de Breslau.

Charles XII est aux portes de Varsovie le 5 mai 1702. Toutes les cours commentent le manifeste qu'il vient de publier (en latin, en polonais, en français et en allemand) pour justifier son incursion en Pologne. Il y dénonce les sombres manigances du Saxon inféodé au tsar ainsi que les ravages causés par les armées saxonnes avec la complicité d'Auguste; il rappelle aussi qu'il veut le bien de la Pologne, se proposant de la servir contre « l'oppresseur de sa liberté et de l'aider de toutes ses forces à se donner un roi digne de l'être[4] ».

Profitant de quelques semaines de répit, Auguste II est parvenu à rassembler une armée hétéroclite de vingt-quatre mille hommes, forte de ses propres troupes saxonnes, de l'armée de la Couronne et de quelques régiments constitués des derniers fidèles de l'aristocratie polonaise. L'affrontement a lieu à Klissow, sur le chemin de Varsovie à Cracovie, le 19 juillet 1702. Et les Suédois mettent en pièces l'armée saxonne. Ils occupent Cracovie, qu'ils taxent lourdement, ils violent les sépultures des rois de Pologne, en quête d'un hypothétique trésor.

Stanislas solitaire et mal à l'aise

Cette victoire confirme Charles XII dans son idée fixe de voir le roi de Pologne destitué : il veut installer sur le trône Jacques, fils aîné de feu le roi Jean Sobieski. Il a

28

pris contact avec sa veuve, la reine Marie-Casimire, qui vit en exil à Rome et pleure son argent : Auguste II ne lui a toujours pas rendu les deux mille ducats d'or prêtés pour son couronnement et la Diète n'a pas encore versé le douaire de quatre mille ducats proposé en échange de son départ pour l'Italie...

Une infime partie des magnats s'avoue favorable au retour des Sobieski, mais députés et sénateurs sont toujours autant divisés autour d'Auguste II.

Hélas, Raphaël Leszczynski et son beau-père Jablonowski ne sont plus là pour faire entendre la voix de la sagesse. À quarante-huit heures d'intervalle, ils se suivent dans la mort aux premiers jours de l'an 1703, laissant Stanislas, qui n'a pas encore vingt-six ans, à la tête d'un domaine considérable.

Le tout nouveau comte de Leszno a perdu ses meilleurs soutiens et ses plus précieux conseillers. Il se trouve dans une situation délicate : le roi Auguste lui ayant accordé le palatinat de Posnanie et la charge d'échanson de la Couronne, il est l'obligé de son souverain. Sentiment qui ne fait pas bon ménage avec le respect et la défense des lois de la patrie, sans cesse bafouées par Auguste II.

Charles XII a repris sa chasse contre le Saxon, qu'il repousse chaque fois plus au sud. Mais Auguste, toujours maître des territoires méridionaux, organise sa défense. Dans son malheur, il rallie les suffrages des magnats outrés par le comportement des Suédois et qui se rassemblent dans la confédération* de Sandomir.

Naissance d'une future reine de France

Pendant ce temps, le 23 juin 1703, à Breslau, Catherine Opalinska a donné naissance à une seconde fille, prénommée Marie, Charles, Sophie, Félicitée.

Dans la grande demeure régentée par Anna Jablonow-ska, toute la maisonnée se réjouit devant ce bébé joufflu auquel on souhaite un bel avenir... sans savoir que cet avenir (lointain) fera d'elle un jour une reine de France !

Sa sœur Anne observe du haut de ses quatre ans le va-et-vient des femmes de chambre et l'empressement des notables de la ville venus faire leurs civilités au gouverneur. La fillette est ravie, car la naissance d'une petite sœur lui a ramené son père. Mais pour combien de temps, s'interroge la jeune accouchée qui n'apprécie qu'à demi les missions dont Stanislas doit s'acquitter pour la Diète de Varsovie ?

La jolie Catherine Opalinska dissimule difficilement son amertume. Elle qui rêve de fêtes, de bals, de parures et de robes somptueuses éprouve beaucoup de peine à se confiner aux tâches maternelles, sous la férule tyrannique de la vieille Jablonowska, tandis que son époux parcourt la République en tous sens.

Le 30 janvier 1704, Stanislas siège à la confédération de Varsovie, rivale de celle de Sandomir. Les troupes de Charles XII occupent les deux tiers du pays sans pour autant parvenir à chasser Auguste II. Ce dernier fomente des querelles pour diviser la confédération de Varsovie qui souhaite la paix avec la Suède. Quant au primat de Pologne, il a choisi le camp des catholiques, donc celui d'Auguste, contre le luthérien Charles XII.

Mais Auguste II finit par s'aliéner ses derniers défenseurs. Informé de l'arrivée en Pologne des trois héritiers Sobieski, et peu enclin à payer ses dettes à l'ex-reine de Pologne, il ordonne leur enlèvement. À la faveur d'une partie de chasse, Jacques et Constantin sont mis au secret dans la forteresse de Königstein. Alexandre, le plus jeune des frères, a pu échapper à l'embuscade. Il adresse une relation émouvante de cet épisode à la confédération de Varsovie et lui demande protection. Apprenant cet acte inqualifiable, l'assemblée s'estime déliée de tout serment de fidélité à l'égard de son roi et vote sa destitution le 15 février 1704 :

« Puisque le sérénissime roi Auguste II, duc de Saxe, a méprisé nos lois et nos droits, et que par là, suivant les *pacta conventa,* il nous a dégagés de son obéissance, nous y renonçons, prenant en main la justice distributive et vindicative [...] et nous prions l'éminentissime primat de publier l'interrègne ; de pourvoir à la justice et aux finances et d'indiquer l'élection d'un nouveau roi[5]. »

Émissaire de la confédération de Varsovie

Toujours autant désireuse de paix, la confédération de Varsovie décide de traiter avec le roi de Suède. À l'unanimité, elle désigne Stanislas Leszczynski comme émissaire. L'entrevue a lieu le 31 mars 1704 au camp suédois de Heilsberg. Stanislas, qui n'a jamais rencontré Charles XII, découvre un jeune homme à la chevelure courte et négligée. Chaussé de grandes bottes, il est vêtu simplement d'une grosse casaque bleue à boutons de cuivre. Un large ceinturon de cuir lui enserre la taille, une cravate noire dissimule son cou, et ses mains gantées haut sur le bras s'appuient sur une épée démesurément longue.

Le roi observe ce nouvel envoyé de la Pologne qui partage son goût pour les vêtements simples et confortables. La voix de Stanislas est douce, calme, persuasive, même lorsque son interlocuteur, faisant mine de s'impatienter, réclame la liste des palatins polonais demeurés dans le camp d'Auguste II. Sans perdre son sang-froid, le jeune Polonais lui répond :

« Sire, si c'est un crime à vos yeux d'avoir cherché à être utile à Auguste pendant ces troubles, j'ose vous avouer que vous trouveriez bien peu d'innocents parmi nos concitoyens ; et peut-être que le nom de celui qui a

31

l'honneur de parler à Votre Majesté grossirait la liste des coupables. Mais les Polonais peuvent-ils consentir à la déposition de leur roi sans laisser à l'univers un monument ou de leur inconstance ou de leur peu de discernement dans le choix de leur chef ? »

Et Charles de répliquer : « Il me semble, monsieur l'ambassadeur, que vous voudriez encore me conseiller de laisser sur le trône le prince le plus injuste qui eût jamais régné[6]. » Malgré le ton affable de la conversation, Charles XII reste intraitable : il ne peut y avoir de paix qu'avec le départ d'Auguste II. Ainsi s'achève le premier entretien du jeune roi, qui confie à ses proches, alors que Stanislas se retire : « Je viens d'entretenir un Polonais qui sera toujours de mes amis[7]. »

Dans l'antichambre, le palatin de Posnanie croise Alexandre Sobieski qui vient conter l'enlèvement de ses frères. Sitôt introduit, Alexandre se tourne vers le roi de Suède pour réclamer vengeance : « Charles la lui promit, explique Voltaire, d'autant plus qu'il la croyait aisée, et qu'il se vengeait lui-même. Mais impatient de donner un roi à la Pologne, il proposa au prince Alexandre de monter sur le trône dont la fortune s'opiniâtrait à écarter son frère. Il ne s'attendait pas à un refus. Le prince Alexandre lui déclara que rien ne pourrait jamais l'engager à profiter du malheur de son aîné[8]. »

Face à l'attitude d'Alexandre, Charles XII rappelle alors Stanislas Leszczynski pour discuter des conditions de paix entre la Suède et la confédération de Varsovie. Tous deux s'entendent sur cinq points :

– le roi de Suède renonce à connaître la liste des nobles partisans d'Auguste II ;

– la Pologne devient l'alliée du roi de Suède qui promet à son tour de s'opposer à tout démembrement de ce pays ;

– la Pologne ne réclamera aucune indemnité de guerre à la Suède ;

– la Pologne promet de soutenir le roi de Suède dans sa lutte contre la Russie ;
– en échange de ces concessions, la confédération de Varsovie s'engage à élirc un nouveau roi.

12 juillet 1704 : Leszczynski élu

Stanislas reçoit bon accueil de l'assemblée, qui multiplie les démarches auprès du primat afin de proclamer la déchéance d'Auguste II. Le cardinal Radziejowski hésite longuement avant de déclarer la Pologne en état d'« interrègne », ce qui donne aux députés le loisir de prononcer sa destitution ou de le réélire. En attendant, le primat assume les fonctions de régent de la république nobiliaire ; à ce titre, il rencontre Charles XII pour passer en revue les candidatures déclarées. Jerzi Lubomirski ? Trop âgé ! Sapieha ? Caractère irascible ! Radziwill ? N'est-ce pas sur son domaine que Pierre Ier et Auguste II se sont rencontrés pour comploter contre la Pologne ? Reste Stanislas Leszczynski. « Mais Sire, il est bien trop jeune ! s'exclame le primat. – Il est à peu près de mon âge », rétorque sèchement le roi.

Le primat s'incline, et la date de l'élection est fixée au 12 juillet 1704. Aussitôt, un pont de bateaux est installé sur la Vistule tant pour faciliter l'approvisionnement de Varsovie que pour rendre plus aisé le passage de la noblesse arrivant des provinces situées au-delà du fleuve. La plaine près de Varsovie, cernée de palissades et d'un fossé, se hérisse de tentes multicolores surmontées d'oriflammes, de bannières et de boules de métal doré.

Le jour de l'élection, trente mille personnes sont rassemblées à l'abri du solcil, sous les pavillons aux pans relevés. À trois heures de l'après-midi, alors que la séance débute dans le plus grand brouhaha, Charles XII entre incognito dans Varsovie et s'installe à l'ambassade de Suède pour attendre le résultat de l'élection.

Le premier orateur, Jerusalski, député de Podlachie, propose de différer l'élection jusqu'au départ de toutes les troupes, suédoises et saxonnes. Bronikowski prend alors la défense de Charles XII, mais l'assemblée répond par des vociférations. Il faudra six heures de joutes oratoires pour arriver à un accord : le nouveau roi sera bien Stanislas Leszczynski. Le public l'a déjà compris. La foule acclame son nom quand les dignitaires quittent la grande tente arborant l'aigle blanche de Pologne sur fond rouge.

Alors que l'évêque de Poznan entonne le *Te Deum*, une salve d'artillerie, soutenue par la mousqueterie suédoise qui se tient à bonne distance du camp, annonce l'élection du nouveau roi.

À vingt-sept ans, Stanislas est partagé entre la joie de la victoire, l'inquiétude devant un avenir difficile et le regret de ne pouvoir y associer ses deux mentors disparus : son père Raphaël et son grand-père Jablonowski. Le lendemain, il se prête de bon gré à la cérémonie des hommages qui se tient traditionnellement au château de Varsovie. Si le primat de Pologne ne s'est pas encore précipité aux pieds du nouveau monarque, les partisans d'Auguste II sont venus.

Pour l'heure, en dépit des harangues et des honneurs officiels, Stanislas ne peut régner tant qu'il n'a pas été couronné. C'est une affaire de jours, pense-t-on. Avant de repartir guerroyer contre le Saxon, Charles XII a confié à Leszczynski une importante somme d'argent et laissé quinze cents de ses soldats sous les ordres du général Horn. Sage décision, Stanislas ne sachant pas s'il peut vraiment compter sur la fidélité des six mille Polonais de l'armée de la Couronne cantonnée à Varsovie.

La joie fait oublier les dangers

Catherine Opalinska, qui a quitté sa retraite de Silésie avec enfants, gouvernantes, domestiques et belle-mère, exulte. Elle avait rêvé d'honneur et de gloire, mais n'avait jamais osé imaginer devenir reine. Pourtant, le royaume de Stanislas se limite aux territoires protégés par le feu des canons suédois. De plus, Auguste II n'a pas rendu les armes. Et, une nouvelle fois, la Pologne a deux rois. Pour combien de temps?

Auguste II ne voit de salut que dans une alliance avec le tsar. Les cours européennes appelées au secours se contentent d'observer ce combat où Auguste le Fort joue le rôle du lion se débattant dans les rêts suédois. En août 1704, les émissaires du roi saxon signent à Narva un traité polono-russe. Les deux parties s'accordent pour combattre la Suède jusqu'à la victoire et s'engagent à ne pas signer de paix séparée. En contrepartie, les armées du tsar sont autorisées à pénétrer en Pologne.

À Varsovie, la joie de l'élection a fait oublier les menaces. Un matin, alors que Stanislas s'apprête à rejoindre le roi Charles, une armée saxonne s'avance vers la capitale avec l'espoir de s'emparer du souverain polonais. Le jeune roi n'a que le temps de griffonner une lettre à sa femme: «Vous ne pouvez pas, ma chère Catherine, m'accompagner à Lemberg [Lvov] car il se peut que j'aie à me battre en chemin. C'est à Poznan que vous irez vous réfugier avec vos deux enfants et celles de vos dames d'honneur qui voudront bien vous y suivre. Vous serez entourée d'amis et de proches de la Poméranie, où vous trouveriez, en cas d'extrême danger, un très sûr asile. Vous partirez ce soir même. La route de Poznan est libre encore, mais elle peut être coupée demain par des patrouilles saxonnes. Je ne sortirai de Varsovie qu'après vous[9].»

Voltaire relate cette fuite précipitée telle qu'elle lui a été contée par Marie Leszczynska elle-même : Stanislas « crut, dans ce désordre, avoir perdu sa seconde fille [Marie] âgée d'un an. Elle fut égarée par sa nourrice : il la retrouva dans une auge d'écurie, où elle avait été abandonnée, dans un village voisin [10]. »

Auguste II entre dans Varsovie avec la ferme intention de faire payer à la ville l'échec de l'enlèvement de Stanislas. Il ordonne de brûler et de saccager tous les biens des partisans du nouveau roi. L'évêque de Poznan, bloqué à Varsovie par une forte fièvre, est dépouillé avant d'être conduit en Saxe, où il mourra en prison. Les terres de la famille Leszczynski ne sont pas épargnées par la vengeance furieuse du Saxon. Heureusement, sa victoire est de courte durée, une nouvelle menace suédoise le renvoyant derrière ses frontières.

Couronné le 4 octobre 1705

Stanislas revient à Varsovie. Mais, le primat étant absent – le pape l'a menacé d'excommunication s'il assistait au sacre –, la Diète lui substitue l'archevêque de Lvov, Constantin Zielinski. Après avoir juré de respecter les lois du royaume le 3 octobre, Stanislas Ier est couronné en grande pompe, le lendemain. C'est la première fois que la population de la capitale assiste à un couronnement, la tradition voulant que les monarques reçoivent l'onction dans la cathédrale de Cracovie, panthéon royal de la Pologne.

Assis dans l'ombre de la tribune de Saint-Jean de Varsovie, Charles XII assiste au sacre de son protégé. Dehors, une foule joyeuse s'est massée sur le parcours qui mène au palais pour acclamer le nouveau souverain.

Deux monarques et deux primats

Huit jours après les festivités, le primat de Pologne meurt à Dantzig, où il s'est retiré, et Stanislas doit pourvoir à sa succession. C'est son premier acte royal. Il choisit, naturellement, celui qui a béni son sacre, Constantin Zielinski, archevêque de Lvov. Mais Auguste II, qui n'a pas l'intention d'abdiquer et contrôle toujours le Sud, nomme lui aussi un primat en la personne de l'évêque de Kujavic, Stanislas Szembec. La Pologne, occupée par deux armées étrangères, est gouvernée par deux rois et deux primats...

Stanislas se rend bien compte de la situation délicate dans laquelle il se trouve. Seul, avec une poignée de fidèles, il n'a pas les moyens de chasser Auguste II soutenu par les Russes. Son sort est lié au destin du roi de Suède. Sans la moindre hésitation, il signe, deux mois après son sacre, un pacte d'amitié avec la Suède. C'est une réponse au resserrement des liens russo-saxons consacré par la rencontre entre le tsar et Auguste II.

Incontestablement, Charles et Stanislas s'apprécient. Ils sont en communion d'idées, sauf peut-être sur un point : le péril russe. Si ce dernier apparaît évident à Stanislas, Charles XII ne le perçoit pas, tout occupé qu'il est à combattre Auguste II. Il s'escrime à le pousser hors de Pologne et viole la neutralité de la Silésie autrichienne pour pénétrer en Saxe et s'emparer de Dresde. Stanislas le suit avec son armée, tout en redoutant une incursion russe à Varsovie pendant son absence.

Charles XII a voulu profiter de l'effet de surprise. Demeuré à Cracovie avec ses troupes, Auguste II s'affole et envoie deux émissaires pour négocier la paix. Entre-temps, le Saxon a reçu le soutien de l'armée russe commandée par le prince Mentchikov qui l'exhorte à marcher sur Varsovie en affrontant les quatre mille Suédois du général Meyerfeld. Cependant, ne voulant pas nuire aux négociations en cours, Auguste charge un homme de confiance d'informer Meyerfeld de ces tractations secrètes. Mais celui-ci, croyant à une nouvelle ruse, déclenche la bataille, qui se solde par la victoire des Russes. Ce dénouement conduit Auguste à rentrer dans Varsovie... qui l'acclame !

Pendant ce temps, Charles XII tient la Saxe. Devant cette situation paradoxale, Auguste préfère négocier avec le Suédois, dont il accepte tous les diktats. Il renonce à la couronne de Pologne et reconnaît Stanislas Ier ; il rompt ses alliances avec le tsar, libère les princes Sobieski et livre tous les déserteurs, dont Patkul. Il rentre à Dresde, ayant signé la paix le 24 septembre 1706. Quant à Patkul, que le tsar considérait comme son ambassadeur, il est livré au camp suédois. Charles ordonne de lui rompre les membres, de le condamner au supplice de la roue et de le décapiter. Il exige aussi qu'Auguste adresse une lettre de félicitations à son successeur. Il a bien tenté de s'y dérober, mais le roi de Suède s'est montré intraitable. Auguste s'est exécuté le 8 avril 1707.

« Monsieur et frère,

« Nous avions jugé qu'il n'était pas nécessaire d'entrer dans un commerce particulier de lettres avec Votre Majesté ; cependant, pour faire plaisir à Sa Majesté suédoise, et afin qu'on ne nous impute pas que nous faisons difficulté de satisfaire à son désir, nous vous félicitons par celle-ci de votre avènement à la couronne, et vous souhaitons que vous trouviez dans votre patrie des sujets plus fidèles que ceux que nous y avons laissés.

« Tout le monde nous fera la justice de croire que nous n'avons été payés que d'ingratitude pour tous nos bienfaits, et que la plupart de nos sujets ne se sont appliqués qu'à avancer notre ruine. Nous souhaitons que vous ne soyez pas exposé à de pareils malheurs, vous remettant à la protection de Dieu.

« Votre frère et cousin, Auguste, Roi[11]. »

Range-t-il Stanislas parmi les ingrats qui l'ont élu ? Le jeune souverain n'a pas dû goûter l'allusion... À cette lettre pleine d'amertume où il n'est pas question d'abdication, Stanislas répond en ces termes laconiques, le 12 avril : « [...] Je suis sensible aux compliments que vous me faites sur mon avènement au trône ; j'espère que mes sujets n'auront point lieu de manquer de fidélité, parce que j'observerai les lois du royaume [12]. »

Peu apprécié du côté de Versailles

Pour les cours européennes, où l'on suit la crise polonaise avec attention, le retour d'Auguste dans sa Saxe natale ne règle pas la question. Au contraire, on surveille de près l'activité du nouveau roi, et même on l'analyse de façon fort critique. L'ambassadeur français auprès de Charles XII, le marquis de Bonnac [13], informe régulièrement Louis XIV : « Le roi Stanislas n'a aucune autorité [...]. Très actif mais incapable de gouverner, il se laisse guider par un bon jugement. » Versailles, qui pourtant a soutenu son élection, ne manifeste guère d'indulgence : « Lorsque Charles XII choisit le sieur Leszczynski, palatin de Posnanie, pour le faire élire roi de Pologne, il prit cette résolution plutôt parce qu'il manquait de sujets pour placer sur le trône et par l'inclination qu'il avait conçue pour ce palatin qui lui marquait un attachement particulier, que par le motif de ses qualités personnelles et du crédit qu'il pouvait avoir dans son pays. En effet, la considération des Polonais pour lui s'est trouvée médiocre, et ses talents fort au-dessous du rang où la fortune l'a placé.

« Il en a cependant pour se faire aimer. Il fait voir assez de sagesse dans sa conduite, mais en même temps beaucoup de faiblesse et de légèreté, une telle timidité à l'égard du roi de Suède qu'il n'ose lui demander les choses les plus nécessaires pour sa conversation, agissant plutôt comme le moindre officier de l'armée qui doit attendre et exécuter les ordres de son maître que comme un prince occupé de conserver sa couronne pour la gloire même de celui qu'il regarde avec raison comme l'auteur de son élévation [14]. »

L'entourage de Louis XIV n'est pas plus tendre. Il colporte les ragots et se gausse des anecdotes qui lui parviennent de Pologne. Madame Palatine, qui raffole de ce genre de potins, s'empresse de les rapporter à ses proches : « Je vous conte que le roi Stanislas n'est jamais sans avoir une pipe de tabac à la bouche. Et la princesse sa mère et la reine sa femme, après leur dîner on remet une autre nappe, et on porte un bassin d'argent avec des pipes et du tabac, et elles ne sortent de table qu'elles n'aient vidé au moins six bonnes pipes. C'est pour cette fois que le tabac peut reprendre le nom d'herbe à la reine [15]. »

Il rêve de réformes sociales

À Varsovie, Stanislas n'est pas à la fête. Les joies de l'élection sont oubliées et certains Polonais commencent à se méfier de ce roi qui veut faire l'unité et le bien de son pays malgré lui. Il est suspect aux yeux des magnats qui ne songent qu'à accroître leurs biens. Il doit sa couronne au clan antisaxon qui attend de lui des réformes politiques, et il le sait.

Contrairement à ce que pensent ses détracteurs, Stanislas a un programme politique. De son père il a appris à respecter la liberté et à pratiquer la tolérance. De son grand-père Jablonowski, il a gardé la fidélité aux jésuites et hérité l'amour de la France. La prospérité passe à ses yeux par la libération de la paysannerie, ce qui implique un resserrement des classes sociales : « Le peuple doit être le plus fort soutien de l'État, aussi je regrette que ce pays si fertile soit si peu peuplé[16]. » Il rejoint là les idées que son fidèle ami Stanislas-Dunin Karwicki développe dans le traité des réformes qu'il est en train d'écrire. En 1709, la diffusion du *De emendanda republica*[17] reste encore confidentielle, mais l'ouvrage anime les conversations du courant réformateur. Dans ce texte qui connaîtra plus tard un immense succès, Karwicki propose une refonte des institutions par la création d'une diète permanente et la limitation du *liberum veto*... Stanislas partage la vision de ce livre, dont il nourrira ses réflexions.

Toute la famille est traquée par le tsar

Mais l'heure n'est pas aux réformes car le nouveau roi vit dans l'insécurité la plus totale. Le tsar menace toujours la Pologne. Furieux de l'attitude d'Auguste, il reporte sa colère sur Stanislas, allié objectif de son ennemi Charles XII. Le roi doit sans cesse changer de résidence. Quant à Catherine Opalinska, elle a déserté le palais royal pour les cieux de la Posnanie, qu'elle imaginait plus cléments. Faux espoir : les Russes y sont entrés, ravageant tout sur leur passage. Les biens des Leszczynski sont particulièrement visés. À Poznan, la reine échappe de justesse à un enlèvement. Il lui faut encore fuir, elle d'un côté, ses filles de l'autre. Elles finissent par trouver refuge au couvent des cisterciennes de Trzebnica.

La fureur du tsar s'exerce sur les habitants des domaines personnels du roi. Ses troupes incendient les villages qui appartiennent à sa famille : sur trois mille maisons, dix-sept seulement sont épargnées, et tous les fabricants de drap du territoire sont déportés en Moscovie. L'armée de Mentchikov marche sur Varsovie, forte

41

de quatorze mille hommes. Alors que l'artillerie passe près du château royal et de la cathédrale Saint-Jean, la grande croix qui surmonte la tour se détache et se brise à terre. Pour les Polonais, cet accident est un sinistre présage...

Le prince Michel Wisniowski, vice-grand général de la Lituanie, qui a abandonné le camp d'Auguste et du tsar pour celui de Stanislas, dénonce en ces termes les exactions de Pierre le Grand : « La noblesse a été réduite à la besace, quantité de femmes et de filles ont été violées, et un grand nombre d'hommes tués ou ruinés en leur santé. Les principaux d'entre les sénateurs ont perdu la plus grande partie de leurs biens. [...] En un mot, il n'est pas possible d'exprimer les horreurs et les cruautés qui ont été commises en Pologne par ces barbares [18] ! »

Le primat Constantin Zielinski, nommé par Stanislas, est emmené de force à Moscou, et Pierre Ier projette de faire élire un nouveau roi en Pologne. Son choix se porte d'abord sur Adam Mikolaju Sieniawski, mais il offre aussi la couronne à François II Rakoczi, le chef charismatique des malcontents de Hongrie [19]. Par un accord à Varsovie le 16 septembre 1707, il pousse Rakoczi à demander à Louis XIV une médiation entre la Russie et la Suède ; en récompense, il recevra la couronne polonaise. Mais la diplomatie française refuse d'entrer dans le jeu de la Russie.

La couronne de Stanislas est momentanément sauvée, mais s'organise à Varsovie un parti russe auquel se rallient Stanislas Szembec et les deux hetmans polonais et lituanien Sieniawski et Wisniowiecki.

Un échec causé par Stanislas ?

À l'automne de 1707, son armée reposée, Charles XII rencontre Stanislas à Wieniecz et lui révèle son dessein :

surprendre le tsar à Moscou et le contraindre à abdiquer. Abandonnant son ami à son royaume avec une garde de dix mille Suédois, il prend la tête de sa cavalerie et s'empare de Grodno (janvier 1708). En juin, il passe la Berezina et se dirige vers Smolensk. Brusquement, en septembre, il bifurque vers le sud, vers l'Ukraine. Pourquoi ? Quel nouveau plan a-t-il imaginé ?

Charles lance l'offensive au lieu d'attendre l'arrivée du corps d'armée commandé par Levenhaupt qui convoie un énorme chargement de vivres et d'artillerie. Le tsar profite de cette erreur tactique et divise son armée en deux groupes : le premier, commandé par Cheremetiev, suit l'armée de Charles, le second se porte au-devant de Levenhaupt, qu'il bat, le 28 septembre, à Lesnaïa s'emparant des vivres et des munitions. Cheremetiev chemine parallèlement au roi de Suède et détruit tout sur son passage : le tsar a donné pour instruction d'« épuiser l'armée principale par le feu et la ruine ».

Certains historiens ont expliqué la conduite de Charles XII par l'assurance que lui a donnée Stanislas de recevoir le soutien des Cosaques de l'hetman ukrainien Mazeppa. Celui-ci doit sa célébrité à une légende romantique : élevé en Pologne, page du roi Jean-Casimir, il se serait attiré les faveurs de l'épouse de son voisin de domaine, Martin Kontski, grand maître de l'artillerie de la Couronne. Le mari trompé aurait alors fait attacher le jeune homme nu à un cheval lancé au galop dans la steppe. Venu d'Ukraine, l'animal y serait retourné et l'amant aurait été recueilli à demi mort par des paysans. Vraie ou fausse, cette aventure inspirera Pouchkine et Mickiewicz, mais aussi Byron, Voltaire, Schiller et même Defoe...

En 1708, Mazeppa, âgé de plus de soixante-dix ans, gouverne l'Ukraine depuis vingt ans. Il est au service du tsar mais redoute d'être oublié dans les réformes que celui-ci prépare : sa charge d'hetman risque d'être supprimée, l'armée cosaque étant passée sous le commandement du prince Alexandre Mentchikov. Par le truchement de la princesse Anne Dolskaïa, une très belle veuve polonaise de quarante ans aussi à l'aise à la cour du tsar qu'à celle du roi de Pologne, Mazeppa correspond régulièrement avec Stanislas. Il lui a fait des offres dès octobre 1707, affirmant que « les six à sept mille Moscovites qui étaient dans l'Ukraine seraient facilement détruits et qu'il en ferait un pont pour les Suédois ; que l'on ne devait point douter de sa sincérité[20] ».

Stanislas vit dans le ralliement de Mazeppa le moyen d'affaiblir le tsar et d'empêcher la russification de l'Ukraine. L'hetman lui proposait de faire revenir celle-ci dans le giron de la *Rzeczpospolita* en échange de la garantie de son titre et du statut des Cosaques.

Le changement de camp de Mazeppa est effectif dès l'automne 1708, mais la volte-face imprévue des troupes de Charles XII le dessert. Le Suédois aurait dû mettre le cap sur Moscou, ce qui aurait permis aux Cosaques de Mazeppa d'arriver en renfort et de combattre en terre russe plutôt qu'en Ukraine. Mazeppa cache d'autant moins sa déception que la plupart des Cosaques, soutenus par le clergé, hostile à l'incursion d'envahisseurs catholiques ou luthériens, refusent de prendre les armes contre le tsar. Trois mille hommes seulement le rejoignent.

Charles XII, battu, prend la fuite

Après un hiver terrible où l'on voit des oiseaux mourir en plein vol, Charles – qui n'a pas accordé un instant de repos à ses troupes – arrive devant Poltava au printemps 1709. Il n'a plus que vingt-deux mille hommes, dont cinq mille malades ou blessés. Un cauchemar les attend car ils subissent à présent les assauts de la chaleur.

Charles feint d'ignorer le délabrement physique de ses hommes, exténués avant même d'avoir combattu.

Alors qu'il parade crânement devant l'ennemi, il reçoit un jour une balle dans le pied. Immobilisé, il continue de dicter des ordres qui viennent brouiller les plans de ses officiers. Le sachant blessé, Pierre Ier change de tactique et livre bataille le 8 juillet. Contre quatre-vingt mille Russes qui se battent sur leur propre sol, les Suédois, affamés, malades et mal dirigés, sont anéantis. Près de trois cents officiers et quinze mille soldats sont capturés (parmi eux figure le capitaine James Jefferyes, l'observateur chargé de renseigner l'Angleterre sur « l'aventure » suédoise). Charles XII, aidé par le comte Stanislas Poniatowski et une poignée de cavaliers, s'échappe en franchissant le Dniepr pour chercher refuge dans la forteresse ottomane de Bender[21]. Mazeppa, qui l'a accompagné dans sa retraite, mourra quelques mois plus tard.

Stanislas se trouve à Varsovie lorsqu'il apprend la défaite de son protecteur. Le désastre est commenté dans toute l'Europe, de Madrid à Constantinople, et le trône de Pologne vacille chaque jour un peu plus. L'échec du roi de Suède redonne l'espoir à Auguste II, dont l'armée est revenue en Pologne et qui dénonce le traité d'Altranstadt, déniant toute valeur à son abdication, extorquée par la force.

Le 8 août 1709, il signe un manifeste qui en dit long sur ses sentiments : « Le roi de Suède, par un dessein impie et téméraire, avait formé le projet de nous ôter la dignité royale. Stanislas Leszczynski, dont nous avions comblé le père et la famille d'un grand nombre de bienfaits, à qui nous avions conféré le palatinat de Posnanie, que nous avions accablé de nos grâces et notre bienveillance, enfin qui nous avait si souvent et si saintement juré une fidélité inviolable, ce Leszczynski se porta à un tel degré de témérité et d'aveuglement qu'il voulut servir comme organe aux complots criminels qu'on faisait de nous ôter la couronne; il vint s'ériger en roi de l'illustre nation polonaise... Plus tard, le roi de Suède avait encore amené avec lui en Saxe le traître Leszczynski, accompagné d'un amas de perfides Polonais[22]. »

Abandonné par ses derniers partisans

En octobre 1709, Auguste II rencontre Pierre Ier pour sceller une nouvelle alliance. Le pouvoir est en passe de changer de camp... Même la confédération de Varsovie, unique soutien de Stanislas, l'abandonne. Oubliant que le Saxon est l'homme du tsar, les députés reprochent à Stanislas d'être le factotum polonais du roi de Suède. Stanislas mesure dans quelle situation critique il se trouve. Ses fidèles l'ont quitté, et ce n'est pas la petite armée suédoise qui va lui permettre de lutter contre les forces russes et saxonnes. De plus, c'est un piètre homme de guerre. Il est prêt à tout pour y échapper. « Pour éviter à ma patrie les malheurs d'une guerre civile entre mes partisans et ceux d'Auguste II, déclare-t-il à la diète de Varsovie, je suis prêt à abdiquer et à abandonner la couronne[23]. »

Cette défaillance va avoir des conséquences dramatiques. Tout le monde lui tourne le dos. Potocki, le commandant de l'armée polonaise qui veille sur lui, est sidéré : Stanislas capitule avant même d'avoir combattu ! Alors Potocki prend la route de Bender pour offrir ses services au « lion du Nord » qui a soulevé les Turcs contre le tsar.

Stanislas prend le chemin de Stettin, en Poméranie suédoise, où l'attendent sa famille et ses proches. Suit un ballet de correspondances et d'émissaires entre Charles XII et lui. Il veut abdiquer, mais le roi de Suède annonce sa revanche imminente contre le tsar et s'écrie :

« Si mon ami ne veut pas être roi, je saurai bien en faire un autre. »

Stettin étant à son tour menacée, Stanislas s'enfuit avec les siens vers l'île de Rügen, dans la Baltique, avant d'échouer au palais royal de Stockholm où l'attend une lettre courroucée de son royal ami, l'exhortant à ne pas abdiquer.

Cette missive n'empêche pas Stanislas d'entamer des pourparlers avec Auguste II par le truchement de Flemming, investi des pleins pouvoirs. Ces négociations s'achèvent, le 5 décembre 1712, par la signature d'un accord dans la petite ville de Ribnitz. Stanislas renonce à tous ses droits sur la couronne de Pologne et s'engage à restituer le texte original de l'acte d'abdication signé par Auguste II en 1706. Au nom du Saxon, Flemming assure une amnistie totale aux partisans du roi Stanislas, la restitution à ce dernier d'une partie de ses biens et le versement d'une somme de cent mille ducats comme indemnisation de sa fortune perdue. Enfin, il lui assure une pension à perpétuité, en partie réversible sur sa famille en cas de disparition. L'accord étant lié à l'assentiment du roi de Suède, Stanislas doit tenter de fléchir l'inflexible Suédois.

Un officier français à l'accent polonais

Une nuit de 1713, un certain Haran, officier français au service du roi de Suède, quitte le cantonnement de l'armée suédoise installée en Pologne. Il est accompagné du baron de Spaar, futur ambassadeur de Suède, du comte Michel Tarlo, du colonel Adam Smigielski et de Gottlieb Biber, un valet de chambre promu secrétaire. Ses compagnons se montrent étrangement déférents à l'égard de cet officier qui parle le français avec un accent polonais rocailleux... Et pour cause : derrière Haran se cache Stanislas... Il a décidé de faire le voyage à Bender en personne. Arrêté plusieurs fois, le petit groupe parvient tant bien que mal à se tirer des griffes ennemies. Lorsqu'il arrive enfin en Moldavie, Stanislas s'attend à recevoir un accueil chaleureux. À Jassy, la capitale du pays, il renvoie le comte de Spaar, convaincu de ne plus avoir besoin de ses services.

Le faux Haran se présente aux autorités comme major d'un régiment au service de Charles XII. Les Turcs, qui ne comprennent ni le français ni le polonais, réagissent avec méfiance lorsqu'il prononce le nom du roi de Suède. Aussitôt arrêté, le voyageur est conduit devant l'hospodar de Moldavie. Les deux hommes s'expriment en latin. « *Major sum* », lui explique Stanislas (je suis major). L'hospodar, qui sait par les gazettes que Stanislas « s'est éclipsé de son armée » pour rejoindre Charles XII, nourrit quelques doutes. « *Imo maximus es* » (Tu es le plus grand), répond-il en lui présentant un fauteuil. Stanislas apprend qu'à force de lasser ses hôtes en refusant de quitter le territoire ottoman Charles XII a été conduit vers une résidence surveillée, à Andrinople. Averti de l'arrivée du roi Stanislas, le pacha de Bender, qui accompagnait Charles XII, prévient aussitôt le baron de Fabrice, l'interprète du roi de Suède. Celui-ci conte la nouvelle à Charles, qui s'écrie : « Courez à lui, mon cher Fabrice. Dites-lui bien qu'il ne fasse jamais la paix avec le roi Auguste, et assurez-le que dans peu nos affaires changeront[24]. » Fabrice se précipite sur la route de Bender et rejoint un groupe de soldats au milieu duquel se trouve « un cavalier vêtu à la française et assez mal monté ». Il l'interroge en allemand : « Avez-vous vu le roi de Pologne ? – Eh quoi ! ne vous souvenez-vous donc plus de moi ? » réplique Stanislas. Et Fabrice de lui conter les dernières mésaventures de Charles XII.

À Bender, Stanislas est retenu prisonnier mais traité en roi. Sa maison se compose de domestiques et d'une garde. Il touche une pension de la Porte, et le pacha de Bender, chargé de veiller sur ce prisonnier moins turbulent que le roi de Suède, lui a envoyé un magnifique cheval arabe caparaçonné d'or. Stanislas coule des jours tranquilles entrecoupés d'interrogatoires courtois où il réaffirme toujours sa volonté d'abdiquer. Certes, la reine et ses deux filles ne sont pas là pour compléter ce tableau paisible, mais Stanislas occupe sa solitude de musique, de lectures et de promenades accompagnées. Les janissaires n'ont pas de difficulté à garder ce royal prisonnier qui découvre les couleurs et les charmes de l'Orient, et rêve de longues heures dans les jardins odorants, bruissant de jets d'eau et de fontaines.

Au contraire de Stanislas, qui accepte son état avec sérénité, Charles XII mène une vie impossible à ses geôliers qui l'ont surnommé « Tête de fer ». Transféré dans la forteresse de Demotika, il redoute d'être livré au tsar, se dit malade et ne quitte plus son lit.

Louis XIV tente de le faire libérer

Louis XIV s'en mêle en envoyant à Constantinople son ambassadeur, le comte des Alleurs, pour tenter de débrouiller la situation des deux rois prisonniers des Turcs. En réalité, la Turquie n'a qu'une envie : se débarrasser de Charles XII et de Stanislas. Et l'or français devrait activer le règlement de l'affaire en aidant à corrompre les plus réticents... Stanislas quitte enfin Bender, encadré d'une brillante escorte, le 8 août 1713. Mieux : deux armées turques doivent chasser les Russes d'Ukraine et rétablir Stanislas sur son trône.

Hélas, avant d'avoir atteint la frontière, Stanislas est rejoint par un officier turc qui donne l'ordre de revenir à Bender. Les Russes n'ont guère apprécié l'initiative française : en y mettant le prix, ils ont renversé la tendance, et le pacha de Bender, châtié pour avoir exécuté le premier ordre si promptement, a dû céder sa place... Stanislas retourne en captivité. Mais en forteresse, cette fois. À ses questions, le nouveau pacha répond avec un sourire embarrassé qu'il s'agit de le protéger des spadassins du roi Auguste II...

Stanislas supporte mal ce nouveau revirement. À la tranquillité des premiers temps ont succédé la tristesse et l'angoisse. Une fois de plus, il écrit à Charles son désir d'abdiquer, ce que le Suédois refuse toujours.

C'est pourtant lui qui va débloquer la situation en acceptant finalement de quitter le territoire ottoman sans conditions. Les nombreux appels de détresse de la Suède dépouillée de ses terres allemandes ont fini par ramener le roi à la raison. Libéré au début de l'année 1714, il se précipite à Bender, où il trouve un Stanislas obsédé par son abdication. Mais Charles ne veut pas en entendre parler. Stanislas est atterré. Ses biens ont été pillés, ses terres, ravagées, il n'a plus rien et ne croit plus aux lendemains revanchards que lui promet son interlocuteur. Mais son intransigeance n'empêche pas celui-ci de saisir le découragement de son ami, coupé de ses racines et séparé de sa famille réfugiée en Suède. Alors, il lui propose un intermède : « En attendant que je vous ouvre les portes de Varsovie, installez-vous dans mon duché de Zweibrücken. Vous y serez traité en roi. »

CHAPITRE III

Les routes de l'exil,
de Zweibrücken à Wissembourg

Stanislas Ier est donc libre. Les Turcs ont enfin laissé partir cet éphémère roi de Pologne qui ne pèse plus rien sur l'échiquier politique européen.

À trente-sept ans, il lui faut maintenant renouer le fil d'une existence qui l'a maltraité, bafoué, ruiné, alors qu'elle lui promettait richesse, puissance et bonheur.

La fortune de l'héritier des Leszczynski est réduite à néant, sa famille est loin, son avenir bien sombre... Les Polonais l'oublient déjà; ils ont trop de soucis pour se préoccuper de ce monarque qui n'a pas su les débarrasser d'Auguste II.

Il ne conserve le soutien que d'une poignée de fidèles et l'appui de Charles XII. Certes, le roi de Suède ne croit plus en son ancien poulain, mais il lui est resté fidèle en lui offrant le havre d'un minuscule territoire germanique, coincé entre la Lorraine, la Sarre et l'Alsace : le duché de Zweibrücken, que les francophiles comme Stanislas préfèrent traduire en « duché de Deux-Ponts ».

Un certain comte de Cronstein

Pour rallier Deux-Ponts depuis Bender, il faut traverser l'Europe centrale. Et la route n'est pas sûre, car les

51

sbires de « l'autre » roi de Pologne, Auguste II, ne donnent pas cher de la peau de son rival.

Stanislas prend la route le 23 mai 1714 en compagnie de trois gentilshommes polonais, les comtes Urbanowicz, Krzyszpin et Telemski. En chemin, ils retrouvent Stanislas Poniatowski et Michel Tarlo munis des pièces officielles signées de Charles XII confirmant l'installation dans le duché de Deux-Ponts. Il n'y a aucun Leszczynski dans la petite troupe... mais un mystérieux comte de Cronstein... Pour son énième pseudonyme de fuite, Stanislas a choisi un nom à consonance allemande. Premier pas vers son duché germanique ?

Les voyageurs traversent la Hongrie puis l'Autriche avant de faire halte à Vienne, où le prince Eugène les reçoit dignement. Mieux, pour parcourir en toute quiétude les terres des Habsbourg, ce dernier charge le lieutenant-colonel Weiss d'assurer la protection du roi sans couronne.

Premier contact avec Lunéville

La Lorraine est leur dernière étape, après le contournement de la Rhénanie. Entrés discrètement dans Lunéville, le comte de Cronstein et ses compagnons descendent à l'auberge *La Croix de Lorraine*. Stanislas est trop préoccupé pour admirer le château de cette jolie ville où le duc Léopold et sa cour nancéienne ont déjà pris leurs quartiers d'été. Pour l'heure, il tente de résoudre ses problèmes d'argent. Il a envoyé le fidèle Tarlo négocier la vente de quelques bijoux de la cassette des Leszczynski auprès d'un usurier lunévillois.

La nouvelle s'est vite répandue et, à *La Croix de Lorraine*, on ragote déjà sur les malheurs du roi de Pologne. « Le roi Stanislas est passé dans cette ville, écrit le conseiller ducal Joseph Le Bègue à son collègue Jean-

Louis Bourcier. Il a toujours gardé l'incognito sous le nom de comte de Cronstein, sans vouloir de logement au château. Il est dans une dure nécessité. Il avait mis en gage ses bijoux pour les vendre secrètement ; M. de Beauvau[1] les a vus ; il l'a deviné et en a instruit Son Altesse. Le jeune de Lenoncourt a été chargé de les retirer et de porter au comte les bijoux et leur prix, sous la condition du plus grand secret. Le roi a accepté et, en partant, a laissé une lettre ouverte à l'aubergiste de *La Croix de Lorraine*, avec ordre de la porter le soir à M. de Beauvau, en la laissant lire à qui voudrait la voir[2]. »

Duc « par délégation »

Le groupe atteint Zweibrücken[3] dans la soirée du 4 juillet 1714. Ils rendent aussitôt visite au gouverneur, le baron von Strahlenheim. Le temps de vérifier l'authenticité des lettres de Charles XII et celui-ci organise à la hâte un banquet solennel pour révéler aux élites du duché l'identité de ce mystérieux comte de Cronstein. Les émissaires de Louis XIV sont déjà partis pour Versailles annoncer la nouvelle. Saint-Simon s'en fait l'écho : « On apprend que le roi Stanislas, après avoir longtemps erré et ne sachant où se retirer, est arrivé aux Deux-Ponts. Il y est parvenu en fort petit équipage, il n'est accompagné en effet que de quatre officiers, ses derniers fidèles. »

Pendant que l'on restaure à la hâte le vieux château délabré, Stanislas emploie ses premiers jours d'exil à découvrir son nouveau territoire. Avec bonheur, car les habitants du petit duché font bonne figure à ce roi polonais officiellement nommé duc « par délégation ». Le visage jovial et le contact avenant, il séduit ses nouveaux sujets qui apprécient cet homme à l'habit sans fioritures et cachant mal un embonpoint naissant. Honorés de le voir résider en ses terres, les Bipontins frappent une médaille afin d'immortaliser l'événement. On peut y lire :

Il y est reçu en roi
y vit en sage au-dessus de l'inconstance de la
[Fortune :
elle a pu le faire plier aux circonstances,
mais elle ne l'abattra jamais[4].

En revanche, on déplore de ne pas connaître le reste de la famille Leszczynski, dont l'arrivée, plusieurs fois annoncée, est sans cesse retardée faute d'argent. Stanislas doit recourir à un emprunt auprès de sympathisants pour faire venir de Suède sa mère, Anna Jablonowska, son épouse, Catherine Opalinska, et ses deux filles, Anne et Marie, accompagnées de quelques serviteurs et d'un jésuite, le père Radominski. En octobre 1714, après sept ans de séparation, la famille est réunie et emménage dans le château.

Pauvres mais gaspilleurs

Le revenu annuel du duché, estimé à vingt mille thalers, est fort modeste ; c'est pourtant sur son budget que doit être prélevée la pension allouée à Stanislas. Le gouverneur von Strahlenheim, qui gère les finances, jongle pour subvenir à l'entretien des quatre cents soldats suédois chargés de la sécurité du roi polonais... et à la bonne chère des émigrants et autres partisans qui lui rendent visite et s'incrustent à Deux-Ponts. Chaque semaine, le village de Nohfelden, par exemple, doit fournir sept chapons, sept oies, deux cents poulets et cent vingt livres de beurre...

Laxiste ou inconscient, Stanislas participe largement aux excès de sa cour. Ainsi, dans les derniers jours de janvier 1715, partis chasser dans une bourgade des environs, le roi de Pologne et ses compagnons investissent l'auberge locale. Ils ripaillent en bons chasseurs affamés et repartent en laissant la note à payer aux Bipontins. Von Strahlenheim refuse, prescrivant à tous les villages alentours de ne fournir la cour polonaise qu'en échange d'un paiement comptant. Et Stanislas de pleurer misère auprès de Charles XII : « J'ose prendre la liberté d'informer votre majesté de ma situation particulièrement digne de pitié ; seule l'extrême misère dans laquelle je me trouve m'encourage à parler de cette affaire si ouvertement[5]. »

Malgré les désagréments causés par la présence de certains Polonais parasites, les Bipontins sont très fiers d'avoir un roi toujours botté, en redingote bleue et perruque blonde, qui coule des jours heureux chez eux. Greiffencranz[6], le chancelier du roi de Suède à Deux-Ponts, écrit le 5 avril 1715 à son ami Leibniz : « Vous n'ignorez pas, Monsieur, que, depuis sept ou huit mois, nous avons la satisfaction de voir ici le roi Stanislas et sa cour ; le prince a des manières si engageantes qu'il charme et se rend maître du cœur de tout le monde. Et toutes les personnes de la famille royale n'en font pas moins[7]. »

Même Anna Jablonowska, que l'on a pris l'habitude d'appeler Madame Royale, y va de sa cassette en offrant aux franciscains du monastère de Hombourg un retable et un baldaquin pour le maître-autel de leur église, tandis que le roi finance les retables des autels latéraux. Il est vrai qu'aucune cérémonie ne se déroule chez les franciscains sans la famille royale...

Nourritures spirituelles

Quand il n'est pas à la chasse, Stanislas a ses habitudes chez d'autres religieux : ceux de l'abbaye de Grafenthal, sur la route de Sarreguemines. C'est un prieuré de guillemites dont la fondation remonte à 1243. Le roi aime particulièrement converser avec l'abbé Klocker. C'est d'ailleurs avec ce moine qu'il a rencontré pour la première fois l'évêque de Strasbourg, le prince-cardinal Armand Gaston de Rohan-Soubise, dont il est devenu l'ami. Le cardinal se rend souvent à Deux-Ponts, partageant les joies et les peines de son royal ami.

Les nourritures immatérielles ne se limitent pas à la religion. Stanislas partage aussi les travaux d'un certain Karl-Friedrich Luther, le médecin que Charles XII lui a envoyé.

Lointain descendant de Martin Luther et ancien professeur de droit à Kiel, il est conseiller de justice suédois et s'occupe de l'éducation scientifique des deux princesses. Chaque fois que les circonstances le lui permettent, Stanislas assiste aux leçons de ses filles, heureux d'approfondir ses connaissances. Par Greiffencranz, il s'est procuré la *Théodicée* que Leibniz a publiée en 1710. Il est si pressé de découvrir le texte que le chancelier a tout juste eu le temps d'en lire la préface : « Le roi me l'a fait demander et on me dit qu'il s'en fait lire quasi tous les jours[8] », écrit-il à l'illustre philosophe.

Un nouveau château pour loger la Cour

Stanislas s'est également lancé dans un projet architectural ambitieux. Officiellement, il s'agit de procurer à Catherine Opalinska une résidence plus agréable que la vieille demeure qu'elle déteste et juge humide et étriquée, malgré les aménagements du rez-de-chaussée et de deux étages. Il faut aussi loger la cour polonaise, plus nombreuse qu'aux premiers jours. À moins qu'il ne s'agisse tout simplement d'imiter les princes d'Europe, qui eux-mêmes copient les fastes de Versailles...

L'ex-roi de Pologne n'a pas les moyens de les suivre, mais il va quand même s'offrir la résidence de ses rêves : un petit château imaginé en admirant l'architecture des maisons de Bender et les demeures baroques des Habsbourg, qu'il baptise Tschifflik[9] – « maison de plaisance » en turc. Le site choisi se trouve à l'écart de la ville, non loin de Contwig, sur un terrain en gradins qui se prête admirablement aux chimères baroques. La conception est confiée à l'architecte suédois Jonas Erikson Sundahl[10] et les travaux commencent en 1715. Selon les historiens allemands, Sundahl se serait inspiré du palais d'été de l'archevêque de Mayence, Lothar-Franz von Schonborn, alors en cours d'achèvement.

Avec du bois et d'autres matériaux peu coûteux, Sundahl bâtit une petite résidence composée de plusieurs pavillons aux usages spécifiques, disposés sur trois niveaux et séparés par des bassins, cascades, jets d'eau, balustrades, charmilles et escaliers à double révolution. Ici le pavillon de Madame Royale ; là celui des deux princesses. En face, derrière le grand jet d'eau jailli du bassin octogonal, le bâtiment à un étage du roi Stanislas et de la reine Catherine, dont les trois grandes portes vitrées donnent sur la perspective des jardins. Un escalier bruissant d'eau descend vers une cour-jardin aux parterres à la française où trône une sculpture représentant « le dieu Pan sur un rocher ».

De chaque côté de l'escalier se dressent deux pavillons à étages servant de salle de jeux et de salle à manger, maîtres d'hôtel et confiseurs logeant à l'étage inférieur. Au fond, un pont aux piles ornées de dauphins crachant l'eau enjambe un étang pour mener à une succession d'escaliers monumentaux qui permettent d'atteindre la « Montagne des trompettes », couronnée d'un arc de triomphe. C'est là que Stanislas installe son orchestre. Toutes les constructions sont reliées entre elles par des galeries couvertes ou des tonnelles. Quant au domaine, il est doublement ceinturé par une clôture et un fossé.

Dans cet ensemble baroque aux allures orientales où l'eau sert de trait d'union avec la nature, Stanislas semble avoir voulu ressusciter la Renaissance italienne des palais de son enfance, associée au classicisme de Versailles admiré lors de son périple européen de jeunesse.

Les Leszczynski conserveront leur vie durant la nostalgie de ce palais. Ainsi la légende raconte-t-elle que Marie avait planté un cerisier dans le parc et que, devenue reine de France, elle continua de recevoir chaque année des fruits de son arbre à Versailles...

Le paradis de la musique et des arts

Loin des champs de bataille chers à Charles XII, Stanislas donne libre cours à ses plaisirs dans la plus grande sérénité. Quand il ne court pas les routes ou les forêts du duché, il transforme Tschifflik en théâtre ou en opéra. Sa passion pour la musique, partagée avec la reine Catherine, le pousse à s'entourer d'interprètes renommés comme les trompettistes Karl Buttilier, Martin Hardeley, Wilhelm Mutte et Joseph Stomka, ou le virtuose de la viole de gambe John-Daniel Hard. Parmi les artistes attachés au souverain figure un certain Jules Favier, un intrigant que l'on retrouve dans la plupart des cours européennes et qui se présentera plus tard comme le « maître à danser de la reine de France lorsque cette princesse était à Deux-Ponts »[11].

Quelques opéras italiens sont joués à Tschifflik, bien que Stanislas leur préfère les spectacles français. Le

23 octobre 1715, une troupe française donne *Télémaque*, sur une musique du même Jules Favier, d'après un livret inspiré du célèbre roman pédagogique de Fénelon. Cette œuvre ne laissera pas autant de souvenirs que celle du 25 novembre 1718, intitulée *Divertissement pour Son Excellence monsieur le général Poniatowski, gouverneur général de Sa Majesté suédoise dans le duché de Deux-Ponts, représenté sur le théâtre de Sa Majesté le roi de Pologne*[12]. Cette pastorale où bergers et bergères se mêlent à des divinités mythologiques comme Flore ou Mars connaît un vif succès parce que le genre est à la mode et que Charles XII et Stanislas y sont magnifiés.

L'heure de la tristesse et des dangers

La tranquillité de Tschifflik n'empêche pas la tragédie de frapper à nouveau la famille, qui retrouvait peu à peu le chemin de la sérénité. Au printemps de 1717, Anne, la fille aînée de Stanislas, tombe gravement malade, et les médecins ne pourront pas guérir sa congestion pulmonaire. Le 20 juin 1717, elle est enterrée à l'abbaye de Grafenthal[13]. Belle, intelligente, joyeuse et spirituelle, Anne avait dix-huit ans. Elle était l'enfant chérie de Catherine Opalinska, qui, faute d'avoir pu jouer pleinement le rôle de souveraine de Pologne, avait placé tous ses espoirs dans cette fille comblée par la nature.

Ce deuil vient s'ajouter aux inquiétudes persistantes sur l'avenir de l'ex-roi de Pologne. Car Stanislas Ier n'a pas abdiqué, et demeure donc une menace aux yeux d'Auguste II. Pis : Pierre le Grand, prêt à s'entendre avec la Suède, consentirait même à le rétablir sur son trône, ce qui compromettrait le dessein d'Auguste de transformer la Pologne en une monarchie héréditaire ouverte à son fils. L'ombre de Leszczynski hante quotidiennement le

Saxon. Ses hommes de main reçoivent pour mission de s'assurer de sa personne.

En dépit de la présence de quatre cents Suédois pour veiller sur lui, Stanislas n'est pas à l'abri d'un attentat. Mais la chance lui sourit : en août 1717, un complot est éventé grâce à un certain Montauban qui dévoile à Stanislas Poniatowski le projet d'un ex-officier français, nommé Lacroix, chargé avec douze acolytes d'enlever le roi de Pologne. L'action doit avoir lieu le 15 août sur le chemin de Grafenthal, où Stanislas va se recueillir sur la tombe de la princesse Anne. Les ravisseurs tombent dans une embuscade tendue par Poniatowski avec quelques soldats de la garnison suédoise; Lacroix et trois comparses sont arrêtés et condamnés à mort.

Stanislas finit par demander leur grâce et les expulse du duché. On les retrouve peu après à Dresde, fief d'Auguste II... Difficile d'imaginer meilleure signature ! Embarrassé, le gouvernement de l'Électeur de Saxe nie toute participation au complot et diffuse la mise au point suivante : « Le roi de Pologne [Auguste II] réclame les officiers réformés du régiment de Seissan qui auraient été arrêtés de la part de ladite régence [le duché de Deux-Ponts] offrant de les punir s'ils sont coupables; avec menace d'user de représailles contre la régence si elle refuse de renvoyer lesdits officiers[14]. »

Mort de Charles XII

L'année suivante, tout va mal pour les Leszczynski. La tentative d'enlèvement a réveillé les vieilles angoisses de la traque, et les problèmes financiers s'aggravent. Les dépenses de Tschifflik n'y sont pas étrangères... Mais le pire est encore à venir : aux premiers jours de janvier 1719, un courrier de la cour de Suède annonce à la population du duché de Deux-Ponts la mort de Charles XII à l'âge de trente-six ans. Le roi de Suède a reçu une balle dans la tempe le 30 novembre 1718 pendant une inspection, près de Fredrikshall, verrou de défense d'Oslo qu'il s'apprêtait à assiéger. Sitôt la nouvelle connue, Stanislas Poniatowski s'empresse de rallier la Pologne d'Auguste II, aussitôt imité par Telemski, Krzyszpin et Urbanowicz.

Si la couronne de Suède revient à Ulrique-Éléonore, sœur de Charles, en revanche le duché de Deux-Ponts ne peut légalement échoir à une femme. C'est donc le comte palatin Samuel-Léopold qui devient l'héritier du trône ducal et s'empresse de se faire acclamer par les Bipontins. À quarante-deux ans, Stanislas se trouve dans une impasse : il n'a plus sa place dans le duché, il a perdu son unique soutien, ses ennemis le guettent, ses créanciers l'assaillent... et ceux qui profitaient de ses largesses à la cour de Tschifflik quittent le navire en perdition.

Où aller ? La Pologne lui est interdite, la Suède, embarrassée par les promesses faites par Charles XII, ne souhaite pas le recevoir. Stanislas songe s'installer en Lorraine, mais le duc Léopold, qui vient à grand-peine d'obtenir le titre d'altesse royale à l'issue d'un traité de Paris âprement discuté, se garde bien d'agir, de peur de déplaire au duc d'Orléans, qui exerce la régence depuis la mort de Louis XIV. Pourtant, au secrétaire Biber dépêché à Nancy, Léopold confie néanmoins en février 1719 trente mille livres pour Stanislas, non sans avoir fait signer une reconnaissance de dette à l'émissaire [15].

Parallèlement, le baron de Meszek, envoyé en ambassade à Versailles, apitoie le Régent sur l'infortune de Stanislas. Ému, celui-ci finit par autoriser l'exilé polonais à résider en Alsace. Selon la comtesse d'Armaillé, il lui aurait même adressé la lettre suivante : « Vos vertus, encore plus que vos malheurs, intéressent le roi mon neveu en votre faveur : il me charge de vous faire savoir que ce n'est point sa protection mais son amitié qu'il entend vous accorder. Ainsi, comme vous vous trouvez dans le voisinage de l'Alsace, vous êtes le maître de choisir votre résidence dans telle ville de cette province qui pourra vous convenir[16]. »

Un nouveau refuge en Alsace

Quelques semaines plus tard, en mars, Stanislas et les siens quittent donc Tschifflik pour Wissembourg. Jules Favier assiste au départ de celui qu'il ne peut plus servir : « J'eus l'honneur, accablé de chagrin de perdre ce maître, de lui présenter l'étrier lorsqu'il monta à cheval ; ce prince me serra entre ses bras et me dit qu'il n'oublierait jamais son Favier[17]. »

Lorsque Auguste apprend l'installation prochaine de Stanislas en Alsace, il fait savoir son déplaisir au Régent, et celui-ci répond : « Monsieur, mandez au roi votre maître que la France a toujours été l'asile des rois malheureux[18]. »

Bourgade commerçante du nord de l'Alsace, Wissembourg, très éprouvée au siècle précédent par la guerre de Trente Ans, est devenue française en 1705, après sa conquête par le maréchal de Villars ; elle est administrée par quatre maires qui se relaient tous les trimestres – tous les quatre sont là pour recevoir leur nouvel hôte. Comme il n'y a ni palais ni château, on installe les Leszczynski et leur suite à la *Deutschhaus* récemment construite. Dans cette demeure patricienne plus communément appelée « maison Weber »[19], Stanislas, Catherine Opalinska, Madame Royale et la princesse Marie vont mener une vie simple, entourés de leurs derniers fidèles : le baron Meszek ; le comte Michel Tarlo, cousin de la reine ; le secrétaire Goettlieb Biber ; le père Radominski, confesseur de Catherine Opalinska ; le jésuite Golomski, prédicateur et confesseur de la maison royale ; l'abbé Labiszewski, confesseur de Marie [20] ; Mme de Linange, dame d'honneur de la reine ; Mlles de Vaudigny, fille d'un gentilhomme normand, et Rindel, jeune aristocrate allemande, toutes deux au service de la princesse Marie.

Désespérante quête d'argent

Pour couvrir les dépenses d'installation, Stanislas a gagé les bijoux des Leszczynski, placés dans le coffre d'un banquier juif de Francfort. La somme qu'il en tire est si dérisoire que Michel Tarlo se rend à son tour à Versailles et obtient du Régent vingt mille écus. Charles XII avait bien promis de verser cent mille écus « jusqu'à la conclusion d'une paix triomphante », mais il n'en a rien été. À nouveau Stanislas plaide sa cause en Suède. Cette fois, il adresse sa supplique au nouveau roi, Frédéric Ier, époux d'Ulrique-Éléonore, couronné en 1720 après l'abdication (volontaire) de sa femme. Frédéric se débarrasse du problème en se tournant vers la France, qui elle-même a promis d'aider financièrement la Suède. Il écrit au Régent :

« Monsieur mon frère,

« La situation à laquelle Sa Majesté le roi Stanislas de Pologne est présentement réduit et qui ne saurait être pire, étant digne d'une compassion générale, s'est aussi attiré sans doute celle de Votre Altesse royale. J'en suis si touché moi-même que je fais tous les efforts possibles pour le secourir.

« Mais comme la sanglante guerre qui me reste toujours sur les bras borne encore trop les efforts de ma bonne volonté envers ce roi, je ne saurais m'empêcher d'exciter en sa faveur les sentiments de générosité qui sont si naturels à Votre Altesse royale et dont elle donne tous les jours de nouvelles preuves.

« Une modique somme d'argent de cinquante mille écus payés en décompte sur le secours que Votre Altesse royale m'a fait espérer à moi-même me tirera d'affaire et j'espère que ce sera la dernière dont ce prince aura besoin, vu que la paix avec le roi Auguste ne saurait plus tarder longtemps à faire...

« Votre Altesse royale voudra être persuadée que c'est moi-même qui lui sera redevable de l'assistance généreuse qu'elle lui accordera[21]. »

Le Régent s'acquitte effectivement de cette pension, offrant ainsi au roi déchu un nouveau répit dans un nouvel exil.

CHAPITRE IV

L'avenir de Marie Leszczynska

À Wissembourg, la vie s'organise malgré les sempiternelles difficultés financières. Le roi déchu songe surtout à l'établissement de sa fille.

Marie, qui vient d'avoir dix-sept ans, n'est guère appréciée par sa mère : elle semble lui reprocher d'avoir survécu à sa sœur aînée. Cette mésentente désespère le roi, mais il n'y trouve aucun remède. Inconsolable, Catherine s'apitoie sur son sort de souveraine déchue et de mère frustrée. Elle s'abîme dans une dévotion maladive au lieu de s'occuper de l'éducation de sa fille.

De son côté, Stanislas s'efforce d'adoucir la jeunesse ballotée de Marie en conversant souvent avec elle et en lui communiquant son goût pour la musique : elle chante, danse et joue parfaitement du clavecin. Afin d'échapper à l'atmosphère lourde de son foyer, l'ancien roi de Pologne part pour d'interminables promenades à cheval ou en voiture, se rendant aussi bien à Haguenau ou à Strasbourg qu'à Saverne, où il participe aux fêtes des Rohan.

Mais la chasse demeure sa distraction favorite ; il faut dire que son ami le comte du Bourg, gouverneur militaire d'Alsace [1], veille avec soin sur ses tableaux de chasse. Ainsi, le 12 août 1722, la municipalité de Wissembourg reçoit-elle une lettre du comte l'informant que si le tiers du territoire de chasse de la commune est réservé au commandant de la place, les deux tiers restants sont destinés à « Sa Majesté le roi de Pologne, aussi longtemps qu'il demeurera à Wissembourg ».

Comment choisir le meilleur parti

Pour tromper la monotonie, Stanislas organise des parties de cartes ou des soirées dansantes. C'est en l'une de ces occasions que sa fille Marie rencontre Louis-Charles-César Le Tellier[2], marquis de Courtanvaux, commandant le régiment de cavalerie Royal-Roussillon de Wissembourg. Ce jeune homme, qui porte le nom de Louvois, neveu du maréchal d'Estrées, partage les mêmes sentiments que la princesse. Mais le roi de Pologne ne le trouve pas assez doté pour en faire son gendre, à moins qu'il ne soit élevé au rang de duc et pair. De son côté le Régent s'oppose, affirmant qu'il y va « de l'honneur de la France et des têtes couronnées de ne pas laisser descendre une fille de roi jusqu'à un simple particulier ». Faut-il voir là une vengeance à l'égard d'un descendant de Louvois ?

Pour sa part, Catherine Opalinska est entrée en pourparlers avec la margrave de Bade[3]; la demande en mariage a le soutien de la cour de Suède. Mais Marie n'est pas assez dotée pour convoler en pays de Bade... Stanislas, lui, songe au duc de Bourbon[4], veuf depuis peu. En partance pour Versailles, le chevalier de Vauchoux[5], familier des exilés de Wissembourg, promet de sonder l'entourage du duc, en particulier sa maîtresse, la marquise de Prie[6]. Vauchoux vante les qualités de la jeune Marie : son charme, sa douceur et sa grande culture. Outre sa langue maternelle, elle parle très bien le français et peut converser en allemand, en italien et en latin. Mme de Prie est soucieuse de favoriser le rema-

66

riage de son amant avec une jeune fille qui ne lui fera pas d'ombre... Mais elle ne croit guère à la possibilité d'allier une Leszczynski au duc de Bourbon : filiation trop modeste pour un descendant du Grand Condé.

Ces doutes ne l'empêchent cependant pas d'entamer en grand secret une correspondance avec Stanislas...

Celui-ci y est d'autant plus intéressé qu'il suit d'un œil particulièrement attentif tout ce qui se passe à la cour de France. Pour sceller la réconciliation entre la France et l'Espagne – œuvre du cardinal Dubois –, Philippe V a proposé au Régent deux mariages : son fils le prince des Asturies épouserait la propre fille du duc d'Orléans, et l'infante Marie-Anne-Victoire serait fiancée à Louis XV. La petite fille n'a que trois ans et demi et le jeune roi, onze... Mais il a beaucoup pleuré avant d'accepter. L'infante a rejoint la France en mars 1722 ; elle vit au Louvre, tandis que son royal fiancé demeure aux Tuileries.

L'infante d'Espagne s'en va, la place est libre...

À Wissembourg, les finances de Stanislas ne s'arrangent pas. En 1723, il décide d'envoyer le fidèle Michel Tarlo à la cour de Suède pour renégocier sa rente. Tarlo en revient avec une maigre cassette de trente mille écus, parcimonieusement accordée par la Diète suédoise. À Versailles, rien ne va plus. Après la disparition du cardinal Dubois (10 août 1723), c'est au tour du Régent de mourir subitement au soir du 2 décembre. Le jour même, le duc de Bourbon, laissé-pour-compte de la Régence, réclame la succession du défunt. Déboussolé, le jeune Louis XV, qui n'a pas encore treize ans, murmure un vague consentement.

Conscient que son retour aux affaires est inespéré, le duc de Bourbon se soucie aussitôt de l'avenir. Si le roi venait à mourir, c'est le duc d'Orléans, fils du Régent, qui régnerait. Impossible pour un Bourbon-Condé de servir un d'Orléans ! Pour échapper au pire, il faut donc à tout prix marier Louis XV avec une princesse en état de procréer. Or ce ne sera pas le cas de l'infante-reine avant plusieurs années... Philippe V d'Espagne lui vient involontairement en aide. Il a abandonné le trône à son fils aîné, le prince des Asturies, seize ans, marié à la fille du Régent. Mais, à peine installé, Louis Ier est mort de la petite vérole. Philippe, contraint de remonter sur le trône, renvoie la jeune veuve en France. L'événement tombe à pic pour le duc de Bourbon, qui trouve de bons prétextes pour renvoyer l'infante à ses parents... Le temps de négocier, et la petite fille repartira pour l'Espagne au printemps 1725.

Quatre-vingt-dix-neuf princesses d'Europe à marier

Pendant ce temps, le duc de Bourbon a chargé le comte de Morville[7], secrétaire d'État aux Affaires étrangères, de dresser la liste de toutes les princesses en âge de se marier. Sur 99, 16 seulement sont retenues (44 sont trop âgées, 29, trop jeunes, et 10 autres, issues de branches cadettes ou trop pauvres, sont au service d'autres princes). Tout est passé en revue : physique, religion et position sociale.

Marie Leszczynska fait partie des seize. Elle est efficacement défendue par Bourbon et par Mme de Prie, dont les relations épistolaires avec Stanislas sont devenues régulières. Dès février 1725, celle-ci a envoyé le peintre Pierre Gobert pour réaliser au plus vite un portrait de la princesse Marie.

Stanislas est enchanté : ne sachant rien de la « liste », il imagine déjà sa fille mariée au duc de Bourbon. Gobert compose une œuvre pleine de charme et de fraîcheur. Le tableau, achevé le 13 mars, est aussitôt expédié à la marquise par le maréchal du Bourg, qui, dix jours plus tard, écrit à Stanislas :

« Sire,

« J'ai reçu le portrait de la princesse avant-hier, 21 de ce mois. Je ne puis dire à Votre Majesté avec quelle impatience je l'attendais et avec quel plaisir je l'ai reçu. Je n'ai pu tarder à en faire usage. Je l'ai montré à Monsieur le Duc [de Bourbon], qui démêle comme moi dans les traits de la princesse la douceur jointe à l'esprit. Je n'ai point vu de figure plus remplie d'agrément et j'ai reconnu avec une joie infinie que Monsieur le Duc a eu beaucoup d'attention à examiner le portrait et beaucoup de satisfaction de ce qu'il y a trouvé. Je puis même avancer que tout m'augure en lui un désir vif et sincère de vivre avec une princesse dont on parle comme un ange[8]. »

Tous ceux qui ont approché Marie savent qu'à défaut d'être réellement jolie elle a beaucoup de charme, un teint magnifique, une taille de guêpe et un regard aussi malicieux qu'expressif. Mais, pour s'assurer que le peintre n'a pas triché, Bourbon envoie le chevalier de Méré enquêter discrètement à Wissembourg.

Le portrait n'a pas menti, car le chevalier est visiblement séduit par la princesse, dont il trace un portrait flatteur : « Marie a le teint beau, coloré, l'eau fraîche et quelquefois l'eau de neige faisant tout son fard... Elle se lève, l'hiver, entre huit et neuf heures, se met à sa toilette et se rend ensuite dans l'appartement de la reine, sa mère. Elle entend la messe avec toute la famille, entre onze heures et midi, avec la reine, la mère du roi et la comtesse de Linange, le roi dînant seul... Elle parle allemand, fort bien français sans accent. » Et cette dernière remarque qui a dû ravir Mme de Prie : « Elle a l'esprit souple, qui prendra la forme et la figure qu'on voudra[9]. »

Le choix définitif doit être arrêté le 31 mars 1725 au cours d'une séance du Conseil d'en haut, présidé par Louis XV. La sélection finale est serrée. On finit par rayer la princesse Élisabeth, fille aînée du duc de Lorraine (c'est une d'Orléans par sa mère...), puis la princesse de Portugal (sa famille est jugée en mauvaise santé et le choix d'un voisin de l'Espagne risque de susciter le courroux de Philippe V...). On oublie les filles du roi de Prusse (calvinistes...) et la fille de Pierre le Grand[10], d'extraction bien trop basse... En des circonstances normales, Marie Leszczynska aurait peut-être été éliminée. Fille d'un roi de Pologne détrôné et pauvre, elle a peu d'atouts. Mais le temps presse et la sélection s'amenuise... Louis XV finit par retenir la princesse Marie.

Stanislas s'évanouit de bonheur

Aussitôt après le Conseil, un courrier extraordinaire quitte Versailles dans le plus grand secret. Destination : Wissembourg. Il y arrivera le 2 avril en fin de matinée. En ce lundi de Pâques, Stanislas rentre de la chasse. Au moment de briser le sceau, le roi de Pologne reconnaît le cachet du duc de Bourbon. Ému, il ouvre la lettre qu'il espérait de longue date. Cette fois, c'est sûr, Monsieur le Duc demande la main de sa fille... Mais ce qu'il découvre dépasse ses rêves les plus fous : Marie ne sera pas duchesse mais reine de France ! Même pour un solide chasseur, l'émotion est trop violente, Stanislas s'évanouit...

Pour annoncer la nouvelle à sa fille et cacher son émotion, le roi de Pologne choisit la solennité : « Permettez, Madame, que je jouisse du bonheur qui répare et surpasse tous mes revers ; je veux être le premier à rendre hommage à la reine de France. » Même Catherine Opa-

70

linska cesse de se lamenter et propose de remercier Dieu de cette nouvelle...

Pour l'heure, la famille Leszczynski ne peut faire partager sa joie. Car les missives de Versailles imposent le plus grand secret tant que le roi n'a pas officiellement annoncé son mariage à la Cour et que l'infante d'Espagne n'est pas rentrée à Madrid.

Stanislas répond au duc de Bourbon par une longue lettre dont les termes révèlent que le Polonais était à mille lieues d'imaginer les manœuvres qui avaient abouti à ce mariage.

« Monsieur mon frère,

« [...] Je vous concède le droit de père sur ma fille, en remplaçant celui d'époux qui vous était destiné ; que le roi qui la demande la reçoive de vos mains ; conduisez-la sur ce trône où elle sera un monument éternel de la grandeur de votre âme, de votre zèle pour le roi, de l'amour pour votre auguste sang et du bien que vous souhaitez à l'État. En vertu encore du même droit de père que je transfère sur Votre Altesse sérénissime, je la prie de répondre pour moi à Sa Majesté, et de l'assurer avec quel honneur et résignation j'obéis à sa volonté. Plaise au Seigneur tout-puissant qu'il en tire sa gloire, le roi son contentement, ses sujets toute la douceur et Votre Altesse sérénissime, en me rendant le plus glorieux des pères, me rendra le plus heureux des mortels[11]. »

Le secret doit être gardé

Après le départ de l'infante, la population parisienne s'interroge sur le choix d'une nouvelle fiancée. Dans son journal, l'avocat Barbier colporte les bruits de la Cour. Il a entendu parler d'une « princesse polonaise » que les ragots prétendent laide et de santé fragile.

Ces rumeurs ne sont pas fondées : début avril 1725, le duc de Bourbon fait secrètement examiner Marie par le chirurgien Duphénix et par Mourgue, médecin inspecteur des hôpitaux du roi. Ils ont conclu à l'excellente santé de la princesse.

À la mi-avril, toujours dans le plus grand secret, le roi désigne la future dame d'honneur de la reine et la surintendante de sa maison. Puis le duc de Bourbon juge indispensable l'accréditation auprès de Stanislas d'un homme de confiance afin de faciliter les ultimes négociations. Cet envoyé extraordinaire, installé auprès du roi déchu, lui communiquera toutes les directives de Versailles et transmettra à la cour de France tout ce qu'elle devra connaître du roi de Pologne, de sa famille et de ses projets.

Le chevalier de Vauchoux est tout désigné : il a la confiance de Stanislas et celle de l'entourage de Monsieur le Duc. Il arrive à Wissembourg le 24 avril. Il sait que si le duc de Bourbon s'engage à profiter des circonstances favorables pour obtenir la restitution des biens personnels du roi Stanislas, il n'est pas question, pour l'heure, de l'aider à reprendre le trône de Pologne. Vauchoux a bien appris sa leçon. Mais ce soldat n'a rien d'un diplomate et se sent un peu dépassé par l'ampleur de la mission. Le 27 avril, il s'en ouvre au comte de Morville : « Trente-cinq années dans les troupes n'avaient pu me donner l'usage des négociations [12]. » Sans tarder, le ministère des Affaires étrangères lui adjoint donc un fin lettré. À vingt-sept ans, Jean-Baptiste de La Curne de Sainte-Palaye n'est pas plus diplomate que Vauchoux, mais il vient d'être reçu membre associé de l'Académie des inscriptions et belles-lettres... alors qu'il n'a encore rien publié !

Jeune et séduisant, amateur de mondanités, Sainte-Palaye est bien accepté à Wissembourg, où il joue le double rôle de porte-plume de Vauchoux et de secrétaire de Stanislas. Officiellement dans le but honorable d'initier le roi à une étiquette rigoureuse et de lui faciliter l'écriture de la langue française, mais aussi pour que le clan de Monsieur le Duc puisse surveiller la famille Leszczynski. À peine installé, il relate un accident qui a failli priver la France de sa future reine : « Ce samedi 28 avril [...] le roi Stanislas, la jeune princesse de Pologne sa fille, une gouvernante polonaise de cette princesse étant allés se promener en berline, les six chevaux prennent le mors aux dents et allaient briser la voiture dont les glaces étaient alors levées. Les guides s'étant rompu entre les mains du cocher lorsque également le postillon détourna les chevaux et les jeta dans une haie où ils arrêtèrent les autres [13]. »

Versailles et Paris pleurent

Dimanche 27 mai 1725, à son petit lever, Louis XV annonce officiellement à la Cour son prochain mariage : « Messieurs, j'épouse la princesse de Pologne. Cette princesse, qui est née le 23 juin 1703, est la fille unique de Stanislas Leszczynski, comte de Leszno, ci-devant staroste d'Adelnau, puis palatin de Posnanie, ensuite élu roi de Pologne, au mois de juillet 1704, et de Catherine Opalinska, fille du castellan de Posnanie, qui viennent l'un et l'autre faire leur résidence au château de Saint-Germain-en-Laye avec la mère du roi Stanislas, Anna Jablonowska, qui avait épousé en secondes noces le comte de Leszno, grand général de la Grande-Pologne [14]. »

Le duc de Gesvres, premier gentilhomme de la chambre, passe alors dans l'Œil-de-Bœuf pour répéter la nouvelle, la donnant en pâture aux commérages de la Cour. L'annonce de ce mariage franco-polonais consterne les assistants.

« La Cour a été triste comme si on était venu dire que le roi était tombé en apoplexie », constate le gazetier Mathieu Marais. Son collègue Barbier n'est pas plus enthousiaste sur le mariage : « Il ne convient en aucune façon au roi de France, d'autant que la maison Leszczynski n'est pas une des quatre grandes noblesses de Pologne. Cela fait de simples gentilshommes, et c'est une fortune étonnante pour cette princesse. »

De Versailles à Paris, on médit sur Marie sans l'avoir jamais vue : sotte, épileptique, elle a aussi les orteils palmés. On critique son âge : vingt-deux ans, soit sept de plus que le roi. Des pamphlets perfides circulent :

Je ne crois rien Julienne,
De tout ce que tu dis
Quoi : nous aurons pour reine
La fille d'un banni
Qui devrait être la femme
Du jeune Courtanvaux.
Cela serait bien :
Cette jeune put...
Que l'on amène au roi
Elle a les écrouelles
Avant que d'être reine
Le roi la touchera
Et la guérira[15].

Et le petit peuple de la capitale lui réserve déjà quelques couplets :

On dit qu'elle est hideuse,
Mais cela ne fait rien,
Car elle est vertueuse,
Et très fille de bien[16].

L'Alsace rit, l'Europe grogne

La nouvelle de l'annonce officielle du mariage parvient à Wissembourg dans la nuit du 30 au 31 mai. Dès le lendemain, toute la ville est en liesse : « La nouvelle ayant alors été rendue publique, tout le monde accourut en foule. Deux escadrons du régiment Berry-Cavalerie habillés à neuf magnifiquement, et qui sont ici à la garde du roi, viennent dans la cour avec les timbales et les trompettes, étendards déployés, et firent une salve devant Sa Majesté le roi de Pologne [17]. »

Les régiments, les autorités municipales, les officiers de justice, la bourgeoisie et les juifs défilent devant le roi et sa famille pour complimenter la future reine de France. Toutes les notabilités de Wissembourg assistent à un *Te Deum* à la collégiale. Le soir, le vin coule à volonté pour les Wissembourgeois qui dansent autour de feux de joie. Fêtes, processions et illuminations continuent plusieurs jours alors qu'arrivent des courriers de toute part et que les premières visites protocolaires se font annoncer.

Voici le prince de Deux-Ponts qui vient faire sa cour au roi Stanislas et lui offre dix-neuf magnifiques chevaux de carrosse ; puis c'est au tour du prince de Hesse-Kassel, suivi le lendemain par le prince et la princesse de Birkenfeld, venus en famille. La ville voit passer encore l'évêque de Spire, Schonborn, et M. de Corberon, premier président du Conseil souverain d'Alsace. Le cardinal de Rohan, que l'on voit souvent à Wissembourg, accompagne cette fois le duc de Tallard, ministre d'État. Le landgrave de Hesse, père du roi de Suède, a envoyé un magnifique attelage de six chevaux noirs. Le prince de Wurtemberg offre trois chevaux ; celui de Darmstadt envoie des abricots et des raisins.

Cependant, toutes les cours ne se réjouissent pas de ce mariage. La duchesse de Lorraine, vexée que sa fille n'ait pas été choisie, s'abandonne à la déception : « Il me paraît que les mésalliances sont bien à la mode en France, puisqu'elles vont à présent jusqu'à la personne sacrée du roi. Il sera, à ce que je crois, le premier de nos rois qui aura épousé une simple demoiselle. »

Si Auguste II demeure silencieux, son ambassadeur en France, le comte de Hoym, se répand en propos malveillants sur la future reine.

Pis, les tentatives d'assassinat continuent. En octobre 1724 déjà, un complot fomenté par un nommé Brisquen pour assassiner Stanislas avait été déjoué à temps. Cette fois, c'est en remplaçant le tabac du roi de Pologne par des feuilles empoisonnées que les conspirateurs espèrent se débarrasser de ce grand fumeur. L'affaire est éventée dans les premiers jours de juin 1725 et Harlay, le nouvel intendant d'Alsace, ordonne l'arrestation des conspirateurs retranchés au château de Falkenburg, fief des comtes de Leiningen. Et Harlay de préciser dans son rapport : « Nous avons trouvé la cassette de tabac empoisonné dont le dénonciateur nous avait parlé et ledit Baillif ayant été interpellé de fumer ou de mâcher du tabac a refusé de le faire [18]. »

L'étiquette se met en place

Le malheureux Vauchoux ne sait plus où donner de la tête. Il doit d'abord rassurer Stanislas, inquiet pour des bijoux et pour l'argenterie gagés chez un banquier de Francfort auquel il doit treize mille livres. Vauchoux en informe Monsieur le Duc, qui envoie la somme nécessaire à Stanislas. Le même Vauchoux découvre que la princesse dispose d'une seule paire de chaussures digne de ce nom et d'une unique paire de gants ! Il faut améliorer sa garde-robe d'urgence. À Versailles, Mme de Prie complète le trousseau de sa protégée. De son côté, Monsieur le Duc règle les détails du mariage, depuis l'établissement des contrats par procuration à Strasbourg jusqu'aux cérémonies prévues à Fontainebleau. Avec, parfois, quelques anicroches : les ministres de Louis XV reprochent par exemple à Marie d'avoir pris le titre de « princesse royale de Pologne », ils ne l'acceptent qu'avec réticence, car « l'on ne donne pas ce titre aux filles des rois électifs ». Enfin l'étiquette se met en place progressivement.

« Il y eut aujourd'hui de nouveaux ordres envoyés par monsieur le maréchal du Bourg pour la garde de la maison royale ; outre le nombre des cavaliers est augmenté il y a un capitaine commandé pour la garde du roi, un pour la reine de Pologne et un troisième pour celle de France. Je crois même que celui qui est aujourd'hui de garde pour celle-ci est plus ancien que celui qui est pour la reine sa mère, ce qui semblerait que la préséance est déjà établie en faveur de la reine future de France sur la princesse sa mère, elle ne l'était pas hier à la procession[19]. »

Il faut quitter Wissembourg

Stanislas étant un roi sans royaume, il a été décidé que le mariage aurait lieu dans la capitale de la province où résident les Leszczynski. Il faut donc rallier Strasbourg, ville épiscopale du cardinal de Rohan qui doit célébrer l'union en sa qualité de grand aumônier de France.

Stanislas et les siens quittent Wissembourg le 3 juillet 1725. L'hôtelier Jean-Christophe Scherer, qui a assisté aux cérémonies du départ, rapporte : « Le *Te Deum* fut chanté dans toutes les églises et l'après-midi on distribua du vin et du pain aux pauvres. Trois grands feux de joie furent allumés et on tira un magnifique feu d'artifice dans les jardins de la maison Weber. La future reine fit distribuer de l'argent à la population. Tout était à la couleur jaune de la reine : livrée, harnais, si bien qu'on manqua de tissu pour faire les cocardes et on dut utiliser du papier jaune... Au moment du départ de la reine, on planta des mâts depuis la maison Weber jusqu'à la porte de Haguenau, les enfants des écoles religieuses firent une haie d'honneur, agitèrent des drapeaux et on joua de la musique[20]. »

Comme tout Wissembourg, Scherer n'oubliera pas Stanislas de sitôt : « C'était un seigneur d'une grande bonté et d'une belle prestance. Il était assis souvent sur le pont au Sel, fumant du tabac dans une très grande pipe[21]. »

Le cortège fait halte pour la nuit à Bischwiller et arrive aux portes de Strasbourg dans l'après-midi du 4 juillet. Toute la ville pavoise aux couleurs de la future reine. Les troupes lui rendent les honneurs le long du parcours qui mène au palais du gouverneur. Le cardinal de Rohan, assisté du chapitre de la cathédrale, accueille avec émotion la famille Leszczynski, ses amis de longue date. Après les harangues d'usage, le cortège se dirige vers l'hôtel d'Andlau, où Stanislas et ses proches ont élu domicile. La comtesse d'Andlau use de mille prévenances pour être agréable à ses hôtes. Moments heureux et petits bonheurs que Stanislas lui rappellera plus tard : « Je soupire toujours après l'Alsace que vous m'avez rendue agréable, à me la faire regretter toute ma vie. »

Mme de Prie est venue à Strasbourg déposer le trousseau et les bijoux de la reine. En réalité, elle voulait être la première à initier Marie aux arcanes de la Cour. Les deux femmes se sont parlé longuement, puis elle est repartie pour Versailles.

Mariage par procuration à Strasbourg

La cérémonie est fixée au 15 août, jour de l'Assomption. Ainsi l'ont souhaité Marie et son père, qui vouent un culte particulier à la mère du Christ. Pour l'heure, les Leszczynski ont quitté la demeure des d'Andlau pour le palais du gouverneur. C'est là que se déroule, le 31 juillet, le premier acte. Assisté du marquis de Beauvau, le duc d'Antin a, au nom de Sa Majesté Très-Chrétienne, demandé la main de la très noble, très excellente princesse Marie, fille du roi Stanislas Leszczynski. La soirée s'est achevée par un grand bal dans les salons du palais.

Le 2 août, Stanislas ceint pour la première fois le cordon bleu de l'ordre du Saint-Esprit auquel il appartient désormais, selon le vœu du roi son gendre. Pour tenir sa place lors du mariage par procuration, Louis XV a choisi son cousin le duc d'Orléans, fils du Régent, au grand dam de son ennemi Monsieur le Duc. Pendant ce temps, le 10 août, on procède à Versailles à la signature du contrat. Devant les princes et princesses du sang, Louis XV appose son paraphe, suivi par le comte Michel Tarlo qui représente le roi de Pologne.

Au matin du 15 août, les cloches des églises de Strasbourg sonnent à toute volée, les canons de la place tonnent, les rues ne sont que guirlandes de fleurs et oriflammes. Il y a tant de monde que les carrosses, escortés par les troupes royales, peinent à se frayer un passage dans les rues étroites.

Le cortège n'en finit pas. Il y a les dames et les gentilshommes de la maison de la reine venus de Versailles, les princes allemands et leur suite, « attirés par la curiosité », écrit Sainte-Palaye, la petite cour polonaise, les ambassadeurs, les ducs, les princes du sang... Tout ce monde prend place dans les tribunes de la cathédrale selon un protocole réglé par le marquis de Dreux.

79

À midi, apparaît le prince-cardinal de Rohan entouré des chanoines-comtes de Strasbourg et de tout le clergé de la ville. Les Cent-Suisses et les gardes du corps font la haie. Marie, vêtue d'une robe de brocart d'argent sertie de diamants, s'apprête à pénétrer dans la cathédrale au son des tambours, des timbales et des trompettes. À ses côtés, le roi Stanislas. Derrière, le duc d'Orléans moulé dans un magnifique habit d'or. Marie remonte la nef à petits pas, son immense traîne de brocart portée par Mme de Linange. À la croisée du transept, elle s'agenouille, rejointe par Catherine Opalinska. Et c'est conduite par ses parents qu'elle gagne l'autel. Stanislas et Catherine sont au premier rang, le duc d'Orléans a pris place à droite de l'autel.

La cérémonie est longue. Après l'échange des consentements, Marie reprend sa place sur l'estrade tandis que Louis d'Orléans s'adresse au duc de Noailles, capitaine des gardes : « Monsieur, prenez Madame, c'est votre reine et votre maîtresse. » Noailles empoigne son bâton, les gardes de la manche se placent de chaque côté de l'estrade et les officiers des gardes du corps prennent position. « Tel était le sens de l'union par procuration, écrit Michel Antoine, Marie était désormais reine de France et tous les honneurs souverains lui étaient dus[22]. »

Derniers conseils d'un père

Sous les acclamations, la jeune reine regagne l'hôtel du gouvernement où l'attend Mlle de Clermont, la surintendante de sa maison. La sœur de Monsieur le Duc lui présente sa dame d'honneur, les douze dames du palais et les officiers qui vont la servir. Parmi eux figure un visage connu, le chevalier de Vauchoux, récompensé par la charge d'écuyer. Après le souper en grand couvert, suivi d'un nouveau bal, la journée s'achève par un feu d'artifice où les armes de France et celles de Pologne s'unissent dans le ciel pour mieux se reflèter dans les eaux sombres de l'Ill.

Au moment de faire ses adieux mouillés de larmes à sa chère Marie, Stanislas lui remet une très longue lettre composée dans le plus grand secret pendant les quelques semaines passées chez Mme d'Andlau.

« Écoutez, ma fille, et prêtez une oreille attentive, oubliez votre peuple et la maison de votre père. J'emprunte la parole du Saint-Esprit, ma chère fille, pour vous dire adieu ; ne contemplant dans l'événement d'aujourd'hui que le doigt de la droite du Tout-Puissant qui nous a conduits. [...]

« Vous devenez reine de France. Rien dans le monde n'est au-dessus de cette dignité que le bonheur de ne la devoir qu'à votre renommée et de pouvoir vous dire à vous-même que les seules vertus vous ont donné des suffrages.

« Songez que l'état de votre couronne va vous produire au plus grand jour, que la moindre tache s'apercevra aisément et qu'il ne suffit pas d'éblouir les yeux par le brillant d'un extérieur pompeux. Il faut que la plus rigide censure ne puisse rien trouver de l'intérieur qui démente de ce dehors si digne de respect.

« Je vous avertis de trois écueils contre lesquels la vertu des plus grands hommes a souvent fait naufrage.

« Le premier c'est la dureté du cœur à l'égard des autres, et cet amour immodéré de soi-même si ordinaire à ceux que le ciel élève à la suprême grandeur. [...]

« Le second écueil est la prospérité, d'autant plus dangereuse à votre égard qu'elle vous est presque inconnue et pourrait vous faire oublier tous les malheurs que vous partagez avec moi depuis votre plus tendre jeunesse. [...]

« Le troisième écueil est la flatterie dont les attaques sont inévitables sur le trône, songez que c'est l'ennemi le plus dangereux des souverains[23]. »

On a beaucoup écrit sur ces *Conseils donnés par le roi de Pologne à la reine de France sa fille,* cherchant à déceler dans ce texte énergique et paternel une autre plume que celle de Stanislas. Sainte-Palaye a-t-il été associé à sa rédaction ? Certains chercheurs, tel Gaston May, en sont convaincus, d'autant plus que Monsieur le Duc n'est pas oublié dans ces recommandations : « Il ne me reste qu'à vous représenter que vous devez à Monsieur le Duc le trône que vous occuperez, ainsi joignez à son égard la plus parfaite reconnaissance[24]. »

Qu'il ait été « arrangé » ou non, ce texte remarquable, dont il existe plusieurs copies, résume admirablement la philosophie du roi Stanislas et la noblesse des sentiments chrétiens qu'ils expriment. Sa perception de la Cour paraît un peu décalée, mais elle tient au fait que le roi de Pologne en est resté à sa vision de la France de Louis XIV. Il ne sait rien de la tendance irréligieuse et de la licence des mœurs de la Régence.

Pour les historiens René Taveneaux et Laurent Versini, ces pages « s'imposent par une hauteur de vue, une perception psychologique, un sens chrétien et aussi une originalité d'expression que manifesteront rarement les ouvrages postérieurs, souvent altérés ou édulcorés par la main des secrétaires[25] ».

Le roi détrôné n'ira pas à Fontainebleau

La reine de France quitte Strasbourg en fête dès le 16 août. La longue file de berlines, de carrosses et de chariots à bagages chemine jusqu'à Saverne, où le cardinal a prévu une magnifique réception en son palais de Rohan. Marie a la surprise d'y retrouver son père.

Le lendemain, le cortège reprend la route. Au sommet de la montagne de Saverne, Stanislas à cheval attend le carrosse royal. Il est accompagné du duc d'Orléans, du comte de Clermont et des deux intendants d'Alsace et de Metz. La reine, apercevant son père, lui tend plusieurs fois la main. Silencieux, ils cheminent ainsi côte à côte jusqu'au lieu-dit Le saut du prince Charles. Mélancolique, Stanislas la quitte finalement pour reprendre le chemin de Strasbourg.

Stanislas et Catherine n'assisteront pas au mariage « définitif », le 5 septembre, à Fontainebleau. L'accueil d'un roi détrôné n'est pas prévu dans le cérémonial de la Cour, et c'est la raison pour laquelle ils n'ont pas été conviés à la cérémonie bellifontaine. Mais le cardinal de Rohan n'oubliera pas d'en conter les détails à son royal ami : « Ma joie est complète, l'entrevue du roi et de la reine se fit avant-hier, d'une manière qui passa toutes mes espérances : beaucoup de joie et nul embarras de la part du jeune roi ; de la part de la reine une modestie simple et naturelle ajoutait beaucoup à ses grâces ; la cérémonie d'hier fut magnifique et il me semble qu'elle ne laissait rien à désirer. Je viens de voir le roi et la reine ; ils ne se sont levés qu'après dix heures. L'un et l'autre étaient en parfaite santé[26]. »

Sur la route de la Touraine

En qualité de directeur général des Bâtiments du roi, le duc d'Antin a déterminé avec Stanislas le lieu de sa nouvelle résidence. Saint-Germain-en-Laye et Compiègne ont été évoqués ; le duc de Bourbon a même envisagé de le renvoyer à Wissembourg. Mais M. de Fréjus, qui devient chaque jour plus influent auprès du roi, s'y est opposé. Stanislas ayant finalement choisi le Val de Loire, ce sera donc Chambord.

Stanislas et ses proches se mettent en route le 22 septembre à midi. Le mobilier et le gros des bagages ont déjà quitté l'Alsace par voie terrestre et fluviale. Le convoi se compose de deux cent vingt-deux personnes, cent cinquante chevaux, douze carrosses, vingt chariots et fourgons. Jean-Baptiste de La Curne de Sainte-Palaye est du voyage, mais le chevalier de Vauchoux, désormais au service de la reine Marie, a été remplacé par Chaillon de Joinville, qui est chargé de renseigner la Cour sur les conditions dans lesquelles s'effectue le voyage du roi de Pologne. À l'étape de Troyes, le 9 octobre, Stanislas échappe au protocole pour visiter incognito les tombeaux des comtes de Champagne.

Une semaine plus tard, le cortège fait halte au château de Bourron, à deux lieues de Fontainebleau où séjournent Louis XV et sa jeune épouse. En dépit des réticences du protocole, Louis XV décide de l'accueillir dignement : « Ce que je ne lui dois pas comme roi, je lui dois comme gendre. » Le 15 octobre, la première entrevue est courtoise, sans plus, selon les relations de l'époque. Timide, secret, Louis XV ne s'extériorise jamais devant de nouveaux visages. Son adolescence sevrée d'affection lui colle encore à la peau. Stanislas, heureux d'avoir pu embrasser sa chère Marie, rend sa visite au roi avant de reprendre rapidement la direction de la Touraine.

Chasse et tranquillité à Chambord

À Chambord, la vie s'organise. Pour réaménager ce château de chasse inhabité depuis quarante ans, le duc d'Antin a demandé un million de livres ; on lui en a accordé cent mille seulement. Si bien que le roi de Pologne limite son installation à une partie du premier étage du château située entre la tour Robert de Parme et la tour Dieudonné... sans oublier la chapelle. Louis XIV avait chargé Hardouin-Mansart de la terminer, mais les travaux avaient été arrêtés un beau jour de 1685, au profit de Versailles. Instruit de la dévotion du roi et de la reine de Pologne, Louis XV a recommandé d'en achever l'aménagement. Quant au mobilier de Wissembourg, il a été complété par des meubles prêtés par le garde-meuble ou retirés de Marly.

De toutes les résidences royales, Chambord tient un peu du palais des fées avec son escalier à double révolution envahi d'animaux fantastiques et de personnages mythologiques, ses bandes de lutins et de marmousets partis à l'assaut des lucarnes et des cheminées.

Stanislas apprécie cette immense bâtisse fantastique plantée au milieu d'une forêt giboyeuse qui lui rappelle un peu les paysages de sa Grande-Pologne méridionale. En revanche, Catherine Opalinska, éternelle insatisfaite, n'y voit au premier abord qu'une résidence inconfortable.

La vie est très sage. Les distractions tournent autour de la lecture, de la musique et des offices religieux... Sauf pour le roi de Pologne, qui jouit à sa guise des cinq mille hectares réservés à la chasse et ne dédaigne pas les appas de la sulfureuse Mademoiselle Palatine[27]...

Il ne tarde pas à connaître parfaitement le territoire qu'il parcourt sans cesse, armé des arquebuses que le jeune chevalier d'Andlau a convoyé d'Alsace[28]. Et il entraîne tout son petit monde à sa suite.

Avec sa bonhomie, Stanislas se fait rapidement des amis alentour. Il s'entend bien avec l'évêque de Blois, Caumartin, filleul du cardinal de Retz, membre de l'Académie française et confrère de Sainte-Palaye à l'Académie des inscriptions. Il nomme grand-veneur de Chambord le marquis de Monconseil[29] qui vient d'épouser une cousine germaine de Mme de Prie. Il reçoit aussi le comte et la comtesse de Béthune, de lointains parents puisque la mère du comte avait épousé le frère de Catherine Opalinska. Comme il avait coutume de le faire à Deux-Ponts et à Wissembourg, il bavarde aussi avec plaisir avec la population solognote, prenant à cœur de parrainer de nombreux nouveau-nés des villages environnants.

Bref, tout va pour le mieux... D'autant que Louis XV a nommé son beau-père colonel du régiment de cavalerie Stanislas-Roi[30] et que le comte Tarlo[31] lui a apporté la croix de l'ordre du Saint-Esprit offerte par le duc de Bourbon. Catherine Opalinska elle-même finit par laisser percer une relative satisfaction dans une lettre à Mme d'Andlau : « L'air d'ici me convient mieux que celui de Strasbourg. Il ne me manque que le plaisir de voir notre cher maréchal et vous[32]. » Non sans se reprendre dans une autre lettre : « Je souhaiterais ou de transporter l'Alsace ici ou Chambord en Alsace et alors je serai dans mon centre[33]. »

Foyer culturel ou bouillon de culture ?

Seul Sainte-Palaye est véritablement déçu. Il s'estime inemployé et s'en plaint dans chacune de ses lettres. Une fois qu'il a fait sa cour à chacun, distribué du chocolat aux demoiselles et lu de fond en comble le *Mercure* et *Le Journal de Verdun*, il s'enferme dans ses travaux littéraires. En réalité, sa mission aurait dû prendre fin à Strasbourg. Mais Stanislas, qui a apprécié le jeune érudit à Wissembourg, s'est ingénié à le conserver près de lui avec l'espoir secret de créer un foyer de réflexion loin des intrigues politiques de Versailles.

Ce dessein, il le caresse depuis la période heureuse de Tschifflik. Par la musique et le théâtre, il en a ébauché les bases, vite balayées par la mort de Charles XII. À

Chambord, il demande à Sainte-Palaye de concevoir une bibliothèque d'étude et de réfléchir à la création d'une académie. Mais Sainte-Palaye ne croit guère à ces projets et se concentre sur la généalogie des Leszczynski ou ses travaux sur la Pologne. Dès le printemps 1726, il trouve de nombreux prétextes pour s'échapper vers Paris... ce qui permet à Stanislas de le charger de multiples commissions.

Il revient à Chambord au moment des premières chaleurs. L'air y est devenu irrespirable, empoisonné par l'eau stagnante des douves. Et les miasmes morbifiques ne tardent pas à faire des ravages. Une sorte de malaria secoue la petite cour qui finit par s'éparpiller dans des maisons amies du voisinage. En juillet, Stanislas écrit au maréchal du Bourg : « Les maladies de Chambord vont toujours en augmentant si bien qu'il est impossible d'y retourner, et comme le séjour de la campagne devient insupportable à la reine et à ma mère, je crois me transporter à Blois dans la maison épiscopale de notre évêque très aimable, monseigneur de Caumartin [34]. »

En septembre, les désagréments continuent, à en juger par ce que le comte de Wiltz, en service auprès du roi de Pologne, raconte crûment à son ami Sainte-Palaye qui est définitivement rentré à Paris : « Je vous dirai pour nouvelles que les mêmes démangeaisons règnent presque à tous les derrières de la cour : nous en ignorons la cause [...]. Le jésuite a la fièvre, celle de la comtesse subsiste, Bouchinski se croit obligé de l'avoir aussi ; Vilarmois a la colique [...] Madame Royale joue, la reine cause, le roi fume, le comte Tarlo médite, l'évêque sue [35]. » Devant tant de désagréments, Mme d'Andlau suggère à Catherine Opalinska de venir s'installer chez elle et de se partager entre Paris et Strasbourg. « Cela n'est pas tout à fait en notre pouvoir », rétorque la reine qui regrette chaque jour de « s'être nichée si loin ».

Ménars, un joli château pour l'été...

Redoutant la canicule estivale, Stanislas, las de vivre chez les autres, cherche à louer un château dans les environs. Celui de Ménars[36], sur la rive droite de la Loire, presque en face de Chambord, semble posséder toutes les qualités requises. C'est une résidence caractéristique du xviie siècle. Sobre, élégante et harmonieuse, elle se compose d'un corps de logis central encadré par deux avant-corps qui donnent sur une cour centrale ceinturée par des communs.

Cette demeure permettrait à la Cour de fuir les désagréments de Chambord aux pires moments de l'été. Hélas, elle est inaccessible, car Stanislas vient de rembourser quarante mille livres au duc de Lorraine et sa pension n'a pas été augmentée, contrairement aux promesses qui lui ont été prodiguées.

Le roi de Pologne en appelle à son gendre, lequel tarde à se manifester. Il est vrai que les alliés de Stanislas ne sont plus là pour plaider sa cause : depuis juin 1726, le duc de Bourbon, disgracié, s'est retiré à Chantilly, et Mme de Prie purge son exil en Normandie. Bien qu'il reste dans les normes de la correction et du respect de l'étiquette, le cardinal de Fleury n'a pas fait d'efforts pour venir en aide au beau-père de Louis XV.

Alors, n'osant retourner chez monseigneur de Caumartin, Stanislas préfère louer en août une modeste maison à Saint-Dyé-sur-Loire, le reste de la Cour s'égaillant dans la nature.

L'heure est à la morosité : Stanislas est souffrant et la santé de Madame Royale se dégrade chaque jour un peu plus. Gourmande de choux, de jambons, de bons vins et de douceurs, la vieille dame ne se raisonne que lorsque les crises de goutte se font trop violentes. Et son fils d'ironiser dans une lettre au maréchal du Bourg : « Si elle souffre à proportion de ce qu'elle l'a mérité, elle n'en sera pas si tôt quitte. Je voudrais que cela lui serve de correction [37]... »

Grand-père comblé

Le 14 août, l'arrivée de M. de Tessé, premier écuyer de la reine Marie, éclipse Madame Royale et ses maux. Dépêché par le roi, il annonce la naissance des jumelles, Marie-Louise-Élisabeth et Anne-Henriette, que l'on surnommera Madame Première et Madame Seconde. Stanislas exulte et Catherine soupire d'aise. Elle redoutait tant la stérilité de sa fille qu'elle avait demandé à Mme d'Andlau de faire dire des prières dans les couvents alsaciens. Cette double naissance, gage de la fécondité de la reine, permet d'espérer un prince. Elle renforce aussi la position du roi de Pologne vis-à-vis de son gendre.

En ce même mois d'août, dans la nuit du 29 au 30, Anna Jablonowska rend son dernier soupir à l'âge de soixante-sept ans. Stanislas la fait inhumer à Blois, dans l'église Saint-Vincent-de-Paul, naguère chapelle du collège des jésuites [38].

Un bref séjour à Versailles du 24 au 30 septembre, pour embrasser les petites « poupées » de sa fille, lui fait un temps oublier ce deuil. La reine a l'air heureuse et entoure ses parents de mille tendresses. De plus, Stanislas peut s'entretenir avec le roi et faire sa cour au cardinal de Fleury. Soulagé, il informe son ami du Bourg : « Le roi a eu la bonté de signer le bail de Ménars et se charge du paiement de cent mille francs par an dont on est convenu ; enfin voilà cette affaire terminée et je ne serai plus vagabond, s'il plaît à Dieu, l'été prochain [39]. »

Le roi de Pologne déchu apprécie ces visites à Versailles. Habituellement, elles ont lieu une fois par an et sont plus longues que cette escapade. Louis XV installe rituellement « ses » Polonais à Trianon, où le beau-père jugé encombrant et la belle-mère grincheuse peuvent se livrer aux joies familiales sans déranger l'étiquette. Marie, qui se révèle aussi gourmande que sa grand-mère, peut raconter ses indigestions et présenter sa progéniture. Stanislas parfois s'échappe à Paris, le temps d'une soirée à l'Opéra, ou à Chantilly pour saluer le duc de Bourbon...

Le retour à Chambord se trouve endeuillé par la disparition du comte Michel Tarlo, cousin germain de la reine Catherine et compagnon de la première heure de Stanislas, à l'âge de cinquante ans. À Sainte-Palaye qui présente ses condoléances, le baron de Meszek répond : « Le roi est inconsolable de sa mort[40]. »

Un petit-fils, enfin !

Ces épreuves et le temps qui passe modifient le caractère de Stanislas. Il aime toujours la chasse mais consacre de plus en plus de temps aux activités de l'esprit, il occupe de longues heures à sa correspondance et se détend en jouant de la flûte. Quelques musiciens, comme la famille Framboisier, sont même attachés à sa personne, et quelques concerts réveillent épisodiquement le château. Son orchestre de Deux-Ponts lui manque, mais il garde le secret espoir de le reconstituer un jour. Il suffirait d'un peu d'argent pour concrétiser le rêve...

C'est en septembre 1729, le 4, qu'un événement heureux vient enfin illuminer la grisaille de la vie à Chambord. Marie Leszczynska met en effet au monde un gros garçon que l'on nomme Louis et que le cardinal de Rohan, grand aumônier de France, s'empresse d'ondoyer. Le roi de Pologne organise une fête grandiose au palais épiscopal de Blois. Grand bal, illuminations, feu d'artifice... Toute la noblesse des environs est conviée au festin. Au diable les problèmes financiers, le temps des réjouissances est revenu ! Stanislas déborde de bonheur et de fierté : sa propre fille a donné un dauphin au roi de France.

CHAPITRE V

Pion de Louis XV
et nouvel échec en Pologne

Janvier 1733. La Pologne s'apprête à tenir une diète extraordinaire, prévue le 16 à Varsovie. Quelques jours auparavant, Auguste II a quitté sa résidence de Dresde pour rallier la capitale polonaise. Malade, rongé par la gangrène, le vieux rival de Stanislas joue sa dernière carte : il veut obtenir de la diète l'hérédité de la couronne en faveur de sa lignée, les Wettin.

En dépit de la neige et des autres embûches d'un voyage hivernal, l'équipage du roi s'immobilise devant le palais de Varsovie. Dans sa hâte, le Saxon tombe lourdement en descendant du carrosse. Bien qu'anodine, la blessure réveille le mal et va clouer le roi au lit. La diète se tiendra sans lui ; la Pologne ne deviendra pas une monarchie héréditaire. Il rend en effet définitivement les armes à l'aube du 1er février.

« Je vais pouvoir fumer en paix... »

À Chambord, Stanislas pousse un soupir de soulagement en apprenant la mort de son ennemi le plus féroce. Tirant des volutes de fumée de sa longue pipe, il murmure en se remémorant les angoisses passées et les attentats manqués : « Désormais je vais pouvoir fumer en paix ! »

Auguste II laisse un royaume plus pauvre et désemparé que lorsqu'il est remonté sur le trône en 1709. Le futur roi de Prusse, Frédéric II, dressera plus tard un tableau consternant de cette fin de règne : « Ce royaume est dans une anarchie perpétuelle : les grandes familles sont toutes divisées d'intérêt ; elles préfèrent leurs avantages au bien public et ne se réunissent qu'en usant de la même dureté pour opprimer leurs sujets, qu'ils traitent moins en hommes qu'en bêtes de somme. Ils sont vains, capables de tout pour amasser de l'argent, qu'ils jettent aussitôt par les fenêtres lorsqu'ils l'ont ; frivoles, sans jugement, toujours disposés à prendre et à quitter un parti sans raison et à se précipiter, par l'inconséquence de leur conduite, dans les plus mauvaises affaires ; ils ont des lois, mais personne ne les observe faute de justice coercitive. La Cour voit grossir son parti lorsque beaucoup de charges viennent à vaquer : le roi a le privilège d'en disposer et de faire à chaque gratification de nouveaux ingrats. L'esprit est tombé en quenouilles, dans ce royaume ; les femmes font les intrigues, elles disposent de tout tandis que leurs maris s'enivrent. [...] Auguste II était doux par paresse, prodigue par vanité, soumis sans religion à son confesseur et sans amour à la volonté de son épouse[1]. »

La politique réveille les vieux démons

Son rival disparu, Stanislas pense bien sûr au trône vacant. Lors du mariage de Marie Leszczynska, il a bien promis de ne plus s'intéresser à la Pologne, afin de ne jamais mettre en difficulté la diplomatie de son gendre, Louis XV. Mais la passion du pays natal est plus forte que toutes les promesses. Il est d'ailleurs toujours roi de

Pologne, n'ayant jamais abdiqué. Il n'a pas cessé d'être informé de la situation par ses compatriotes de passage, par quelques fidèles et par le colonel Pierre d'Anthoüard[2], un Français qui a combattu dans les troupes de Charles XII.

En 1727, la nomination au secrétariat d'État aux Affaires étrangères de Chauvelin[3] – également titulaire des Sceaux – avait déjà donné quelques espoirs à Stanislas. Le nouveau ministre, créature du vieux cardinal de Fleury, faisait preuve d'une ambition dévorante et nourrissait des intentions belliqueuses à l'égard des Habsbourg; ses plans incluaient le rétablissement de Stanislas sur le trône de Pologne. L'esprit offensif de Chauvelin plaisait beaucoup au parti belliciste de la Cour, mais l'artisan de la paix qu'était Fleury avait bien vite modéré les ardeurs de son sbire. Pas question de toucher à la Pologne du vivant d'Auguste II! D'autant que Fleury n'avait guère d'estime pour le beau-père de Louis XV. Les espoirs avaient dû être enterrés.

Au lendemain des traités de Vienne, signés en mars et juillet 1731 entre l'Angleterre et l'Autriche d'une part, la France et l'Espagne d'autre part, la paix semblait régner entre les États européens. Pourtant le feu des rancœurs et des vieilles querelles couvait sous la cendre. En décembre 1732, la Russie, l'Autriche et la Prusse ont conclu un pacte secret qui a reçu le nom de « traité des trois aigles noires » (ces trois puissances arboraient cette figure héraldique sur leurs armes)[4]. Les trois avaient envisagé la succession d'Auguste II sur le trône de Pologne, se promettant d'en écarter son fils et de s'opposer au retour de Stanislas Ier. L'instigateur de cet accord n'était autre que l'empereur Charles VI[5]. Il ne s'intéressait guère au sort des Polonais mais, obsédé par sa propre succession, il craignait que le fils d'Auguste ne revendique un jour la couronne impériale. En l'affaiblissant, il espérait assurer le champ libre à sa fille Marie-Thérèse.

Candidat au trône, trente ans après

Quand Auguste II disparaît, le traité est toujours secret. Les salons polonais sont d'autant plus en ébullition qu'ils ont appris que l'héritier du Saxon, son fils Frédéric-Auguste, n'est guère attiré par le trône de Pologne. Et le nom de Stanislas revient dans les conversations... À Varsovie, on le verrait bien remonter sur un trône qui demeure le sien puisqu'il n'a jamais abdiqué.

L'ambassadeur de France, le marquis de Monti[6], s'est déjà mis en campagne pour rallier à la bannière des Leszczynski les clans ennemis des Czartoryski et des Potocki. En France, Chauvelin pousse Stanislas à se déclarer et dépêche pour ce faire l'un de ses jeunes secrétaires d'ambassade, Jacques Hulin[7], avec mission de le convaincre. Le diplomate croit deviner la personnalité du roi de Pologne : un personnage indécis et buté, qui déteste la contradiction. « Je connais les Polonais, répète sans cesse l'exilé de Chambord, je suis sûr qu'ils me nommeront ; mais je suis sûr aussi qu'ils ne me soutiendront pas[8]. » Des jours durant, Hulin fait son siège et finit par obtenir l'accord qu'attend Chauvelin : à la fin de février, Stanislas entre dans la compétition, trente ans après sa première élection. Cette fois, il est le candidat du roi de France.

Alors que le primat Théodore Potocki proclame l'interrègne et fixe la diète de convocation au 27 avril 1733, le marquis de Monti applique à la lettre les instructions de Louis XV : ne rien négliger pour assurer le retour de Stanislas, et surtout « être extrêmement attentif à ne rien laisser pénétrer d'avance à personne des ordres que Sa Majesté lui donne par rapport au roi Stanislas.

Tout le monde est persuadé qu'elle portera ce prince ; mais il y a bien de la différence entre laisser subsister des opinions que l'on ne pourrait pas détruire ou les confirmer par un aveu formel[9] »

Coup dur pour les « trois aigles »

Cet éventuel retour de Stanislas soutenu par le roi de France est une mauvaise nouvelle pour les « trois aigles », dont les cartes se brouillent... Il leur faut changer de jeu. L'Autriche et la Russie négocient avec Frédéric-Auguste de Saxe, qui finalement accepte de relever le défi.

Les candidatures sont nombreuses pour un trône aussi instable : outre Stanislas et Frédéric-Auguste, figurent le prince Ferdinand de Bavière, l'infant de Portugal et même Jacques III Stuart, roi d'Angleterre en exil. Du côté des magnats, on retrouve Wisniowiecki, un Sapieha, l'éternel candidat Lubomirski et même Stanislas Poniatowski, le fidèle compagnon de Charles XII, qui ne tarde pas à se désister en faveur de Stanislas.

L'ambassadeur de France s'escrime à déblayer le terrain pour faciliter l'élection de son candidat. Il lui faut d'abord réorganiser un parti des patriotes : « Autrefois, on gagnait un Polonais avec une somme raisonnable ; à présent ce n'est plus la même chose ; si Votre Majesté, écrit-il à Louis XV, veut l'élection du roi Stanislas, il faut au moins compter sur une dépense de quatre à cinq millions d'argent fort[10]. » Chichement, Fleury lui accorde trois cent mille livres. Une misère... Monti revient alors à la charge et reçoit finalement trois millions de livres par le truchement du banquier Samuel Bernard. Il était temps, l'Autriche et la Russie faisant pression sur le primat de Pologne pour évincer Stanislas de la liste des prétendants. Potocki leur inflige un camouflet en écartant toute candidature étrangère. Frédéric-Auguste n'est plus candidat, ce qui laisse toutes les chances à Stanislas.

Furieux, l'empereur masse alors des troupes en Silésie, le long de la frontière polonaise, et la Russie prépare son armée à une possible intervention. De son côté, l'Angleterre ne voit pas d'un œil favorable le retour de Stanislas à Varsovie et se livre à des manœuvres diplomatiques qui irritent Chauvelin et même finissent par exaspérer Fleury. Le 17 mars, le ministre convoque tous les ambassadeurs accrédités pour leur remettre une proclamation de Louis XV qui est une véritable mise en garde : « Le roi déclare qu'il s'opposera avec toutes ses forces aux entreprises qui tendraient à gêner la liberté dont la Pologne doit jouir dans l'élection d'un roi futur, conformément aux déclarations qui en ont été ou seront faites à ceux qui représentent ladite nation[11]. »

Pour la première fois, le roi de France descend officiellement dans l'arène. Louis XV, murmure-t-on à Versailles, préfère un beau-père couronné à un monarque déchu. Ravi, Chauvelin feint de croire à cette fable ; Fleury, lui, traîne toujours les pieds faute de pouvoir modérer l'enthousiasme des Français avides de reconquérir une couronne pour le père de leur « bonne reine ». Avant de céder à leurs exigences, le vieux cardinal s'est quand même assuré de l'abstention de l'Angleterre et de la neutralité des Provinces-Unies. La confirmation se faisant attendre, il n'acceptera d'entrer dans l'aventure polonaise qu'au mois d'août.

Remue-ménage à Chambord...

Pendant ce temps, Monti réclame la présence de Stanislas à Varsovie, craignant que Frédéric-Auguste n'arrive un beau matin pour se faire acclamer. Le Saxon a si peu de route à faire qu'il peut être sur place en quelques jours. Stanislas doit donc s'installer à Varsovie. Mais comment lui faire traverser l'Europe incognito ? Monti a déjà imaginé un stratagème rocambolesque : Stanislas gagnera discrètement Varsovie par la voie terrestre pendant qu'un sosie embarquera en grande pompe à Brest. Hulin est chargé d'expliquer le plan au père de la reine de France.

L'affaire se déroule très mal. Stanislas déteste cette idée de mascarade qui l'obligerait à entrer dans son royaume comme un voleur, et annonce qu'il préfère renoncer, s'insurgeant contre Monti et Chauvelin qu'il accuse de ne jamais l'informer de la situation polonaise. Il ne décolère pas contre ce maudit ambassadeur qui veut mener l'élection à sa guise. Dans les galeries de Chambord, il prend à témoin tous les saints de Pologne...

Mais il ignore que le ministre et son ambassadeur ont pris les devants et qu'ils se sont déjà plaints à Louis XV des agissements désordonnés du clan Leszczynski, qui ne cesse de transmettre en Pologne des messages de Stanislas. Monti a même avoué son impuissance à juguler ce torrent épistolaire : « La Pologne est inondée de ses lettres. On en compte plusieurs écrites de sa main[12]. »

À Versailles, les débordements de l'exilé de Chambord ne font plus rire. Stanislas est invité à se montrer plus discret et reçoit l'injonction de se rallier au projet Monti. Il va donc gagner Varsovie au plus vite. Chauvelin a déjà commandé au maréchal du Bourg de faire équiper en Alsace « une voiture à deux à l'allemande, douce et solidement bonne », et de préparer deux passeports « signés de quelques princes d'outre-Rhin » au nom de marchands allemands, Georges Bawer et Ernest Bramback. Le maréchal doit aussi « rassembler trois mille livres de notre monnaie en espèces étrangères, principalement en ducats d'or de l'Empire[13] ».

Le colonel d'Anthoüard aurait dû accompagner Stanislas, mais Chauvelin, qui le trouve un peu trop bavard, l'expédie à la Bastille pour quelques semaines [14]... C'est le jeune d'Andlau qui prend sa place.

Bawer et son commis Bramback

Le scénario est prêt, la pièce ne demande plus qu'à être jouée. Le 19 août 1733, Stanislas fait ses adieux à Catherine Opalinska et quitte Chambord. Il paraît brièvement à Versailles, où il recueille les confidences de Marie, blessée par l'inconduite du roi et inconsolable de la perte du petit duc d'Anjou, qui a suivi de quelques semaines la mort de Madame Troisième. Il court à Meudon – où les enfants royaux séjournent durant l'été – pour découvrir la petite dernière, embrasser le dauphin et Victoire (ou plutôt Madame Cinquième), dont la naissance, le 11 mai, n'a pu faire oublier la disparition subite du second prétendant au trône. Le 21, accompagné de d'Andlau, il reçoit les ultimes recommandations de Louis XV et de Fleury. Le 22, ils sont à Chaville pour entendre celles de Chauvelin, puis s'en vont passer la nuit à Berny, chez le cardinal de Bissy.

Le même jour, à la nuit tombée, un homme de forte stature ressemblant à Stanislas quitte Berny : monsieur de Thianges, sosie du roi de Pologne, vient d'entrer en scène. Il doit rallier la rade de Brest au plus vite. Le soir du 26 août, en grand habit ceint du cordon bleu du Saint-Esprit, il embarque sur le vaisseau amiral de l'escadre commandée par le chevalier de La Luzerne. Dans les jours qui suivent, toute l'Europe apprend que le roi Stanislas vogue vers son royaume. On apprend aussi que des sbires de la tsarine l'attendent en embuscade sur la Baltique. À bord, le faux roi passe ses journées dans sa cabine. Les jeunes officiers l'ont surnommé « la redin-

100

gote », car c'est tout ce qu'ils aperçoivent de lui lorsqu'il monte prendre l'air sur le pont à la nuit tombée.

À l'heure où les canons de Brest rendaient les honneurs au faux roi de Pologne, le négociant Georges Bawer, *alias* d'Andlau, et son commis Ernst Bramback, *alias* Leszczynski, roulaient à vive allure vers la Pologne, suivant l'itinéraire préparé par Monti afin d'éviter les zones inhospitalières. Impossible de reconnaître Stanislas sous sa perruque brune et dans son habit de laine grossière. Après Liège, les contrôles de Düsseldorf, Halbertstadt et Magdebourg n'inquiètent pas les voyageurs, qui parlent très bien l'allemand et savent émousser la curiosité des douaniers moyennant quelques ducats... En Prusse, les fonctionnaires sont plus pointilleux, mais les voyageurs passent Berlin sans être découverts.

Francfort-sur-l'Oder est en vue. Là, les deux faux marchands ont rendez-vous avec le neveu de Monti qui les attend avec le carrosse de l'ambassade. La traversée de l'Oder comme l'entrée en Pologne se déroulent sans encombre. Le 8 septembre, la nuit est tombée depuis longtemps quand Bawer et son compagnon entrent dans Varsovie. Le carrosse se faufile dans les rues endormies en direction de l'ambassade de France. Ses occupants y pénètrent par une porte dérobée. Un jeune homme vient leur ouvrir. C'est Jean-Pierre Tercier, le secrétaire de Monti. La façon dont il s'incline devant le commis Bramback montre bien qu'il est dans la confidence. Seul membre de l'ambassade à connaître le plan, il a pour mission de cacher Stanislas dans sa propre chambre. Prétextant une indisposition, Tercier se fait apporter dîner et souper qu'il s'empresse de servir à son royal invité. Quoique fourbu, le malheureux roi fait honneur à la chère. Pourtant il souffre depuis le départ d'une indisposition intestinale...

Retour glorieux à Varsovie

En coulisses, Monti continue à œuvrer : il a convié toute l'aristocratie de la capitale à une messe exceptionnelle, dans l'église Sainte-Croix, mitoyenne de l'ambassade par les jardins. Au matin du 10 septembre, quand Stanislas Leszczynski passe le porche, l'émotion étreint les assistants. Après bientôt trente ans d'absence, Stanislas Ier, roi de Pologne, reprend contact avec son peuple. Monti y assiste en témoin privilégié : « Bien des seigneurs vinrent au-devant de lui ; je les lui présentai ; on lui baisa la main ; il eut bien de la peine à entrer dans le chœur de l'église. Plusieurs dames s'y rendirent et chacun s'empressa de lui témoigner sa joie. Il y eut un vivat général, après quoi il revint chez moi et la foule fut si grande qu'elle ne discontinua pas de tout le jour [15]. »

Au comble de la félicité, Stanislas a oublié les colères et les agacements de Chambord. Force lui est de reconnaître que Monti, Chauvelin et Fleury ont bien préparé son retour.

Dès le lendemain, le primat Potocki rappelle aux cinquante mille nobles rassemblés pour la diète d'élection que, pour préserver leur liberté, ils ne doivent pas céder aux menaces des puissances voisines. François Radzewski, un ancien complice de Stanislas, est élu maréchal de la diète. Parcourant les rangs des gentilshommes, il demande plusieurs fois si personne ne s'oppose à l'élection du roi Stanislas. Et l'assemblée répond chaque fois : « Vive le roi Stanislas ! »

Le primat aurait pu proclamer l'élection le jour même, mais il attend un peu, espérant rallier le prince Wisnowiecki, grand-régimentaire de Lituanie, qui a planté sa tente sur la rive droite de la Vistule, au faubourg de Praga, en compagnie de quelques dissidents. Le 12, cependant, n'ayant pu ramener ceux-ci à la raison, il déclare solennellement : « Comme il a plu au Roi des rois que tous les suffrages soient unanimes en faveur de Stanislas Leszczynski, je le proclame roi de Pologne et grand-duc de Lituanie ! » Après le *Te Deum* rituel à la cathédrale, Stanislas se rend au palais royal où le gouverneur de Varsovie, Joseph Potocki, frère du primat, lui remet symboliquement les clefs de la ville.

Fini avant d'avoir commencé...

Complimenté, fêté, Stanislas a pourtant le visage renfrogné des mauvais jours. Les opposants du faubourg de Praga ont des raisons de l'inquiéter. Leur nombre s'accroît de jour en jour et les écrits vindicatifs répandus par Wisnowiecki entament déjà son triomphe. L'or saxon aidant, Hosius, évêque de Poznan, Malachowski, maréchal de la Cour, et Lubomirski passent à l'ennemi. Wisnowiecki, lui, a déjà réclamé l'aide de la Russie, et une avant-garde russe est en vue de Praga. La panique gagne les habitants de Varsovie. Mais Stanislas ne réagit pas. Ses vieux amis s'en émeuvent ; ils ne retrouvent rien de l'ardeur et de l'enthousiasme qui avaient marqué la première élection.

À cinquante-six ans il laisse pour la première fois percer une lassitude et une usure physique qui lui ôtent l'envie de combattre. Il inquiète ceux qui ont conservé le souvenir d'un jeune roi passionné, et aussi les proches qui l'ont accompagné dans son retour. Vingt-neuf années d'errance à travers l'Europe l'ont-elles marqué à ce point ? D'autant qu'elles ne l'ont jamais empêché de sacrifier à son grand péché : une gourmandise incontrôlable. Au fil des ans, cette obsession de la table a transformé le fringant jeune homme en homme mûr à triple menton. Et rien ne semble pouvoir le calmer, ni les problèmes digestifs ni les menaces que fait peser l'obésité sur sa santé.

Pendant que Stanislas se laisse ainsi aller, Monti s'active. Il a beaucoup de peine à boucler ses dépêches pour la France, tant la situation évolue rapidement. Le courrier annonçant l'élection de Stanislas est arrivé le 20 septembre à Fontainebleau, où séjourne la Cour. Le même jour, Monti écrit à nouveau à Louis XV : « La plupart des femmes de condition se retirent dans l'intérieur du royaume ; les autres vont à Dantzig. On démeuble partout et la terreur est répandue. [...] C'est un royaume désolé et désert. [...] Une guerre des plus cruelles se prépare [16]. »

Réfugié à Dantzig

L'armée de la Couronne est incapable de tenir tête aux envahisseurs, mais elle peut permettre d'attendre les renforts de France, et c'est ce qu'elle fait en repoussant une première attaque russe. Mais la plupart de ses partisans étant retournés dans leur province, Stanislas hésite à les rappeler. L'aide française ne pouvant arriver que par Dantzig, il décide de s'y retirer avec Stanislas Poniatowski et Monti après avoir confié la défense de Varsovie à Joseph Potocki et Jean Tarlo. Le 3 octobre, sitôt installé chez le résident français à Dantzig, il écrit à sa fille, la reine de France : « Mon transport de Varsovie à Dantzig vous aura donné de l'inquiétude. [...] Selon toute apparence, les Moscovites, ayant manqué leur coup dans l'élection, s'en retourneront par où ils sont venus, ayant surtout à faire chez eux car ils auront bientôt les Turcs et les Suédois sur les bras ; pour ce qui est de l'empereur, je crois que vous l'occuperez assez pour qu'il aie le temps de penser à nous. Si bien que j'espère, avec la grâce de Dieu, d'avoir bientôt un règne tranquille [17]. » Est-il vraiment conscient de la gravité de la situation, ou s'efforce-t-il de ne pas alarmer sa fille ?

Dans le camp des cinq mille dissidents, Wisnowiecki et Lubomirski sont impatients de reconquérir le champ de Kolo pour y organiser une contre-élection avant le terme du délai électoral, fixé au 6 octobre. Faute d'y parvenir, ils se rassemblent le 5 octobre dans une clairière entre Praga et Kamien. Wisnowiecki espère triompher et Lubomirski n'imagine pas être tenu en échec... Ils tombent de haut quand le général russe Piotr Lacy déclare fermement que la volonté de la tsarine Anna Ivanovna et de l'empereur Charles VI est de voir Frédéric-Auguste de Saxe monter sur le trône. Bernés mais soumis, ils élisent alors le Saxon. Auguste III étant absent, ce sont les ambassadeurs de Saxe qui jurent les *Pacta conventa* en son nom.

Apprenant l'élection d'Auguste III, Stanislas se borne à lancer quelques mots : « Je plains fort l'Électeur de Saxe ; il éprouvera tôt ou tard l'infidélité de ceux qui l'ont élu [18]. »

Une fois de plus, la Pologne a deux rois. Malgré la puissance russe, l'appui de l'empereur et la bienveillance de la Prusse pour le Saxon, Stanislas ne désespère pas, confiant dans le soutien de son gendre. Il écrit à Hulin le 27 octobre : « Avec la grâce de Dieu, nous espérons de soutenir un orage passager, depuis que les étendards du roi imposent le respect à nos ennemis. Leur violence n'ébranle point la fermeté de ma nation qui agira, je vous en réponds, quand elle aura seulement assez de terrain libre pour agir, étant présentement serrée de tous côtés [19]. »

Dantzig lui a réservé un accueil chaleureux. Musique et spectacles sont au programme du roi qui loge au vieux château de la ville, remeublé pour la circonstance. Cette cité florissante sera sa capitale provisoire. Plantée sur le delta de la Vistule, la « perle de la Baltique » doit la germanisation de son nom à son appartenance à la Hanse depuis 1361. Au xvᵉ siècle, elle a reçu le statut de ville libre et le monopole du commerce maritime de la Pologne. Elle doit son essor et son architecture aux Hollandais qui s'y sont installés et s'enorgueillit de son port maritime, le Fahrwasser, placé sous la protection du fort de Weichselmünde.

Stanislas est rejoint par une poignée de fidèles : Georges Sapieha, le prince Czartoryski, le duc Ossolinski, grand trésorier de la Couronne, et Sierakowski. Sans oublier les frères Zaluski ; l'un est évêque de Plock, l'autre, référendaire de la Couronne. Monti, qui a transféré son ambassade, est secondé par deux secrétaires, Jean-Pierre Tercier, âgé de trente ans, et Pierre-Joseph de La Pimpie, chevalier de Solignac, dont le fort accent languedocien sait faire sourire la Cour... L'ambassadeur décide de le détacher auprès du roi en qualité de secrétaire. Ce sera le début d'une étroite collaboration qui durera trente-trois ans. Porte-plume du roi de Pologne, Solignac deviendra pour tout le monde le « teinturier de Stanislas ».

Les prémices de la solution lorraine

Stanislas livre sa guerre contre Auguste III sur le terrain de l'écrit, seule forme de combat qu'il puisse incontestablement mener à terme. Ses manifestes, rédigés en plusieurs langues, circulent dans tous les palatinats. Auguste III réplique par des libelles acerbes.

Les semaines passent et l'escadre française commandée par La Luzerne n'est toujours pas en vue. Elle n'arrivera jamais, comme le révèle le comte de Plélo, ambassadeur de France au Danemark, à son collègue Monti. La Luzerne a jeté l'ancre dans le port de Copenhague le 20 septembre pour débarquer le faux Stanislas, arrivé au terme de sa mission. Puis, à la stupéfaction de l'ambassadeur, il a aussitôt remis le cap sur Brest. Tels étaient les ordres du cardinal.

Longtemps Fleury a été accusé d'avoir sciemment abandonné le roi Stanislas à son triste sort. La réalité est plus complexe. Certes, le principal ministre ne partageait pas l'enthousiasme de Chauvelin pour cette équipée, mais il n'a pas cherché à la sacrifier. Simplement, les questions soulevées par la pragmatique sanction et l'annonce du mariage de Marie-Thérèse avec François de Lorraine laissaient pressentir d'autres difficultés : la question de la Lorraine préoccupait Fleury bien avant la disparition d'Auguste II. Le 27 mars 1729, à la mort du duc Léopold Ier, son fils, François-Étienne, lui avait succédé sous le nom de François III, prenant ainsi le relais de son frère aîné, Clément-François-Étienne, disparu prématurément.

François-Étienne, qui vivait à la cour de Vienne depuis 1723, était revenu à Nancy, le temps de confier (avril 1731) ses possessions à la régente, sa mère, la duchesse douairière Élisabeth-Charlotte, fille de Philippe d'Orléans et de la princesse Palatine. Pendant un an, il avait accompli un périple triomphal, des Flandres à la Prusse en passant par l'Angleterre et la Hollande. Au printemps 1732, il était rentré... non pas à Nancy, mais à Vienne. Entre-temps, le 28 mars 1730, Charles VI l'avait fait proclamer vice-roi de Hongrie. Cette situation avait troublé Fleury : la France ne pouvait accepter d'avoir pour voisin direct un Lorraine trop soumis à Vienne.

D'autre part, selon Chavigny, ambassadeur de France à Londres, les Anglais étaient prêts à faire quelques concessions pour améliorer la situation, si la France acceptait la pragmatique sanction : « Je ne serais pas surpris [...] qu'ils [les ministres britanniques] ne proposent de nous ménager quelque avantage qui pût nous tenter, tel que pourrait être la cession actuelle ou éventuelle de la Lorraine ; mais je ne sais s'il vous conviendrait de sacrifier à cet accommodement l'espérance presque certaine de dissoudre la puissance autrichienne et d'établir tout à fait notre supériorité sur le débris de cette grande succession[20]. » Mais Chauvelin refusait de mordre à l'appât et se bornait à répondre « que nous ne souffririons jamais la Lorraine et la couronne impériale dans la même maison[21] ».

Le reclus de Dantzig dérange les diplomates

Stanislas, reclus à Dantzig, complique la tâche de la diplomatie française. Expédier une armée de secours à travers les États allemands est exclu. Quant à monter une opération maritime dans les mers du Nord, c'est encourir les foudres de l'Angleterre et des Provinces-Unies, et faire échec aux promesses de neutralité. Mieux vaut s'attaquer à l'allié direct de la Russie, l'empereur. Fleury préfère avancer à pas comptés en concluant des alliances avec la Sardaigne, l'Espagne, la Hollande et l'Angleterre. La première recevrait le Milanais[22], à conquérir sur les Habsbourg ; la seconde garantirait les droits de don Carlos sur Parme et donnerait la Sicile et le royaume de Naples à don Philippe[23]. En dédommagement, la France obtiendrait du roi de Sardaigne le duché de Savoie.

Un traité de subsides est signé le 15 novembre entre Louis XV et Charles-Albert de Bavière. Enfin, Fleury s'engageant à ne pas envahir les Pays-Bas, l'Angleterre et les Provinces-Unies, ceux-ci promettent de rester neutres en signant la convention de La Haye (24 novembre 1733). Un mois plus tôt, le 10 octobre 1733, Louis XV a déclaré la guerre à l'empereur : « L'injure qu'il venait de lui faire en la personne du roi de Pologne, son beau-père, intéressait trop Sa Majesté et la gloire de sa couronne pour ne pas employer les forces que Dieu lui avait confiées à en tirer une juste vengeance[24]. »

Dès le 13 octobre, six régiments aux ordres du comte de Belle-Isle sont entrés à Nancy, et un corps d'armée dirigé par le marquis de Brézé a reçu pour mission d'occuper le duché de Lorraine et son voisin le duché de Bar[25]. Pendant ce temps, la cour polonaise réfugiée à Dantzig s'interroge sur l'aide de la France. Et ce n'est pas la guérilla que livrent les partisans de Stanislas qui aura raison des quarante mille Russes et des vingt mille Saxons opérant en Pologne.

Les plus inquiets sont Monti et son collègue Plélo, qui échangent une correspondance échafaudant les plans les plus fous pour rétablir Stanislas sur son trône. Le second est peut-être le plus enragé. Ce Breton de trente-quatre ans – petit-neveu de Mme de Sévigné et apparenté par son mariage aux secrétaires d'État Saint-Florentin et Maurepas – a dû vendre son régiment pour rembourser ses dettes. Le jeune homme est sympathique, en dépit d'une silhouette peu avenante (il se surnomme lui-même « Armoricain le trapu »). Maurepas l'a fait entrer dans la carrière en 1729, avec l'ambassade de Copenhague pour premier poste. Peu rompu au langage diplomatique, il exaspère Fleury par le piquant de ses propos, mais ses informations et ses analyses sont toujours pertinentes. Les copies de ses lettres à Monti sont abondamment commentées par Stanislas. Ainsi écrit-il à Marie Leszczynska le 25 décembre 1733 : « Je vous assure que si le roi ne s'empare point de la Saxe, je serai obligé de quitter mon héritage et d'aller trouver mon ancienne ferme, et je serai votre locataire. Ainsi, si les traités et les conventions rendent l'invasion en Saxe absolument impossible selon M. de la Roche et M. de la Chauve[26], il vaut mieux terminer dès à présent cette affaire à l'amiable que de risquer des frais inutiles dans sa poursuite, car je ne vois pas d'autre moyen de la gagner. Pour moi, il me suffit d'avoir fait mon devoir et d'avoir acquis un droit légitime à mon héritage ; je ne puis pas résister à la violence avec un faible troupeau de mes sujets et par conséquent je ne suis point inquiet de ce que le bon Dieu voudra faire par la suite, ayant cette consolation que devant moi je n'ai rien à me reprocher[27]. »

Défendre un roi ou une potiche malade ?

Lettres, rapports ou témoignages en faveur d'une intervention contre la Saxe restent sans réponse. Fleury campe sur ses positions tandis que Frédéric-Auguste est couronné en toute quiétude à Varsovie le 17 janvier 1734. Auguste III peut dès lors se joindre aux armées russes pour crever l'abcès de Dantzig.

La prospère cité ne dispose pas d'une garnison permanente mais d'une garde nationale aux ordres du conseil de la ville. Des hommes en armes ont investi les vieux quartiers : deux régiments de cavalerie de la garde personnelle du roi de Pologne, les cinq mille soldats de l'armée de la Couronne regroupés par Poniatowski et le prince Czartoryski, auxquels s'ajoutent une centaine d'officiers suédois venus porter secours à l'ami de leur défunt roi. Au total, près de douze mille hommes s'apprêtent à défendre Stanislas. Mais tout le monde s'interroge : qui veut-on défendre ? L'allié de Louis XV ou ce roi fantoche que l'on dit malade ? Hélas, cette rumeur est partiellement fondée : dès l'arrivée de Stanislas en Pologne, Monti a compris que le souverain ne pourra assumer physiquement son rôle. Il souffre d'hémorroïdes très douloureuses, et les soins dispensés par un médecin de Varsovie n'ont rien guéri. On craint même une tumeur. À Dantzig, Stanislas s'est soumis à toutes sortes de traitements. Une ponction de sang l'a soulagé, mais il a dû rester allongé, manquant ainsi la messe du dimanche, au grand dam de ses sujets. Monti a fini par alerter Versailles, qui a aussitôt dépêché le chirurgien Houstet. Celui-ci a adressé à la Cour un rapport détaillé décrivant le mal et l'état de son royal patient. Fleury et Louis XV ont convoqué un conseil médical pour discuter des suites à donner.

Pendant que l'on hésite sur la décision à prendre, Houstet tente d'atténuer les souffrances de Stanislas et lui impose un régime sévère. Privé de bière, condamné au bouillon, il s'étiole sous l'œil catastrophé de Monti. Le grand air pourrait le requinquer mais la présence des Russes aux portes de la ville interdit toute échappée campagnarde. Sans cesse retardée, l'opération est finalement abandonnée sur la recommandation de Chauvelin. Stanislas devra s'accommoder de son mal tandis que Monti l'entoure de mille prévenances, allant jusqu'à lever un régiment de dragons chargé de veiller sur lui et de l'accompagner dans toutes ses sorties.

Sous les canons russes

Avant d'attaquer Dantzig, la tsarine Anna Ivanovna tente de persuader le conseil de la ville de lui livrer Stanislas et de reconnaître la souveraineté d'Auguste III. Fière de la convention d'assistance passée avec la France, la cité refuse d'y déroger et commence à inonder les terres alentour. Une ceinture de palissades entre forts et fortins vient renforcer le dispositif tandis que la défense s'organise.

Le 18 février 1734, l'armée russe du général Lacy est signalée par les guetteurs ; le 20, elle met le siège devant la ville, interrompant l'alimentation en eau potable et incendiant les moulins. Le gros des forces russes arrive cinq jours plus tard ; à sa tête, le redoutable feld-maréchal Münnich prend le commandement. Une seconde mise en demeure, plus menaçante encore, n'émeut pas les autorités de la ville qui rejettent l'ultimatum. Les Russes passent à l'attaque, mais comme leur artillerie lourde n'est pas arrivée, ils incendient les faubourgs les plus accessibles. À la fin d'avril, les canons prennent le relais pour écraser le cœur de Dantzig. L'hôtel de ville est touché. Conseillers, ambassadeurs, Stanislas et sa suite, tout le monde évacue le centre pour se réfugier dans le quartier de Langgarten, hors de portée de l'artillerie russe. C'est l'occasion pour Stanislas de se rapprocher de sa jolie cousine Jablonowska, au demeurant épouse du duc Ossolinski. La ravissante Catherine, de trente ans sa cadette, commence une belle carrière de maîtresse.

Durant les premiers assauts, Plélo n'a pas baissé sa garde. Il multiplie les démarches pour fléchir Chauvelin et le convaincre du péril de la situation. Le bruit court que Duguay-Trouin va appareiller pour voler au secours de Stanislas. La question a probablement été posée au Conseil du roi, mais en vain puisque dans un mémoire d'avril 1734, intitulé *Projet pour les escadres en France*, il est précisé que « la situation actuelle des affaires en Angleterre semble ne pas permettre que l'on exécute présentement le projet d'envoyer l'escadre de M. Du Gay Trouin dans la mer Baltique[28] ».

Monti attend des nouvelles de Suède où Castéja, ambassadeur à Stockholm, a ouvert des pourparlers avec le gouvernement suédois afin d'obtenir une aide militaire contre une aide financière de la France. Monti envisage même de demander le soutien de la Turquie, vieil ennemi de la Russie et de l'Autriche. Chauvelin l'informe que deux navires de guerre, l'*Achille* et la *Gloire*, ont quitté Brest le 13 avril sous le commandement de l'amiral du Barailh. Ils escortent trois navires transportant quinze cents hommes sous les ordres du brigadier Lamotte de La Pérouze, un vieil officier d'infanterie usé par vingt campagnes glorieuses.

Les navires font escale à Copenhague le 22 avril. Plélo, qui s'empresse de monter à bord, est stupéfait : comment Fleury peut-il envoyer en mer Baltique des soldats avec pour toutes provisions du pain noir et quelques boîtes de biscuits ? Effaré, il découvre aussi que chaque homme dispose de sept cartouches seulement... Il remue ciel et terre pour trouver des munitions : vingt par personne, pas une de plus. Et quelques vivres pour la troupe...

La flotte reprend la mer le 8 mai. Le 9, dans le camp russe, le feld-maréchal Münnich réunit ses officiers autour d'un banquet copieusement arrosé. Une étrange loterie clôt le repas, où chaque homme tire au sort son ordre d'attaque. Objectif : la prise du Hagelsberg, une colline dominant Dantzig. Le soir même, à dix heures, six mille Russes lancent l'attaque. Le tocsin secoue la ville endormie. Beffrois et clochers donnent l'alarme tandis que les roulements de tambour achèvent de mettre les hommes sur le pied de guerre. Toute la population se précipite, les hommes à la défense des remparts, les femmes, vieillards et enfants dans les églises pour prier et chanter des cantiques. Parmi cette foule recueillie et décidée, agenouillé comme un simple pécheur, le roi Stanislas implore l'aide de la Vierge. Son vœu est exaucé : pris sous le feu convergent des forts et des remparts, les Russes abandonnent la place, laissant quatre mille morts sur le terrain. En mer, la flottille française a suivi le feu d'artifice. Le 11 mai, du Barailh débarque à Fahrwasser les soldats de Lamotte. Cependant, dans la nuit du 14 au 15, l'amiral, stupéfait, voit la troupe battre en retraite. Rembarquement immédiat et retour à Copenhague...

Devant un Plélo suffoqué, l'amiral exhale sa rancœur et dépeint le déshonneur des soldats du roi de France. Une lettre de Monti ravive la colère du diplomate : « Le roi de Pologne est plongé dans la plus vive affliction : jugez de la mienne. Toute la ville est dans les larmes. Un secours si longtemps attendu, qui faisait tant d'honneur au roi. [...] Il ne part de France que pour devenir la risée de toute l'Europe. [...] Jamais la Vistule n'avait vu de drapeaux français ; il faut qu'ils ne viennent que pour fuir[29]. »

Plélo, héros du désespoir

Pour Fleury et Chauvelin, la partie est perdue en Pologne, mais Plélo ne l'entend pas de cette oreille. Après une explication orageuse avec Lamotte, qui n'a jamais cru au sérieux de sa mission et refuse de mettre des vies en danger pour rien, il fait appel au sens de l'honneur et de la bravoure. L'entrevue tourne au vinaigre, le vieux Lamotte refusant qu'un blanc-bec ignorant tout du métier des armes condamne sa conduite : « Il est facile, monsieur, d'échafauder dans la sûreté d'un cabinet le plan d'une entreprise, mais il est plus difficile de l'exécuter. – Monsieur, répond Plélo, je vais vous montrer ce qu'il fallait faire. Au nom de Sa Majesté, qu'à titre d'ambassadeur je représente ici, je vous ordonne de me suivre. Retournez tous à bord. Je vous rejoins aussitôt. »

Au moment de s'embarquer, le chevaleresque ambassadeur rédige plusieurs lettres. D'abord à Louis XV, pour justifier sa décision : « Je sais tout ce qu'il y a à dire sur un pareil parti qui n'a point d'exemple. Votre Majesté m'a chargé de veiller à ses intérêts, et le plus considérable de tous est de ne point laisser déshonorer la nation qui vous obéit[30]. » Auprès du roi de Danemark, il s'excuse de la grossièreté de ce départ précipité, mais c'est pour le « service du roi son maître ». D'ailleurs, il rentrera à Copenhague dès que les troupes françaises seront dans Dantzig.

La dernière lettre est destinée à Chauvelin : « Votre Seigneurie sera sans doute surprise lorsqu'elle apprendra que les régiments de Périgord, de Blésois et de La Marche sont revenus hier au soir à cette rade sous l'escorte de l'*Achille* et de la *Gloire,* et cela sans avoir fait aucun effort en faveur de Dantzig. [...] La honte et l'infamie de ce qui est arrivé ne peut s'effacer que par une pleine victoire ou par tout notre sang[31]. » À sa femme, il fournit ces justifications : « Je serais indigne du nom de Français et de votre amour si je ne faisais ce que je dois en cette occasion[32]. » À son parent Maurepas, il ouvre son cœur : « Je suis sûr de ne pas revenir, je vous recommande ma femme et mes enfants[33]. »

La flotte accoste pour la seconde fois à Dantzig le 23 mai et débarque sans rencontrer la moindre résistance. Plélo écrit le 24 mai du fort de la Mende : « Nous ne tarderons pas à entrer dans la ville de Dantzig et à la délivrer de l'oppression où elle est. [...] Une fois le camp établi, nous monterons en haut de la tour pour reconnaître la disposition du terrain et celle des ennemis. Les Russes ne faisaient pas de bruit, au point que l'on a cru qu'ils étaient planqués dans les bois. On a donné trente ducats à un soldat pour qu'il aille envoyer nos lettres. On attend son retour demain pour savoir à quoi nous en tenir. Monti nous a donné ses ordres. Puis, au silence, les Russes, vers les dix heures du soir, n'ont pas cessé de tirer du canon et des bombes. Nous allons attaquer. Il n'y a pas d'autres alternatives pour sauver le roi de Pologne[34]. »

L'assaut a lieu au matin du 27 mai. En tête de la colonne : le comte de Plélo, l'épée à la main et le verbe haut. Pour attaquer les Russes qui bloquent le fort de Weichselmünde, il faut s'enfoncer jusqu'à la ceinture dans les marais et atteindre un bois sous le tir nourri de la mousqueterie ; la tranchée est là. Plélo dirige l'assaut. Les grenadiers escaladent les palissades sous un déluge de feu qui éclaircit leurs rangs. Plélo franchit la barricade le premier. Il presse, renverse et transperce tout ce qui s'oppose à son passage. Un instant, les Russes croient voir l'ombre de ce diable de Charles XII. Dans ce corps-à-corps de deux heures, la terre est jonchée de deux mille des leurs, alors que les Français n'ont perdu qu'une cinquantaine d'hommes.

Münnich décide alors de régler son compte à cette troupe intrépide. Le canon entre en action. Les Français perdent pied. Plélo, blessé, balafré, couvert de sang, les relance à la charge. Les hommes tombent. Lamotte rameute les fuyards et se replie sans la moindre réaction de l'ennemi, qui ne songe pas à les anéantir.

La fuite pour échapper à la mort

Les Russes restitueront le corps du comte de Plélo. L'annonce de sa mort émeut les salons de Versailles. La reine, qui a pris la défense du jeune aristocrate devant le cynisme de Fleury, pleure le sacrifice de ce chevalier d'une autre époque. Et surtout elle s'angoisse pour son père, abandonné par ceux qui l'ont poussé dans l'aventure. Les lettres qu'elle reçoit de lui, souvent laconiques, parlent en effet plutôt d'ennuis de santé, mais elles laissent percevoir un certain fatalisme devant la malchance. Avec de curieux sursauts : « Si on pouvait accoucher de tout ce qui pèse sur le cœur comme d'un enfant, qu'on serait heureux ! » Ou encore : « Je prends le parti de devenir apathique, car avec un peu de raison, quand on pense à tout cela, la tête tourne[35]. » Impuissante, Marie Leszczynska assiste au désastre. Encore lui a-t-on caché bien des choses puisque l'astucieux Chauvelin a eu la machiavélique idée de faire imprimer de fausses gazettes dont l'unique exemplaire lui était destiné.

Sur place, Stanislas et Monti espèrent toujours la venue de Duguay-Trouin. Monti en est tellement persuadé qu'il prévient Lamotte de l'imminence de son arrivée. Celui-ci, qui offrait à Stanislas d'embarquer

avec ses hommes et de rentrer en France, décide de sur-
seoir. L'espoir renaît le 14 juin : une quarantaine de bâtiments surgissent de la brume matinale. Déception ! C'est
une escadre russe qui vient renforcer le blocus de la ville
en posant des chaînes en travers de la Vistule. D'autres
commencent à canonner le fort de Weichselmünde et le
Fahrwasser. Alors Lamotte réclame à Münnich une suspension d'armes et la permission d'envoyer à Stanislas et
à Monti deux émissaires qui leur diront la résolution de
Lamotte de capituler.

Se tournant vers Monti, Stanislas ne peut dissimuler
les larmes qui noient son regard. Le roi et l'ambassadeur
se sont compris : pas de reddition. C'est ce que Stanislas
précise dans le billet qu'il griffonne à Lamotte. Mais le
vieil officier n'en tient pas compte. Soutenu par ses trois
chefs de bataillon, il décide, « pour épargner le sang
humain répandu sans aucun secours pour le roi et Dantzig, d'entrer en capitulation avec le comte de Münnich »
et négocie le retrait des Français vers un port neutre d'où
ils pourront regagner leur pays. Mais Münnich viole
l'accord sitôt la capitulation signée (24 juin) : en raison
d'un vieux contentieux entre la tsarine et le Roi Très-
Chrétien, Lamotte et ses hommes seront envoyés en
Livonie, où ils seront traités en prisonniers de guerre. Le
jour même, sous le tir groupé des Russes et des Saxons,
le fort de Weichselmünde rend les armes, mettant la ville
à la merci de l'ennemi.

Stanislas ne sait plus quoi faire. Il se sent responsable
de tout ce malheur et voudrait assumer son rôle jusqu'au
bout. Mais, sachant sa tête mise à prix, il préfère s'éva-
der... Monti se charge d'échafauder un plan pendant que
le roi rédige deux lettres, aux édiles et aux habitants de
Dantzig. Elles ne seront dévoilées qu'une fois le roi en
sûreté : « Je pars au moment où je ne puis plus rester
avec vous, et jouir plus longtemps des témoignages d'un
amour et d'une fidélité sans exemple. J'emporte, avec le

regret de vos souffrances, la reconnaissance que je vous dois et dont je m'acquitterai en tous temps par tous les moyens qui pourront vous en convaincre. Je vous souhaite tout le bonheur que vous méritez; il soulagera le chagrin que j'ai de m'arracher de vos bras. Je suis et je serai toujours et partout votre très affectionné roi[36]. » Le plan de Monti consiste à gagner la Vistule, à franchir le fleuve dans une barque de pêche, à atteindre la pointe du delta, puis à passer le Nogat, un autre bras de la Vistule, avant d'entrer en territoire prussien.

Un fuyard dans les marais

Le dimanche 27 juin, Stanislas se rend au chevet de Monti, qui feint une indisposition, et exprime le désir de veiller son ami ambassadeur. Le fidèle Tercier lui a préparé des vêtements de paysan – pour les bottes, après le vol de celles d'un officier qui se sont révélées trop petites, il a fallu emprunter celles d'un domestique de l'ambassade. Avec du tabac, sa pipe allemande, quelques pièces d'or et d'argent, un petit office du Saint-Esprit et le portrait de la douce Marie pour tout bagage (malgré les consignes de prudence), Stanislas s'apprête à quitter Monti, qui lui confie pour seule arme un gros bâton épineux. Dix heures du soir sonnent au beffroi, les adieux sont émouvants, mais le temps presse. Stanislas, entraîné par Tercier, disparaît dans le jardin de l'ambassade.

Monti tombe à genoux pour implorer l'aide du Ciel quand on frappe à la porte. On frappe encore. Monti finit par ouvrir. Stanislas est là, devant lui. « Qu'ai-je donc oublié, Sire? » À demi sérieux, le roi répond : « Une chose importante. Vous n'avez pas pensé qu'il me fallait mon cordon bleu ! [...] Je viens vous embrasser à nouveau et vous prier de vous résigner, autant que je le fais, à la Providence, à laquelle je me remets entièrement de mon sort. » Satisfait de son effet, le roi tourne les talons et rejoint Tercier qui s'impatiente. Quelques minutes plus tard, ils retrouvent un autre paysan déguisé : le général suédois Steinflicht. Mis dans le secret, il s'est offert pour partager les dangers de l'équipée royale. Le général et Stanislas emboîtent le pas au major de la place, suédois lui aussi, suivis d'un mystérieux compagnon... un commerçant poursuivi par ses créanciers...

Les quatre hommes franchissent l'enceinte pour rejoindre les *sznapans,* ces passeurs au terrible jargon allemand qui sont, selon Monti, des hommes sûrs. Au moment de monter dans les barques à fond plat pour franchir les douves, une altercation entre le major et le sous-officier de la garnison vient compromettre l'opération. Les hommes mettent en joue quand le major, risquant le tout pour le tout, demande le passage pour le roi Stanislas. Méfiant, le sous-officier dévisage le fuyard et plonge dans une grande révérence en lui souhaitant un heureux voyage. « Cette première aventure, racontera plus tard Stanislas dans un long récit destiné à sa fille, me fit craindre que mon secret ne s'éventât, et ne me faisait augurer rien de bon pour ma sûreté, cependant je renvoyai le major[37]. »

Tantôt à la gaffe, tantôt à l'aviron, les embarcations se faufilent avec peine à travers les roseaux. Un quart de lieue est à peine franchi qu'il faut songer à se cacher avant l'aube. Les passeurs ont déniché une vieille cabane blottie au milieu du marais. Stanislas, qui espérait passer la Vistule le soir même, s'impatiente, mais doit bien se plier aux ordres du chef des passeurs. Il faudra attendre la fin de la nuit et se cacher le reste de la journée.

Sa tête est mise à prix par les Russes

Quand, le lendemain matin, le duc Ossolinski revient chercher Stanislas à l'ambassade de France, il est accueilli par un Monti parfaitement rétabli qui lui annonce que le roi, ayant veillé fort tard, dort encore. Ossolinski et ses compagnons polonais, qui connaissent ses habitudes matinales, expriment quelques doutes. Au même moment, les canons de la flotte russe tirent plusieurs salves. Monti blêmit : « Oh ! Dieu ! Le roi est donc pris ! » Les visiteurs comprennent alors que Stanislas s'est enfui.

La nouvelle de son départ se répand très vite, jusqu'aux retranchements russes. Münnich, qui vient de recevoir une députation lui annonçant que Dantzig se décide à reconnaître Auguste III, entre dans une terrible colère. L'ordre de tirer une salve d'honneur pour célébrer la reddition de la ville et la capture de Stanislas accroît son courroux, car Stanislas court toujours. Pour le feld-maréchal, cette nouvelle remet tout en question. Furieux d'avoir été trompé, il ordonne le bombardement intensif de la cité et lui inflige le paiement d'une taxe de deux millions et demi de livres ; il réclame comme otages l'ambassadeur de France et le primat de Pologne, et promet une forte récompense à qui ramènera Stanislas mort ou vif.

Du fond du marécage, le roi a bien entendu la salve, puis le bombardement d'une violence jamais égalée. Il pense à Monti, à ses amis polonais, à la douce Catherine Ossolinska qu'il ne reverra peut-être jamais. Tout à coup, un mystérieux *sznapan* aborde avec sa petite barque ; il remet à Steinflicht deux langues fumées et un billet qui formule des vœux de réussite. La missive n'est pas signée et le messager demeure muet sur son auteur comme sur la découverte de la cachette. Il repart aussi discrètement qu'il est venu, ravivant les inquiétudes de Stanislas.

La nuit tombée, la petite troupe reprend sa marche dans la vase et les roseaux jusqu'à ce qu'elle atteigne une chaussée, vraisemblablement celle qui longe la rive droite de la Vistule. Le chef des passeurs décide, sans explication, de scinder le groupe en deux. Il conduira le premier, composé du général Steinflicht et du banqueroutier, et suivra la chaussée à la recherche du pêcheur qui doit faire passer le fleuve ; le second, avec Stanislas et les deux *sznapans*, prendra par le marais. Rendez-vous est pris une lieue plus loin.

Mais les deux groupes se perdent, et, le jour pointant, il faut s'enquérir d'une nouvelle cache. Les passeurs connaissent une chaumière dans les environs. Aux occupants de celle-ci, ils demandent s'ils logent des Moscovites : « Pas pour le moment, mais il en vient tous les jours. » Les deux *sznapans* explorent le logis avant de conduire Stanislas au grenier, où la paille fera office de couche. Ses bottes alourdies par la vase le gênent, mais il n'ose pas les ôter afin d'être prêt à fuir. Par la lucarne il voit passer des cosaques dont certains s'arrêtent pour laisser paître leurs chevaux... « J'étais encore plus bloqué que je me l'imaginais, racontera-t-il, car l'hôtesse vint me dire de ne pas faire le moindre bruit, parce que cinq cosaques étaient dans la maison à déjeuner. À ses avis, je me suis rendu immobile, et pendant deux heures qu'ils ont déjeuné, je pouvais entendre de mon grenier tous leurs discours qui roulaient sur le siège de Dantzig[38]. »

Stanislas est assailli de questions par l'hôtesse, qui ne veut pas avoir d'ennuis avec les Russes, mais quelques ducats l'apaisent vite. Elle lui révèle que la chaussée qu'ils ont longée n'est pas en bordure de la Vistule, mais du Nering. La Vistule se trouve beaucoup plus loin. Stanislas, lui, se félicite d'avoir, sur l'insistance du général

Steinflicht, conservé une partie de l'argent de Monti au lieu de lui confier toute la somme.

Au crépuscule, le voyage entre vase et boue reprend. La Vistule est au bout du cauchemar. Mais point de général Steinflicht. Personne n'est au rendez-vous. Et il faut encore se cacher. L'un des *sznapans* demande l'hospitalité à un paysan qui sort de sa maison. « Que vois-je ? dit-il en regardant fixement Stanislas. – Tu vois un de nos compagnons, réplique l'un des *sznapans*. – Vraiment, je ne me trompe pas, c'est le roi Stanislas. – En effet, mon ami ; à votre physionomie, je sais que vous êtes trop honnête homme pour me refuser le secours dont je puis avoir besoin dans l'état où je parais à vos yeux. » Enchanté de sa perspicacité, l'hôte promet d'aider les voyageurs. Il s'enquiert d'un bateau, mais il y a encore trop de cosaques dans les parages pour tenter une sortie. De plus, ils ont le signalement du roi. Sur ces entrefaites, le chef des passeurs rejoint le groupe et s'explique sur l'absence de ses deux compagnons : menacés par des cosaques, ils ont préféré se sauver chacun de son côté.

Sur les dix heures du soir, l'hôte revient de sa tournée de surveillance pour annoncer qu'il n'y a plus de patrouilles. Il faut partir sur-le-champ. Le paysan, à cheval, prend la tête du groupe, suivi de loin par Stanislas, plus à l'aise sur sa monture. Les trois *sznapans* vont à pied. Les feux des postes russes trouent l'obscurité et guident le petit groupe qui patauge toujours. Le fleuve n'est pas loin. Redoublant de précautions, le paysan part en éclaireur. Il ne tarde pas à revenir, tout tremblant de sa rencontre avec des cosaques. Il ne doit sa vie qu'à sa présence d'esprit : il leur a fait croire qu'il recherchait ses chevaux égarés au pâturage.

Les compagnons de Stanislas refusent d'aller plus loin. Complaisant, l'hôte décide de rechercher un autre passage. Cette fois, le moment est propice. Au bruit des rames, les trois *sznapans* ont vite fait de rappliquer pour traverser la Vistule ; en abordant sur la rive opposée, Stanislas s'approche discrètement de son sauveur et lui glisse dans la main une poignée de pièces. Le paysan se dérobe et refuse le présent. « Ce noble désintéressement me charma d'autant plus que je n'avais pas lieu de l'attendre d'un homme de sa sorte. Il prit deux ducats dans ma main avec des façons et des sentiments que je ne puis exprimer ; et il m'en remercia autant que je l'aurais remercié moi-même s'il avait reçu, je ne dis pas le modique présent que j'avais dessein de lui faire, mais toutes les récompenses dont j'aurais voulu payer les services qu'il m'avait rendus [39]. »

Tous les moyens sont bons

À l'aube du vendredi 2 juillet, Stanislas et ses compagnons atteignent le premier village de la rive droite. Le roi souhaite poursuivre son chemin afin de s'éloigner le plus possible des lieux fréquentés par les Russes. Mais les *sznapans* ont déjà filé à l'auberge, où Stanislas les retrouve ronflant au fond d'un lit bien douillet. Il finit par réveiller l'un des passeurs pour l'envoyer chercher une voiture. Deux heures plus tard, l'homme revient complètement ivre, suivi d'un marchand conduisant un chariot de marchandises. L'homme veut bien vendre les chevaux et le véhicule, mais avec la marchandise : vingt-cinq ducats. Stanislas tire l'argent de sa bourse sous les yeux du passeur saoul qui s'écrie : « Aux autres, les pièces d'or. Rien à ceux qui risquent d'être pendus. » Le ton monte. L'homme se déchaîne, injurie le roi dans son patois allemand. L'altercation attire des passants que l'ivrogne prend à partie en désignant Stanislas. Accouru au bruit, le chef des passeurs lui cloue le bec et se saisit de lui, le ligote avant de le jeter dans le chariot. Mieux vaut ne pas abandonner un tel bavard en chemin.

Sans oser demander sa route, le petit groupe repart, allégé de l'un des *sznapans* que Stanislas renvoie à Dantzig annoncer à l'ambassadeur l'heureux dénouement de la première partie du voyage. Hommes et montures souffrent de la chaleur ; de plus ils ne savent pas où se trouve le Nogat, ultime obstacle avant la liberté. Ils traversent plusieurs villages, croisent des Russes et des Saxons, sans la moindre anicroche.

La rivière apparaît enfin. Mieux : une barque semble les attendre. Méfiant, Stanislas préfère pourtant interroger un paysan : « Le Nogat ? Vraiment pas. C'est la Vistule. Le Nogat est à une lieue et demie d'ici. Mais les Russes ont réquisitionné toutes les barques. » Stanislas convainc ses compagnons de pousser jusqu'au Nogat. Mais comme les passeurs s'opposent à toute initiative du roi, celui-ci décide d'agir seul. Dans un hameau, il frappe à la porte d'une maison. L'hôtesse parle le polonais ; il se présente comme un marchand désireux d'acheter du bétail sur l'autre rive. La femme rétorquant qu'elle a elle-même des bêtes à vendre, le roi parle d'une somme qu'on lui doit de l'autre côté ; il en a besoin pour lui acheter son bétail... Alors la paysanne propose de le confier à son fils ; il a un ami pêcheur qui a caché son bateau ; à un certain signal, cet homme viendra le prendre. « Je ne fus pas plutôt à l'autre bord que je levai les yeux au Ciel pour le remercier de m'avoir conduit dans cette espèce de terre promise, où j'étais enfin à l'abri de tout danger. À un village près de là, nommé Biat Gora, j'achetai un nouveau chariot avec deux chevaux. Mon plus grand soin fut ensuite de congédier mon paysan. Je le chargeai d'un billet pour l'ambassadeur, qui ne contenait que deux mots en chiffre, dont j'étais convenu avec ce ministre. Enfin je partis seul et pris le chemin de Marienwerder[40], petite ville des États du roi de Prusse[41]. » On est le 3 juillet 1734. « Je traversai cette ville assis sur mon chariot, et je ris plus d'une fois du triste appareil de mon équipage. L'entrée que j'y faisais n'était point magnifique ; mais un vain éclat n'aurait pas augmenté la joie que je ressentais en ce moment. Je portais avec moi la justice de ma cause, l'amour de mes sujets, le repos de ma conscience et sans doute l'estime de mes ennemis [42]. »

Six jours plus tard, Dantzig capitulera, après cent trente-cinq jours de siège. Les vainqueurs promettent d'épargner les aristocrates polonais s'ils acceptent de reconnaître Auguste III. Certains, comme Czartoryski et Stanislas Poniatowski, changent de camp, déçus par l'attitude de leur vieille alliée la France. Le premier se tourne vers la Russie, le second se rallie à Auguste III. D'autres vont à Oliva faire allégeance au roi saxon et, sitôt libres, arguant du fait que le serment leur a été arraché sous la contrainte, renouvellent leur soutien à Leszczynski...

Pour éviter que Münnich ne fasse durement payer l'évasion de Stanislas à la ville, Monti s'efforce de disculper ses hôtes : « Je déclare en honneur et conscience que les seigneurs polonais et MM. les magistrats et ordres de la ville de Dantzig et pas le moindre bourgeois n'ont eu aucune part ni connaissance de la retraite du roi de Pologne [43]. » Furieux qu'un ambassadeur de France ait outrepassé ses fonctions et mené la guérilla contre l'autorité de la tsarine, Münnich réclame la tête de ceux qui ont participé au complot. Monti, Tercier et le chevalier d'Andlau sont enfermés à Elbing, ensuite près de Marienburg, avant de se retrouver à Torun en compagnie d'un autre prisonnier, le primat de Pologne.

Les conditions de détention sont très dures. Aux vaines réclamations de Versailles, les Russes répondent que, « puisque la France avait des ambassadeurs qui se battaient, elle ne devait pas se plaindre de les voir traiter avec la rigueur des lois de la guerre [44] ». Si le chevalier de Solignac réussit à s'échapper, le calvaire des deux autres va durer dix-huit mois. Monti ne s'en remettra pas, il s'éteindra deux ans après sa libération ; quant à Tercier, il en gardera des séquelles toute sa vie.

Hôte de Frédéric-Guillaume Ier en Prusse

À peine apprend-il l'entrée du roi de Pologne dans ses États que Frédéric-Guillaume Ier l'invite à se rendre à Königsberg. Cette démarche est surprenante, car le roi de Prusse avait d'abord imaginé de négocier sa tête auprès de ses alliés autrichien et russe. Mais il s'est ravisé, car il n'apprécie guère leur attitude méprisante à son égard et n'éprouve aucune sympathie pour le rival saxon de Stanislas. Il décide donc d'installer le fuyard à Königsberg, dans l'ancien château des chevaliers Teutoniques. Entièrement libre de ses mouvements, son hôte reçoit en outre une pension de trois cents thalers par jour, et une compagnie de grenadiers prussiens veille sur lui. Il peut même recevoir ses amis polonais et reconstituer une cour et un gouvernement.

En septembre 1735, Frédéric, le fils de Frédéric-Guillaume, passe quelques jours à Königsberg. Il n'a pas l'autorisation de rendre visite au roi de Pologne, mais il croise son cortège par hasard. À deux ou trois reprises, le prince héritier s'arrange pour dîner en terrain neutre avec le roi fugitif. Les deux hommes sympathisent. Le Kronprinz admire cet homme qui se montre grand dans le malheur et qu'il encourage à résister. Stanislas, lui, tombe sous le charme des propos philosophiques du jeune prince.

L'attitude du roi de Prusse constitue une véritable provocation, d'autant qu'il persévère chaque fois qu'il reçoit des diplomates ou des officiers autrichiens, n'oubliant jamais de porter un toast à la gloire future de son ami Stanislas... C'est apparemment lui qui est le premier à suggérer qu'on lui offre le duché de Lorraine. Mieux, il aurait aussi ajouté qu'on pourrait dédommager François de Lorraine en lui octroyant la souveraineté sur les Pays-Bas autrichiens. Ce genre de propos transpire jusqu'à Königsberg, où Stanislas en parle dans ses lettres à Marie : « Je conviens avec vous qu'au défaut de la Pologne la Lorraine est la seule chose qui conviendrait de toute façon [45]. » La « solution lorraine » va mûrir dans les esprits. Solignac, qui a enfin rejoint Stanislas, reprend la plume pour diffuser la pensée du monarque en exil : il proteste contre l'enfermement de Monti, du jeune d'Andlau et du primat de Pologne, et réaffirme ses droits au trône de Pologne.

Plusieurs aristocrates polonais gagnent la Prusse ; parmi eux, le comte Czapski, palatin de Pomérélie, et le duc Ossolinski... arrivant d'Oliva où il s'est prosterné devant Auguste III... Stanislas se réjouit surtout de le voir accompagné de son épouse, la belle Catherine, désormais dame de cœur presque officielle du roi déchu. Plusieurs chariots, remplis des archives et du trésor de la Couronne, suivent les Ossolinski. En revanche, la duchesse n'a plus rien à se mettre, les Russes lui ayant dérobé sa garde-robe. Mais Stanislas sait la consoler en réclamant à son épouse, la reine Catherine, des pièces d'étoffes qu'on s'empresse d'expédier de France...

Fleury accélère le mouvement

En Pologne, les fidèles de Stanislas continuent de s'agiter, mais leurs gesticulations diplomatiques se soldent par des résultats nuls. Le pouvoir d'Auguste III se raffermit à mesure que les troupes russes et saxonnes achèvent de pacifier le pays.

Ces manifestations agacent le cardinal de Fleury, qui redoute à nouveau les débordements de Stanislas. Il lui dépêche l'abbé Langlois afin de calmer toute velléité de revanche et de lui faire admettre que le rêve polonais est définitivement envolé.

La situation évolue dans le sens qu'il espérait pour entamer une négociation avec l'empereur Charles VI. Battu en Allemagne et en Italie, ce dernier attend en vain le soutien de l'Angleterre. Quant à la tsarine, elle ne vole pas non plus à son secours. Le cardinal, désireux de signer une paix durable avec l'empereur, est prêt à accepter la pragmatique sanction en échange de la Lorraine. Son plan prévoit de maintenir l'Espagne dans l'ignorance de ces négociations... avant de lui faire accepter le fait accompli. Il lui faut aussi ruser avec les puissances maritimes, Grande-Bretagne et Pays-Bas, pour éviter qu'elles ne se tournent vers l'Espagne.

Sans mettre Chauvelin dans la confidence, il envoie un émissaire en Autriche. M. de La Baune, ancien agent secret en Espagne puis à La Haye, prend la route de Vienne le 11 août 1735 pour « ébaucher la paix ». De discrètes entrevues ont lieu avec des ministres de l'empereur. On parvient à un accord pour le duché de Bar le 16 août, mais quelques hésitations subsistent à propos du duché de Lorraine. Ce n'est que le 3 octobre que sont signés les préliminaires de paix à Vienne. La couronne de Pologne revient définitivement à Auguste III; à Stanislas Leszczynski est certes reconnu le titre de roi de Pologne et de grand-duc de Lituanie, mais il doit renoncer à son trône. Cet artifice permet à la reine de France de demeurer la fille d'un roi...

Stanislas récupérera ses biens patrimoniaux. En dédommagement de sa couronne perdue, il recevra les duchés de Bar et de Lorraine (mais, avant d'entrer en possession de ce dernier, il devra attendre que François III succède à Jean-Gaston de Médicis en Toscane). À sa mort, les duchés reviendront à la France, comme dot de Marie Leszczynska. Bien sûr, la France s'engage à reconnaître la pragmatique sanction.

Seule solution : l'abdication

À Königsberg, Stanislas ignore tout des manigances de Fleury. « La grande science est d'attendre cette fin avec patience, écrit-il à Marie, en quoi je me rends plus parfait de jour en jour. Enfin, ma chère et unique Marie, il faut que la chèvre broute où elle est attachée[46]. »

Cette sagesse inattendue est aussi un effet des problèmes de santé qui continuent de miner le roi. Malgré les attentions du jeune médecin suédois Casten Rönnow que Catherine Opalinska lui a dépêché depuis un an, son état ne s'est guère amélioré. Et il occupe son temps en philosophant et en rédigeant des pamphlets. Il travaille, notamment en compagnie de Solignac, sur un texte intitulé *Lettre d'un seigneur polonais*. S'adressant à un seigneur de ses amis à Varsovie, il disserte sur l'attitude de la France dans l'affaire de Pologne. Dans ce texte qui prend la défense de la politique de Louis XV et de Fleury, il laisse poindre une lueur d'espoir.

Le 12 décembre 1735, à quelques jours de l'ouverture de la diète de pacification, c'est encore à un ami polonais qu'il adresse une *Lettre d'un habitant de Dantzig* dans laquelle il dénonce les apprentis sorciers de la Pologne : « Depuis que les troupes stanislaïques sont dispersées, et que les armées étrangères, faute de combattants qui leur résistent, tiennent toute la nation sous le joug, on dirait que la guerre a cessé, et qu'il est permis de bien augurer de la tranquillité publique ; mais cette guerre n'en est que plus dangereuse, à présent qu'elle est concentrée dans les cœurs ; et cette tranquillité doit ressembler à la bonace qui suit la tempête, et qui souvent est plus funeste aux navigateurs que ne l'était la tempête même[47]. »

L'arrivée de son ami de Chambord, le Lituanien Pierre-Grégoire Orlik[48], vient tout bousculer. Envoyé par Louis XV, celui-ci a pour mission de préparer Stanislas à abdiquer. Il l'annonce clairement à l'exilé. Le coup est rude, mais le roi s'incline et incite ses derniers partisans à le suivre : « Suivez mon exemple, mettez bas les armes », demande-t-il ainsi à ses fidèles. Le 27 janvier 1736, il signe avec émotion son acte d'abdication, qu'il date de l'an III de son règne : « Nous avons résolu de notre pleine et très libre volonté, tant pour nous que pour nos sujets polonais, de les absoudre du serment de fidélité qu'ils nous avaient prêté de leur plein gré, les dispensant par ces présentes de leur obligation à cet égard. Nous déclarons, au surplus, que nous renonçons à l'autorité souveraine que nous aurions sur eux, en vertu de notre libre et légitime élection, et nous nous flattons que la nation polonaise ne perdra jamais le souvenir de l'important sacrifice que nous faisons généreusement pour l'amour d'elle[49]. » Ce long texte, bienveillant à l'égard du roi de France, est lourd de sous entendus vis-à-vis de la Pologne.

Quinze jours plus tard, le 12 février, François de Lorraine épouse Marie-Thérèse d'Autriche. Pendant que l'on se réjouit à Vienne et à Nancy, les négociations se poursuivent dans le plus grand secret. Les jeunes époux en ignorent tout. Une nouvelle convention est signée avec la France le 13 avril, et l'on informe le duc de Lorraine de la cession de ses duchés...

Retour en France

Versailles peut à présent se préparer au retour de Stanislas. Soulagée, la reine attend avec impatience son « cher papa » sans parvenir à cacher sa désillusion. Au cardinal qui lui explique que « le trône de Lorraine vaut mieux que celui de Pologne », la reine rétorque avec un humour grinçant : « Oui, à peu près comme un tapis de gazon vaut mieux qu'une cascade de marbre » – faisant allusion à la belle cascade de Marly que Fleury a fait remplacer par du gazon par mesure d'économie. Quant à Catherine Opalinska, elle n'habite plus Chambord. Dès le départ de son mari pour la Pologne, elle a trouvé refuge à la maison d'éducation de Saint-Cyr, où elle passe ses journées en dévotions, lamentations et regrets divers.

Le 5 mai 1736, accompagné d'une escorte de cinquante cuirassiers, Stanislas quitte sa retraite sous le nom de comte de Lingen. Une fois de plus, il va parcourir l'Europe sous une fausse identité pour regagner la France. Cela n'empêche pas le roi de Prusse de lui faire rendre à chaque ville traversée les honneurs royaux. Il entre le 16 dans Berlin où Frédéric-Guillaume Ier lui ménage un accueil de souverain. Non seulement il lui offre une épée sertie de diamants, mais un carrosse vient le chercher pour l'emmener à Potsdam, où le roi puissant et le roi déchu devisent longuement, en vidant force chopes de bière et en tirant sur leurs pipes.

Quand sonne l'heure de la séparation, le Roi-Sergent confie le sort de l'ex-roi de Pologne et de sa petite troupe d'exilés au colonel Truchess[50], officier de sa garde chargé de leur faciliter la traversée de l'Allemagne. Touché par tant d'égards, Stanislas écrit à Frédéric-Guillaume : « Si je pouvais être assez heureux de présenter ici mon cœur pénétré de reconnaissance [...]. La plus vive douleur qui m'accable de la présente révolution est celle de me voir éloigné des occasions, en quittant la Pologne, qui auraient pu marquer à Sa Majesté mes véritables sentiments, par l'union la plus étroite des deux royaumes voisins[51]. » Frédéric-Guillaume répond avec finesse, deux jours plus tard : « Je prends une part infinie à la résolution présente qui m'ôte la satisfaction d'avoir un voisin tel que Votre Majesté, dont l'union aurait pu faire le bonheur de nos royaumes. Mais comme on ne doit pas murmurer contre le destin, il me suffira de chercher toutes les occasions propres pour vous convaincre de mes sentiments [52]. »

Le prétendu comte de Lingen poursuit son voyage par Magdebourg et Hildesheim ; faisant étape en Gueldre, il écrit encore à son hôte : « Monsieur mon frère, me trouvant sur les confins des États de Votre Majesté, je ne saurais les quitter sans L'assurer que chaque pas que j'y ai fait m'a rappelé et imprimé le doux souvenir de tous les agréments que j'y ai reçus. [...] Je vous laisse, pour gage de tout ce que je vous dois, un cœur dévoué et pénétré de reconnaissance pour toutes les marques de votre précieuse amitié ; que l'objet particulier sera, de ma vie, de me la conserver et de prouver, en tout ce qui vous intéresse, mon attachement inviolable pour votre personne [53]. » Continuant sa route par le Hainaut et Valenciennes, Stanislas croise près de Senlis l'équipage du duc de Bourbon qui part pour la chasse. Le prince en exil et le roi détrôné s'étreignent longuement dans une accolade silencieuse, lourde de souvenirs.

Le roi de Pologne arrive à Meudon le 4 juin au soir. À la demande de Louis XV, le château a été préparé pour recevoir le couple royal, Catherine ayant quitté sa retraite de Saint-Cyr pour rejoindre son époux. Le 7 juin, première sortie du roi Stanislas qui se rend en grande cérémonie à Versailles ; le lendemain, Louis XV rend visite à son beau-père à Meudon.

Tranquillité retrouvée

L'étiquette a repris ses droits dès l'arrivée du roi de Pologne au château de Meudon. Sa suite loge à Chaville, sa garde est cantonnée à Sèvres. Constituée de trente-six maîtres du régiment de Ruffec, elle est relevée tous les huit jours.

À Meudon, la vie s'organise, simple, familiale et plutôt joyeuse. Stanislas, qui vient de fêter ses soixante ans, s'accommode de ses problèmes de santé en renouant avec la vie de famille. Il a découvert une septième petite fille, Marie-Thérèse Félicité, née le 16 mai, au moment où il arrivait à Berlin. Il a aussi retrouvé deux enfants de neuf ans, Madame et Madame Henriette, qui connaissent tout de la sacro-sainte étiquette, et trois fillettes, Adélaïde, Victoire et Sophie. Sans oublier le jeune dauphin, instruit, têtu, imbu de sa personne mais tellement attachant. Le grand-père adore lui raconter les histoires fantastiques de ces guerriers sarmates qui ont défait les chevaliers Teutoniques, les hordes tatares et les janissaires turcs...

Marie vient si souvent à Meudon qu'elle y convie ses amies à dîner. Le duc de Luynes raconte par le menu les repas de Meudon : « La reine alla à Meudon passer toute la journée, dîner et souper. Sa Majesté y va au moins une fois la semaine depuis que le roi et la reine de Pologne y habitent. Sa Majesté dîne à une grande table ; elle est au milieu de ladite table dans un fauteuil, le roi son père à sa droite et la reine sa mère à sa gauche, chacun dans un fauteuil. Ces trois fauteuils sont seuls dans un des grands côtés de la table. La droite sur le retour, près du roi de Pologne, est regardée comme la place la plus honorable, et ensuite celle qui est vis-à-vis, du côté de la reine de Pologne. La table est servie à vingt-quatre plats, sur quoi huit potages que l'on relève. Les dames seules mangent à cette table, suivant l'usage ordinaire[54]. » Le soir, même cérémonial, mais sans le roi de Pologne, qui ne soupe jamais.

François III joue les prolongations

Entre les plaisirs familiaux et les fêtes qu'affectionne Stanislas, le temps s'écoule agréablement à Meudon. Mais la situation tarde à s'éclaircir du côté de la Lorraine. Depuis la signature de la convention pour l'exécution des préliminaires (13 avril 1736), la diplomatie donne des signes d'essoufflement, ralentie dans ses négociations par la résistance obstinée de François III de Lorraine. Le 19 mai, la diète d'Empire donne son approbation aux préliminaires, accord qui doit être suivi de la remise du Barrois; mais le duc François joue les prolongations, touché par les manifestations pro-Habsbourg des aristocrates lorrains venus à Vienne.

Finalement, une convention de dix-sept articles réglant les conditions de la cession des duchés est signée à Vienne le 28 août 1736. Louis XV s'engage à ne pas porter atteinte aux statuts et privilèges de l'Église, de la noblesse et du tiers état. Il accepte de payer tous les ans au duc de Lorraine, du jour de sa prise de possession jusqu'à la mort du grand-duc de Toscane, la somme de quatre millions et demi de livres lorraines (3 483 871 livres tournois). Enfin, il réglera les dettes, qui s'élèvent à 8 711 726 livres et 11 sous. La partie n'est pas gagnée pour autant : l'Espagne hésite à abandonner ses droits sur la Toscane, et François III, harcelé par sa mère, la duchesse-régente Élisabeth-Charlotte, ne se décide pas à tirer un trait sur la Lorraine. Quant à l'Angleterre, se sentant évincée des discussions, elle houspille ses espions et diplomates. Le duc appose néanmoins sa signature au bas de l'acte de cession du Barrois le 24 septembre, mais rechigne encore à se séparer de la Lorraine.

Pieds et poings liés aux mains du roi de France

Pendant ce temps, Louis XV et Fleury mettent au point dans la plus grande discrétion un plan d'intégration des deux duchés qui dépouille le roi de Pologne de tous les attributs de la souveraineté. Le 30 septembre, Stanislas est ainsi invité à signer une déclaration secrète, entrée depuis dans l'histoire sous le nom de Déclaration de Meudon[55]. Dans ce texte, le beau-père de Louis XV se déclare peu désireux de se « charger des embarras des arrangements qui regardent l'administration des finances et revenus des duchés de Bar et de Lorraine » et abandonne toute prétention au roi de France, qui s'en met en « possession dès maintenant et pour toujours ».

Le nouveau duc de Lorraine se contentera de recevoir un revenu d'un million et demi de livres, porté à deux millions à la mort du grand-duc de Toscane. Dans le cas où Catherine Opalinska lui survivrait, Louis XV s'engage à lui verser une pension de trois cent mille livres par an. Comme les autres provinces du royaume, la Lorraine aura un intendant choisi conjointement par le roi de France et par le duc de Lorraine pour gérer les affaires de justice, de police et des finances. En réalité, Stanislas se verra imposer par Fleury l'intendant de Soissons, Antoine-Martin Chaumont de La Galaizière, beau-frère du contrôleur général des finances Philibert Orry. N'osant encore traiter la Lorraine en simple province du royaume, Louis XV accorde cependant au nouvel intendant le titre pompeux de chancelier. Cela dissimule une mission délicate : l'annexion de la Lorraine au royaume. Chaumont de La Galaizière s'en va prendre possession du duché de Bar en compagnie du commissaire du roi de Pologne, le baron Constantin de Meszek.

Le 8 février 1737, à la chambre des comptes de Bar, puis au château devant les baillis, les sujets de François III sont déliés de leur serment de fidélité. Enfin,

après lecture des lettres patentes, Chaumont de La Galaizière fait prêter double serment de fidélité à Stanislas
puis à Louis XV[56]. Les sceaux de François III, rompus,
sont remplacés par les armes de Stanislas. Cinq jours
plus tard, le 13, après avoir reçu de Charles VI l'investi-
ture de la Toscane, François III signe l'abandon de la
Lorraine, ce qui met un terme à la guerre de Succession
de Pologne.

Aussitôt assuré de la paix – même si le traité définitif
n'est conclu que le 2 mai 1737[57] –, Fleury se débarrasse
de Chauvelin, destitué le 20 février de ses deux charges,
les Affaires étrangères et les Sceaux. Cette disgrâce, res-
tée mystérieuse, pourrait s'expliquer par des intrigues
menées par l'ancien ministre avec l'Espagne à l'insu du
cardinal et aussi pour supplanter Fleury auprès de
Louis XV. Le roi et son ancien précepteur se sont
contentés d'utiliser jusqu'au bout ses qualités de fermeté
et de rudesse pour mener à bien l'affaire de la Lorraine,
puis l'ont écarté, sachant qu'ils ne pourraient faire de lui
l'artisan d'un rapprochement avec l'Autriche, projet
mûri secrètement par le vieux cardinal.

Changement d'administration à Nancy

Loin des échos de ce coup de théâtre versaillais, Chaumont de La Galaizière et le baron de Meszek prennent
possession de la Lorraine le 21 mars. La cérémonie a
lieu dans la grande salle des Princes, à l'hôtel de ville de
Nancy[58]. Elle se déroule comme celle du duché de Bar, à
l'exception des sceaux, qui, à la demande du duc François, ne sont pas brisés. Dans son journal, Nicolas, qui
tient librairie rue de Saint-Dizier, écrit : « À onze heures,
messieurs les commissaires se rendirent à la paroisse
Saint-Sébastien, où M. l'évêque de Toul entonna le *Te
Deum,* qui fut chanté en musique par les musiciens

et les trompettes des plaisirs du roi Stanislas, et qui fut suivi d'un *Domine salvum fac regem.* Les cours souveraines assistèrent en corps, de même que les chapitres et généralement tout le clergé séculier et régulier de Nancy [...] Il n'y avait que des jeunes gens qui allèrent voir le feu d'artifice. Toute cette cérémonie se passa assez tristement [59]. »

Quant à la duchesse Élisabeth-Charlotte, dont les malheurs ont arraché des larmes aux Lorrains, Louis XV lui accorde à titre viager la petite principauté de Commercy. Cette décision a fait l'objet d'une négociation suivie de près par Fleury, car la duchesse, très attachée aux marques de sa souveraineté, redoute les empiétements des agents du roi sur ses terres [60]. En outre, après toutes les médisances qu'elle a répandues sur la famille Leszczynski, elle ne veut à aucun prix se soumettre à ce « roi de pacotille ». « J'aimerais mieux, écrit-elle, être dans un couvent à Paris que de me résigner à être soumise au roi Stanislas ; ni le sang dont je sors, ni rien ne me fera consentir à obéir à une personne comme lui [61]. »

En route pour la Lorraine

Pendant ce temps, à Meudon, Stanislas prépare son départ. Le 31 mars, le duc de Luynes assiste aux adieux solennels, plutôt froids, du roi de Pologne et de Louis XV : « Sa Majesté y est allée avec deux carrosses ; elle est partie après le salut. [...] Le roi de Pologne est venu recevoir le roi au milieu de la salle qui est en haut de l'escalier. Sa Majesté l'a salué et baisé des deux côtés, a pris la main de S.M.P. [62] ; ils ont passé dans le salon ovale où se tiennent ordinairement les dames de la reine de Pologne ; de là, par une petite pièce ou passage qui conduisait au cabinet des glaces, les deux rois sont allés dans le cabinet des glaces ; la reine de Pologne est venue recevoir le roi au milieu de ce passage. Sa Majesté l'a saluée et baisée d'un côté. La conversation s'est faite debout dans ledit cabinet environ un quart d'heure, et en sortant la reine de Pologne a reconduit le roi jusqu'à l'endroit où elle était venue le recevoir; il lui a fait la révérence sans la baiser. Le roi de Pologne a reconduit le roi jusqu'au milieu de la salle ci-dessus dite, où Sa Majesté l'a salué et baisé comme en entrant[63]. »

Le 1er avril 1737, Stanislas et ses fidèles prennent la route de la Lorraine. Ils précèdent de quarante-huit heures Catherine Opalinska et le reste de la cohorte polonaise. Direction : Lunéville.

CHAPITRE VI

Un figurant et son mentor

À l'aube du 1er avril 1737, Stanislas Leszczynski quitte Meudon. Il prend la route de la Lorraine en chaise de poste avec quelques accompagnateurs. Catherine Opalinska n'est pas du voyage. Le premier soir, il dort (confortablement) à Mont-Saint-Père, près de Château-Thierry. Le lendemain, il déjeune (joyeusement) à Épernay et passe la Marne en bac, avant de prendre un peu de repos sous les frondaisons du château épiscopal de Sarry, non loin de Châlons. La cohorte met le cap sur Bar où elle arrive à quatre heures du matin pour tirer brutalement Chaumont de La Galaizière de son lit. Le 3, le temps d'atteler des chevaux frais, elle reprend sa course vers Lunéville qu'elle atteint en fin d'après-midi après un bref (mais copieux) repas au palais épiscopal de Toul, en ayant pris soin d'éviter Nancy.

En Lorraine, Stanislas Leszczynski est un inconnu. Sauf à Lunéville, où certains se souviennent de l'avoir vu débarquer en modeste équipage et sans le sou, vingt-trois ans plus tôt, aux premiers jours de juillet 1714. Après son premier échec en Pologne, il faisait alors route vers la principauté de Deux-Ponts (voir chapitre III). Largement conté et commenté, cet épisode n'est pas fait pour rassurer les Lorrains, en ce printemps de 1737. Que peut donc cacher l'arrivée de ce gros homme qui a échoué dans toutes ses aventures politiques et qui n'a aucun lien avec la région ? Que leur réserve encore cet arrangement de souverains manigancé entre Versailles et Vienne ?

L'héritage de Léopold Ier

Dans le passé, la province n'a pas été épargnée par les guerres et les querelles de trônes. Mais elle a réussi à conquérir un équilibre, grâce au duc Léopold Ier. Aujourd'hui, tout est remis en question : que deviendra l'héritage économique et politique de celui qui a tant marqué les institutions lorraines ? Monté sur le trône ducal à l'âge de onze ans, en 1690, le fils de Charles V [1] a été à la tête de la Lorraine pendant trente-neuf-ans, et sa mort prématurée, à quelques semaines de son cinquantième anniversaire, ne l'a pas empêché de lui offrir des institutions dignes d'elle.

L'éducation à dominante germanique de Léopold s'est déroulée tantôt à Vienne, tantôt au Tyrol en compagnie des archiducs Joseph et Charles, fils de l'empereur. Parallèlement, il a reçu une bonne culture française grâce à l'un de ses précepteurs, le Lorrain François Le Bègue, doyen du chapitre de Saint-Dié.

Les traités de Ryswick de septembre-octobre 1697, qui ont mis un terme à la guerre de la Ligue d'Augsbourg, ont autorisé le jeune duc à récupérer ses États : Louis XIV conserve Sarrelouis et Longwy, mais il évacue les duchés de Lorraine et de Bar moyennant un droit de passage pour les troupes françaises.

À dix-neuf ans, Léopold Ier s'attaque à la reconstruction de la Lorraine. C'est le moment de tirer parti du projet de gouvernement idéal imaginé par son père et publié sous le titre *Testament politique de Charles V, duc de Lorraine et de Bar,* texte qui préconise un renforcement des possessions habsbourgeoises face à la prépondérance française. Il recommande aussi une plus grande séparation entre le spirituel et le temporel, marquant une certaine défiance à l'égard du clergé régulier.

Fort de cet enseignement, le jeune duc se fixe deux objectifs principaux : rétablir la prospérité à l'intérieur et pratiquer une politique de neutralité assurant la paix à l'extérieur. Avant tout, Léopold doit épouser une princesse française. Le mariage, concocté au cours des tractations du congrès, constituera une garantie de paix pour la France.

Le 5 janvier 1698, Louis XIV offre la main de sa nièce, Élisabeth-Charlotte d'Orléans, fille de Monsieur frère du roi et de la princesse Palatine.

Neveu de l'empereur, Léopold devient aussi, par son mariage, le neveu par alliance du Roi-Soleil et le beau-père du futur Régent. Intelligent, réfléchi, prudent, généreux bien qu'autoritaire, il voue une grande admiration à Louis XIV dont il s'inspire.

Tout en rétablissant les institutions traditionnelles, comme la cour souveraine et les chambres des comptes de Lorraine et de Bar, le duc prend modèle sur les institutions françaises et s'entoure d'un Conseil d'État qui devient la pièce maîtresse du pouvoir exécutif.

Le Code Léopold

Les premières grandes réformes politiques portent sur la réorganisation et l'unification de l'administration et de la justice. Mais c'est en 1701, par la promulgation du Code Léopold, que le duc entre dans l'histoire. Dans cette ordonnance qui fixe les règles de justice, ses conseillers – notamment le procureur général Léonard Bourcier de Monthureux, inspirés du rationalisme de l'époque et des principes du colbertisme – affirment la prééminence de l'État sur la juridiction ecclésiastique.

Créer une cour à Lunéville

Pétri de qualités, Léopold Ier a aussi quelques défauts : le pire est incontestablement sa prodigalité. Son goût du luxe et son incapacité à modérer ses dépenses mettront parfois les finances de Lorraine en péril. À commencer par son obsession : créer une cour, à l'image de celles de Vienne et de Versailles. Il ne l'installera pas à Nancy, capitale économique du duché, mais dans un superbe château dont il a lancé la construction à Lunéville, trente kilomètres au sud-est. Ce palais inspiré de Versailles doit supplanter le vieux château de Lunéville où ses prédécesseurs allaient chasser ou passer l'été. Il en a confié l'édification à Germain Boffrand, élève de Jules Hardouin-Mansart.

À l'aube du xviiie siècle, la Lorraine subit une nouvelle occupation, conséquence de la guerre de Succession d'Espagne : le 3 décembre 1702, l'armée française prend position dans Nancy et y restera onze ans. Mais les Lorrains n'en souffriront guère, les Français payant normalement les fournitures de fourrage et autres subsistances.

Le palais ducal de Nancy a été épargné par les soldats français, qui ont ordre de respecter le duc. Mais le fier Léopold Ier ne l'entend pas de cette oreille. Pour préserver son indépendance, il préfère s'installer à Lunéville. Le confort y est précaire et la Cour doit se contenter de logements de fortune à l'hôtel de ville ou chez des particuliers, en attendant l'achèvement du futur palais, dont les travaux avancent trop lentement au gré du duc. À la mort de celui-ci (27 mars 1729), l'héritage lorrain devait revenir à son fils François qui vivait à Vienne, où son

père l'avait envoyé pour recevoir une éducation prin-
cière. Il y avait conquis l'affection de l'empereur, qui
songeait à le marier à sa fille Marie-Thérèse...

L'héritier de Léopold devint donc duc de Lorraine, et
de Bar sous le nom de François III. Mais le pays de son
enfance ne l'intéressait guère et sa mère, la duchesse Élisabeth-Charlotte, se vit confier la régence au prix de
quelques entorses à la lecture du testament. Cependant, le duc prit soin d'imposer un contrôle de la gestion par ses proches, exigeant notamment que les décisions d'ordre diplomatique soient préalablement
soumises à l'approbation de son mentor, le baron autrichien Pfütschner.

Dans les faits, cela revenait à glisser la Lorraine dans
le giron de Vienne et donc à faire une fois de plus du
duché un enjeu entre la France et l'Autriche. De quoi
susciter une nouvelle vague d'inquiétude chez les Lorrains... Quand François III revint à Lunéville, le
29 novembre 1729, huit mois après la mort de son père,
l'accueil fut d'ailleurs glacial. L'aristocratie fuyait
l'entourage du prince, essentiellement germanique.

Les Lunévillois n'eurent pas le temps de s'habituer à
ce jeune homme hautain et méprisant : le 25 avril 1731,
il reprenait la route. À l'ampleur des préparatifs, tout le
monde avait compris qu'il ne reviendrait pas. Moins
d'un an plus tard, ils apprirent que l'empereur Charles
VI venait de le nommer vice-roi de Hongrie (28 mars
1732) ! Désormais, il allait se partager entre Vienne et
Presbourg (Bratislava). La Lorraine était passée à
l'arrière-plan de ses préoccupations, même s'il continua
à se faire envoyer les projets de budget et s'il tranchait
souvent dans les dépenses proposées par le conseil des
finances.

Nouvelle occupation

Les Lorrains finirent par s'habituer à la régence d'Élisabeth-Charlotte, en dépit de la surveillance permanente de Vienne, mais la situation changea bientôt ! Alors que les fiançailles de François III avec Marie-Thérèse d'Autriche étaient imminentes, la mort du roi de Pologne Auguste II, puis l'équipée désastreuse de Stanislas, suivie de la guerre de succession, dressa Louis XV contre Charles VI. Le conflit entraîna une quatrième occupation des duchés de Lorraine et de Bar en octobre 1735.

Certes, les paysans s'en étaient plutôt bien accommodés en vendant leurs réserves de fourrage et leurs récoltes d'avoine et de froment à l'armée, mais la Lorraine tremblait en voyant son avenir de nouveau brouillé. Et pendant que Marie-Thérèse épousait François de Lorraine (12 février 1736), Versailles et Vienne négociaient... On connaît la suite : la France reconnut la pragmatique sanction ; le beau-père de Louis XV recevrait la Lorraine en viager, et le gendre de Charles VI l'échangerait contre le grand-duché de Toscane. Les jeux étaient faits.

On déménage les meubles et les archives

Au printemps de 1736, à Lunéville, la régente Élisabeth-Charlotte a tout lieu de se plaindre de son fils : « Je ne connais rien mon sang dans tout ce qu'il vient de faire contre lui-même, son frère, ses sœurs, et je l'aurais cru de plus de fermeté », écrit-elle[2].

François n'en a cure, il a déjà tiré un trait sur la Lorraine et sur sa famille. Avant même la signature définitive des traités, il a fait vider ses résidences : mobilier, bibliothèque, vaisselle et œuvres d'art sont chargés sur des bateaux dans le port fluvial de Malzéville (même les

UN FIGURANT ET SON MENTOR

orangers du château de La Malgrange sont du voyage). Ses sbires plongent dans les archives de la Lorraine, bien que le traité ait stipulé la cession à Stanislas des documents et des chartes concernant les duchés. Le 20 juillet 1736, Molitoris, secrétaire de François III, se livre à un véritable cambriolage en enlevant deux cent quatre liasses au trésor des chartes ! Le 6 septembre, il ponctionne le greffe du bureau général des finances de Lunéville. Le 18 octobre, il prélève encore des paquets au trésor tandis que d'autres commissaires lorrains visitent les archives des autres administrations.

Il faudra cinquante-huit chalands pour convoyer ce précieux chargement jusqu'à Anvers, où François III, qui vient d'être nommé gouverneur des Pays-Bas, se dispose à organiser sa cour.

Sur ces entrefaites, la mort à Florence du grand-duc Jean-Gaston de Médicis, le 9 juillet 1737, bouleverse ses plans. Grand-duc de Toscane selon les termes du traité, il ordonne aussitôt d'expédier son chargement en Italie, mis à part quelques livres et correspondances envoyés directement à Vienne. La cargaison, transbordée dans cinq navires, quitte Ostende le 11 novembre 1737. Après avoir contourné le Portugal et l'Espagne, les navires arrivent à Livourne pour être déchargés et rechargés sur des bateaux de rivière qui remontent l'Arno afin d'atteindre Florence à la Noël.

Élisabeth-Charlotte s'en va...

Les Lorrains renient ouvertement celui qui les a lâchement abandonnés et reportent leur affection sur la duchesse douairière, qui tente encore de sauver les apparences avant l'arrivée de Stanislas.

Pour elle, c'est le chant du cygne, d'autant qu'elle refuse de rencontrer l'ex-roi de Pologne. Elle ne le connaît pas mais le déteste déjà et réfute toute idée d'allégeance...

Le 5 mars 1737, elle marie sa fille Élisabeth-Thérèse au roi de Sardaigne, Charles-Emmanuel III. En guise d'adieu, cérémonie fastueuse au château de Lunéville ; le lendemain matin, elle s'apprête à quitter définitivement le palais avec ses deux filles pour le petit château de Commercy, où elles vont se retirer avant l'arrivée du Polonais. Les habitants de Lunéville sont nombreux pour leur rendre hommage, comme le raconte Durival dans son journal : « Je vis S.A.R. Madame Régente et les augustes princesses ses filles s'arracher de leur palais, le visage baigné de larmes, levant les mains vers le ciel et poussant des cris tels que la plus violente douleur pourrait les exprimer. Ce serait tenter l'impossible que de vouloir dépeindre la consternation, les regrets, les sanglots et tous les symptômes de désespoir auxquels le peuple se livra à l'aspect d'une scène qu'il regardait comme le dernier soupir de la patrie. Il est presque inconcevable que des centaines de personnes n'aient pas été écrasées sous les roues des carrosses, ou foulées sous les pieds des chevaux, en se jetant aveuglément comme elles firent, à travers les équipages, pour en retarder le départ. Pendant que les clameurs, les lamentations, l'horreur et la confusion régnaient à Lunéville, les habitants de la campagne accouraient en foule sur la route par où la famille royale, devait passer, et, prosternés à genoux, ils lui tendaient les bras et la conjuraient de ne pas les abandonner[3]. »

Le carrosse avance à grand-peine au milieu de cette foule éplorée : en cinq heures, le cortège ne couvre qu'une seule lieue. La régente et ses filles vont devoir faire étape chez le prince et la princesse de Beauvau-Craon au château d'Haroué[4].

La situation est cocasse, car la princesse a été pendant vingt ans la favorite du défunt mari d'Élisabeth-Char-

lotte... et les deux femmes se haïssent! Marc de Beauvau, lui, est plus serein. Il a bien profité de la situation de
son épouse : successivement conseiller à la cour souveraine, grand écuyer, conseiller d'État, marquis de Craon
et d'Haroué, prince d'Empire, Grand d'Espagne, il est
l'homme de confiance de François III.

Quelques jours plus tard, il démontrera d'ailleurs qu'il
est aussi l'ami de Stanislas : au début d'avril, c'est lui
qui recevra du roi de Pologne la mission de se rendre à
Versailles pour informer Louis XV de la bonne issue du
voyage de son beau-père. Le 18 mai 1737, François III
fera du prince de Beauvau-Craon son représentant à Florence, chargé de prendre possession du grand-duché de
Toscane, tâche accomplie en juillet 1737. Le tout au
grand dam d'Élisabeth-Charlotte...

Stanislas joue les décorateurs

Stanislas Leszczynski est-il vraiment conscient du climat pour le moins ambigu avec des Lorrains peu enclins
à l'aimer, inquiets pour leur avenir, agacés de servir de
monnaie d'échange entre les grands d'Europe, mais soucieux d'oublier au plus vite ce François III qui les a
ignorés ?

Pour l'heure, son intérêt se porte sur le château de
Lunéville. Pressé de s'installer, il a fait rafraîchir les pièces sans toucher aux trophées et aux peintures enchâs-
sées dans les lambris et qui content les exploits de
Charles V. Il a choisi lui-même les tissus d'ameuble-
ment, redistribué les appartements et veillé à l'emplacement de chaque meuble et tapisserie.

Catherine Opalinska a quitté Meudon pour rallier la
Lorraine à petites étapes, afin d'épargner sa santé délicate. Sa halte au château de Sarry et le vin de Champagne dérident à peine la revêche souveraine. Elle arrive

le 13 avril en fin d'après-midi à Lunéville, où Stanislas lui fait les honneurs de la ville. Peine perdue : elle se claquemure dans l'hôtel de Craon, convaincue que les eaux de la Vezouze sont aussi empoisonnées que les marais de Chambord... Pendant que Stanislas s'active à remettre le château en état, elle tente de s'acclimater. La Galaizière remarque dans une lettre du 2 mai : « Le roi est dans un mouvement perpétuel et la reine commence à entrouvrir sa fenêtre [5]. »

C'est le 11 juillet qu'elle prend possession du château, suivie le lendemain par son royal époux, de retour d'un séjour à Saverne chez son ami le cardinal de Rohan.

Le nouveau duc de Lorraine n'a pas encore honoré Nancy de sa visite. Ce sera fait le 8 août. Accueilli par les édiles à la porte Saint-Nicolas, comme le veut la tradition, il traverse rapidement la ville sous bonne escorte. Le temps d'une messe à l'église des Cordeliers et d'une tasse de thé au palais ducal, le voilà parti pour Toul. Les Nancéiens n'ont pas vu grand-chose du roi de Pologne, mais ils ont crié sur son passage : « Vive Son Altesse royale ! » Croyant à une marque de déférence particulière, Stanislas est reparti flatté, ignorant que ses prédécesseurs ont eu droit au même traitement...

Le figurant s'installe

Stanislas Leszczynski s'installe dans son rôle de figurant. Il jouit d'un titre royal, dispose d'une garde, s'entoure d'une cour, mais il n'a pratiquement aucun pouvoir. À tel point que son cabinet personnel se limite à deux personnes : le chevalier de Solignac, qui le suit depuis Dantzig, et le précieux Jacques Hulin, le conseiller qui a su gagner sa confiance à Chambord et qui porte le titre pompeux de « ministre de Stanislas à la cour de Versailles ».

Hulin s'occupe de tout. Il continue à renseigner Louis XV sur les affaires de Pologne, écarte les importuns qui assaillent Stanislas de lettres et de requêtes, transmet les condoléances ou les félicitations de son maître, parfois même se substitue à lui pour tenir sur les fonts baptismaux les filleuls du royal parrain. Il sert de boîte aux lettres et démêle tous les dossiers concernant faveurs, titres, décorations, grades et charges. Il tient la chronique de la cour de France et s'efforce de satisfaire les multiples (et délicates) requêtes de Catherine Opalinska. Rien ne l'étonne jamais, pas même cette note de Stanislas, datée du 23 mars 1742 : « Je ne croyais pas, mon cher Hulin, que tu sois si ignorant dans la grande science de la génération. Vous dites que c'est trop tard d'avoir des œufs de faisans[6]. Sachez qu'ils ne sont point si pressants dans ce métier que vous, qui ne vous réglez point selon les saisons. Celle dans laquelle ils font les œufs n'est pas passée. Ainsi, si vous voulez prier mon ami Chausenel [faisandier de Versailles] de m'en procurer une bonne provision pour de l'argent, il saura où m'en trouver ou à Versailles ou de Picardie d'où il les tire[7]. » Pour le seconder, Hulin dispose seulement des services d'un « agent à la cour », le vieux Knabé, fidèle serviteur qui débrouillait déjà les affaires de Stanislas lorsqu'il résidait à Wissembourg.

Chaumont de La Galaizière : le vrai patron

Les Lorrains ont vite compris qu'il ne fallait pas chercher l'autorité dans cette parodie d'institution. Par la convention de Meudon[8], Stanislas a été contraint d'abandonner le gouvernement des duchés à un intendant qui porte exceptionnellement le titre de chancelier et prend ses ordres directement à Versailles, Chaumont de La Galaizière. De lui dépend l'assimilation en douceur de la

Lorraine par le royaume de France. D'emblée, les habitants ont honni cet homme qui tient leur avenir entre ses mains. En revanche, les premiers contacts avec Stanislas ont été bons. Mais ni le duc ni le chancelier ne sont dupes de la parodie d'institutions qu'ils mettent en place. C'est peut-être ce qui les rapproche, alors que tout devrait les séparer : le second a vingt ans de moins que le premier, l'art ne le passionne pas, il n'apprécie pas la fête. Il n'est pas une cigale, comme le roi de Pologne, mais une fourmi.

Il incarne parfaitement la réussite sociale telle qu'on la concevait au XVIIIᵉ siècle. Son père, Antoine Chaumont[9], originaire de Namur, était négociant en grains et usurier à l'occasion, et avait épousé une courtière en dentelles, Catherine Baré. Habile en affaires, profitant de l'approvisionnement des armées royales, le ménage s'était enrichi au point d'avancer des sommes importantes au gouvernement français engagé dans la guerre de succession d'Espagne. En retour, Chaumont avait empoché des reconnaissances de dettes et des actions de la Compagnie des Indes. Afin de mieux surveiller ses intérêts, il s'était installé à Paris avec sa femme et ses nombreux enfants[10]. Il avait continué d'y gagner beaucoup d'argent grâce au système de Law... Il ne lui restait plus qu'à acquérir quelques fiefs et titres pour accéder à la haute société. Il acheta une charge anoblissante de secrétaire du roi en 1719 et offrit l'année suivante à son fils l'office de conseiller au parlement de Metz. Dans la foulée, il acquit une centaine de parcelles de terre à Ivry-sur-Seine et à Mareil-le-Guyon, dans la région parisienne, dans le Berry et dans le Perche, notamment à La Galaizière. Toujours en 1720, le roi accorda aux Chaumont des lettres patentes de « naturalité » qui firent d'eux des Français.

En 1722, la famille était passée tout près d'une catastrophe financière, victime des lourdes taxes imposées aux bénéficiaires du système Law. Pendant qu'Antoine Chaumont se défendait âprement, son fils Antoine-Martin s'était rendu à la cour de Lunéville afin d'obtenir de la duchesse Élisabeth-Charlotte une lettre pour prier son frère, le Régent, de rembourser en argent les reconnaissances de dettes détenues par les Chaumont.

Avec la bienveillance de son beau-frère

Après le parlement de Metz, le jeune Antoine-Martin visait celui de Paris. Il n'en fit qu'une bouchée, devint maître des requêtes et épousa, en 1724, Louise-Élisabeth, sœur de Philibert Orry, alors intendant de la généralité de Soissons. Ce dernier devait lui aussi sa carrière à son père, maître verrier en Champagne qui avait fait fortune comme contrôleur général des finances du roi d'Espagne Philippe V. Bien avant Antoine-Martin, Philibert avait débuté dans la magistrature au parlement de Metz, avant que son père ne lui achetât la charge de maître des requêtes au parlement de Paris.

Après l'intendance de Soissons, celle du Roussillon et celle de Flandre, Orry était devenu en 1730 le sixième contrôleur général des finances de Louis XV, poste qu'il allait occuper pendant quinze ans sous la houlette du cardinal de Fleury, réussissant à assainir les finances mises à mal par les désastres financiers de la régence.

Antoine-Martin avait bénéficié de la position de son beau-frère en recevant dès 1730 l'intendance de la généralité de Soissons. Sept ans plus tard, ses qualités de gestionnaire, alliées à l'indéfectible protection d'Orry, devaient faire de lui le chancelier de Stanislas – le beau-frère bienfaiteur osant même expliquer à Louis XV que la froideur hautaine de Chaumont, qui le desservait parfois en province, deviendrait un atout en Lorraine pour incarner la France...

Deux fonctions officielles

Chaumont de La Galaizière a quarante ans quand il s'installe à Lunéville. Aux côtés de Stanislas, il occupe, on l'a vu, deux fonctions officielles : celle de chancelier garde des Sceaux, véritable Premier ministre du roi, et celle d'intendant. La première fait de lui le gardien des sceaux ducaux, le président de l'audience du sceau et le chef des conseils. La deuxième lui a été confiée le 18 avril 1737[11]. Le chancelier n'ayant aucune qualité pour s'immiscer dans l'administration des troupes françaises installées en 1734 dans les duchés de Lorraine et de Bar à cause de la guerre de succession de Pologne, il lui faut un pouvoir de Louis XV. En l'occurrence, il ne s'agit pas d'une commission d'intendant, mais d'une simple commission d'intendant d'armée. Louis XV l'étendra à la marine en 1740, car la Lorraine fournit beaucoup de bois aux arsenaux français. Une troisième tâche lui incombe : celle de représenter personnellement Louis XV en Lorraine, charge qui sera confiée en 1745 à son frère, Chaumont de Lucé[12].

Protéger les vestiges de souveraineté

Les multiples fonctions de Chaumont ne sont pas faciles à assumer, d'autant qu'il doit sans cesse jouer deux rôles : à Lunéville, il porte le mortier doré et la simarre violette de chancelier ; à Versailles, il enfile l'austère robe de soie noire des maîtres des requêtes et devient un intendant parmi les autres. Pour corser le tout, on lui impose de demeurer conciliant avec Stanislas, comme le lui rappelle Philibert Orry : « À l'égard de la chancellerie de sa maison [du roi de Pologne], ne vous courroucez pas sur cet article et laissez-le se satisfaire et en user comme il lui plaira. Votre unique but doit être de

vous maintenir auprès de lui dans vos principales fonctions, qui sont celles d'intendant. Tout le reste n'est
qu'un accessoire pour vous, qui nous est indifférent ici et
sur lequel vous devez éviter avec soin de donner lieu à
des tracasseries [13]. » C'est clair : Chaumont de La Galaizière doit sans cesse faire preuve de diplomatie en imposant la loi de Louis XV... tout en protégeant les derniers
vestiges de la souveraineté lorraine.

Les nominations illustrent parfaitement la difficulté de
la situation. En signant la convention de Meudon, Stanislas a accepté de ne nommer aux emplois de judicature
« qu'avec le concert de Sa Majesté Très-Chrétienne ».
Le roi de Pologne imaginait alors que Louis XV se
contenterait d'entériner son choix. En réalité, la France
veut la mainmise sur la collation des offices et des
charges, ce qui provoquera de nombreuses dissensions
entre Lunéville et Versailles.

En 1745, par exemple, la charge de premier président
de la cour souveraine de Nancy étant vacante, Stanislas
choisit d'y nommer M. de Rouvroy, alors secrétaire
d'État, conseiller d'État et membre du conseil des
finances. À Versailles, Jean-Baptiste de Machault, successeur d'Orry aux finances, a été informé de cette
vacance. Il écrit à Chaumont de La Galaizière, le 29
décembre, pour lui demander son avis. Le chancelier se
contente de lui envoyer la copie d'une lettre qu'il a déjà
adressée au chancelier d'Aguesseau, chargé des Sceaux
depuis la disgrâce de Chauvelin, dans laquelle il annonce
que le roi de Pologne a nommé Rouvroy. Machault
demanda sèchement « comment on avait pu disposer de
places vacantes sans que le roi y eût donné son consentement conformément aux conventions du traité [14] ».

Tout l'art de la diplomatie

Sans cesse rappelé à l'ordre, le chancelier du roi de Pologne fait souvent la sourde oreille. Et Versailles le tance régulièrement, à l'image de Machault qui lui écrit le 23 novembre 1750 : « J'ai rendu compte au roi du choix qu'a fait le roi de Pologne pour remplir la charge d'avocat général à la chambre des comptes de Nancy, et S.M., qui a lieu d'être contente des services de S. de Riocour [...], a bien voulu l'approuver, mais elle me charge de vous mander qu'elle vous a déjà fait connaître que son intention était qu'il ne fût pourvu à aucune des charges des cours supérieures de Lorraine et Barrois, [...] que des sujets qui lui auraient été proposés et qu'elle aurait approuvés. C'est la disposition expresse du traité de 1736. Il n'est pas convenable que le choix du roi de Pologne devienne public jusqu'à ce que le consentement et l'approbation du roi soient parvenus. Je suis chargé de vous renouveler les ordres les plus exprès pour que vous ne laissiez disposer d'aucune de ces charges qu'après que vous serez instruit des intentions du roi [15]. »

En quelques années Chaumont acquerra l'art de la diplomatie et en usera allégrement. Témoin la lettre qu'il fait remettre à Machault le 15 mars 1753. Elle commente le refus de Versailles à Stanislas, qui rêvait de frapper des monnaies à ses armes. C'est non ! Et sans appel... La Galaizière en informe Stanislas, mais il tente parallèlement d'apitoyer Machault : « Il a fallu que j'usasse de grands ménagements [...] pour lui faire comprendre non seulement le défectueux du projet. [...] J'ai déjà eu plusieurs fois l'occasion de vous dire qu'on s'exposait à lui déplaire infiniment quand il était question de le ramener à cette convention. Par malheur, sa sensibilité sur cet article augmente tous les jours et c'est courir risque d'altérer sa santé que de lui marquer à ce sujet une certaine fermeté [16]. »

Détesté dans toute la Lorraine

Dès son arrivée à Lunéville, Chaumont de La Galaizière s'est fait honnir par la noblesse et les milieux
d'affaires lorrains. Ils rejettent son austérité hautaine et
ne voient rien d'autre en lui que l'autorité chargée
d'appliquer les lois de Versailles. Colportée par les
milieux aristocratiques, cette inimitié s'étend au peuple,
qui se met à détester le chancelier. Et son impopularité
va s'accroître au rythme de la francisation, des privilèges
qui s'effondrent ou de la pression fiscale qui s'alourdit.

La rigueur avec laquelle fonctionnent les corvées [17]
provoque mécontentements et plaintes. Certaines parviennent jusqu'au cardinal de Fleury, qui prie le chancelier de faire cesser « toute corvée autre que celle de
simple entretien ». De mauvaise grâce, La Galaizière
finit par obtempérer, mais, après la mort du cardinal, en
1743, il s'empresse d'en accroître le rythme pour
construire de grandes voies afin de faciliter la circulation
des armées.

En 1745, la première grande corvée est destinée à
rendre plus sûre la route de Nancy à Toul par la forêt de
Haye – il faudra dix-sept ans pour y parvenir. Tout manquement à l'appel coûte vingt-cinq livres de France ;
nourriture et boisson sont à la charge des malheureux qui
campent tant bien que mal dans une grande baraque de
bois. Au bout de cinq mois d'enfer, les corvéables
regagnent leurs villages avec l'angoisse de retrouver une
terre en friche ou une ferme en mauvais état. Et avec une
rancœur tenace à l'égard du chancelier. Pis encore : les
corvées organisées pour construire une « route de Nancy
à Charmes ». Derrière ce projet se cache la mise en
valeur des possessions du chancelier, puisque la route
doit passer par Neuviller-sur-Moselle, poursuivre par
Roville, fief de La Galaizière, et atteindre le marquisat
de Bayon qu'il vient d'acquérir. Sans compter que, le

vieux château de Neuviller n'étant guère habitable, il faudra profiter de l'occasion pour le reconstruire. Pendant deux ans, de 1756 à 1758, vingt-cinq campagnes de corvées pèsent sur les habitants des villages environnants. Les uns se chargent de la chaussée, les autres élèvent un immense mur entre l'église et le château, d'autres encore charrient des déblais ou édifient des ponts. Une centaine de précieux hectares de prés, de champs et de vignes sont sacrifiés, tout cela pour arrondir le patrimoine du chancelier que les Lorrains trouvent déjà singulièrement gras. Il est vrai que Stanislas n'est pas étranger à cette opulence : dès 1737, il lui a laissé la jouissance de la Favorite, petit château construit à Lunéville pour Charles-Alexandre, le dernier fils du duc Léopold. Plus tard, en 1751, pour cent cinquante-deux mille livres, il lui confie l'ancienne seigneurie des princes de Salm-Salm, la terre de Neuviller-sur-Moselle, dont le château surplombe la vallée...

Une certaine idée de la famille

Les Lorrains ne cesseront de reprocher à Chaumont d'avoir abusé du duché à son profit et à celui de son clan. Il est vrai que la liste des postes occupés par les proches du chancelier est impressionnante : son frère Jean-Baptiste, comte de Lucé, est nommé en 1745 représentant officiel de Louis XV auprès du roi de Pologne, et sa sœur Marie-Anne-Victoire est abbesse de Vergaville. Henri-Ignace est abbé de La Galaizière, coadjuteur de l'abbaye de Saint-Avold et grand doyen du chapitre de la primatiale de Nancy ; Dieudonné est abbé de Mareil, archidiacre de Marsal, vicaire général de Metz, prieur de Neuviller, grand prévôt de Saint-Dié et évêque *in partibus* de Sion, en Asie Mineure.

Toujours parmi les frères : Antoine-Albert, comte de Mareil, puis Philippe, chevalier de Rivray, vont commander successivement le régiment Royal-Lorraine tout en étant grands baillis d'épée à Saint Mihiel et à Vézelise.

Les fils du chancelier ne sont pas oubliés : Philibert, chevalier de Mareil, est (à douze ans) lieutenant en second des gardes-lorraines avant d'être capitaine des gardes du corps de Stanislas ; Barthélemy est abbé de Saint-Mihiel, prieur d'Haréville et d'Insming, grand prévôt de Saint-Dié, puis abbé d'Autrey en 1775 et premier évêque de Saint-Dié en 1777. Quant à Antoine [18], il prendra le relais de son père en devenant intendant de Lorraine en 1758. Officiellement nommé par Versailles pour alléger la tâche de son père, mais aussi pour tenter d'étouffer le scandale du travail forcé, il se montre plus humain en réglementant équitablement le régime des corvées. Mais le mal est fait et l'odieuse réputation du chancelier de La Galaizière est assurée.

Un nouveau Conseil d'État

Le rôle de figurant du roi Stanislas et les multiples difficultés de son chancelier ne doivent pas éclipser le fonctionnement des institutions lorraines mises en place en 1737. Le duc Léopold Ier avait divisé les deux duchés en quatre départements gérés par quatre secrétaires d'État assistés d'un conseiller maître des requêtes. Ces huit hommes aux compétences bien définies faisaient aussi partie du Conseil d'État.

Créé par l'édit du 25 mai 1737, le nouveau Conseil d'État n'a pas autant de pouvoirs. Orry, Fleury et Louis XV ont discuté, hésité, ergoté et finalement accepté les noms avancés par Chaumont de La Galaizière. Orry avait d'ailleurs prévenu son beau-frère : « Je ne puis trop vous recommander d'attention sur le choix des sujets que vous proposez. M. le cardinal ne les connaît pas, ni personne ici. Cela ne peut donc rouler que sur vous. Ainsi, faites en sorte qu'on ne puisse vous rien imputer à cet égard[19]. »

Pour entériner cette parodie d'autonomie, c'est Stanislas qui sera tenu de les nommer. Le contrôleur général des finances a même poussé le souci du détail jusqu'à rédiger la formule du serment que devront prononcer les secrétaires et conseillers d'État du roi lors de leur intronisation. « Cette formule, précise-t-il, a été examinée par M. le cardinal et approuvée du roi. Ainsi, j'espère que le roi de Pologne trouvera bon que vous vous y conformiez[20]. »

Outre le « chancelier chef des conseils », le Conseil d'État se compose de deux conseillers-secrétaires d'État[21] et de six conseillers d'État ordinaires. Selon la tradition lorraine, les premiers présidents et procureurs généraux de la cour souveraine et des chambres des comptes portent le titre de conseillers d'État, ce qui les autorise, si nécessaire, à prendre part au Conseil[22]. Versailles a imposé quelques conseillers d'État ordinaires français, comme Louis-Simon Daniel, conseiller au parlement de Metz, Pierre-Paul Gallois, président des trésoriers de France au bureau des finances de Rouen, et Gabriel-Étienne Lecey de Changey, conseiller au Grand Conseil.

Le Conseil d'État se réunit le vendredi matin au château de Lunéville, généralement sous la présidence de Stanislas. Comme toutes les affaires importantes se traitent à Versailles, depuis l'établissement du taux des impôts jusqu'aux déplacements des garnisons en passant par les baux des fermes, le Conseil se limite à un rôle presque uniquement judiciaire. Toujours sous le contrôle (méfiant) de Versailles.

Dans le Conseil d'État, les interventions de Stanislas se limitent à peu de chose. En 1743, il se lance en imposant une décision capitale : elle décrit le costume de cérémonie des membres de l'assemblée. Le chancelier portera « une robe de velours violet et soutane de satin de même couleur et ceinture pourpre à glands d'or avec le mortier de velours violet, brodé et rebrassé d'hermine ». Plus sobres, secrétaires et conseillers d'État se contenteront d'une « robe de velours noir, avec soutane de satin de la même couleur et ceinture noire à glands d'or ». Décision sans grand retentissement en Lorraine...

Finances, commerce et administration

Constitué début juin 1737, le conseil royal des finances et commerce[23] n'a pas plus d'autorité que le Conseil d'État. Sa fonction : « Juger souverainement, au nombre de trois au moins, sur le rapport de l'un d'eux commis par notredit chancelier, tout ce qui concerne l'administration générale de nos domaines, droits domaniaux, eaux et forêts et généralement toutes les affaires de finances et commerce. »

Stanislas ne siège pas dans cette juridiction administrative et contentieuse dont les cinq membres se réunissent le samedi matin. Là encore, toutes les décisions importantes sont prises à Versailles ; et c'est à Versailles que sont rédigés la plupart des textes des arrêts rendus par ce conseil.

Au fil du temps, le conseil royal perdra même quelques compétences, dont les eaux et forêts, confiées à Pierre-Paul Gallois[24] en 1747.

Les autres institutions de l'administration centrale conçue par Léopold ont survécu à la mainmise française sur les duchés : la cour souveraine de Lorraine et Barrois, qui reçoit les appels de tous les jugements civils et criminels rendus par bailliages et prévôtés ; les deux chambres des comptes qui vérifient les comptabilités de l'État et des villes et ont compétence pour tous les procès relatifs à la fiscalité.

Enfin, le conseil aulique réunit sept personnes tous les vendredis. Présidé au début par le duc Ossolinski, grand maître de la maison du roi, il passera dès 1742 sous la présidence de François-Antoine Alliot, grand maître des cérémonies et intendant du palais. Il a la haute main sur les dépenses de la Cour, sur son approvisionnement, sur la paie des domestiques, le maintien de l'ordre et l'économie dans le palais. C'est un organe précieux pour le dépensier Stanislas qui parviendra à gérer ses deux millions de livres de pension annuelle sans jamais contracter de dettes...

Le système français s'installe

Derrière les institutions lorraines se cache la main de fer du contrôleur général des finances. Orry ne quitte jamais le duché des yeux. Il a installé dans son ministère un bureau particulier pour les affaires de celui-ci, confié au sieur Masson, naguère attaché au service des ducs. Et c'est du seul Orry que dépendent les duchés. Même les secrétaires d'État à la Guerre et aux Affaires étrangères en sont écartés. Peut-être parce que la Lorraine cédée au roi Stanislas ne relève plus de la diplomatie ni de la guerre, mais surtout parce que les duchés possèdent des richesses naturelles que convoite la France. Orry se montre très attentif à la préservation de ces atouts.

Dès 1737, il incite Chaumont de La Galaizière à introduire le régime français en Lorraine comme en Barrois. Cela se traduit par des décisions de justice draconiennes. Parmi elles, le remplacement du bannissement par des peines de galères et l'attribution d'une récompense aux dénonciateurs qui livrent des déserteurs. On interdit aussi aux Lorrains non gentilshommes de porter des armes, ce qui porte un coup fatal aux compagnies d'arbalétriers. Sans oublier la suppression des fêtes traditionnelles. En échange, Français et Lorrains sont égaux devant les lois en vertu des accords de réciprocité selon les édits de 1738 [25].

Progressivement, la Lorraine se plie au régime fiscal français. La Ferme générale y existait déjà, instaurée par Louis XIV. Un bail passé avec un fermier lui confiait le soin de percevoir droits et impositions indirectes, moyennant le versement d'une somme forfaitaire annuelle. Le chancelier préfère le résilier pour passer contrat avec Philippe Lemire, de Lunéville. Il lui octroie un bail de sept ans au lieu de neuf, pour faire coïncider son renouvellement avec tous ceux de la Ferme générale de France, fixé au 1er octobre 1744. En Lorraine, plus de la moitié des revenus de la Ferme générale provient des salines. Bien que les duchés fassent partie des *pays de salines* comme la Franche-Comté, l'Alsace et les Trois-Évêchés, les Lorrains paient leur propre sel plus cher que leurs voisins alsaciens. Pis, on leur vend une qualité médiocre, réservant le sel de qualité à l'exportation. Situation qui suscite une contrebande intensive malgré la surveillance des frontières.

Dans les campagnes autour de Nancy et Neufchâteau, la culture du tabac, introduite dans les duchés pendant l'occupation française, se poursuit sous étroite surveillance pendant le règne de Léopold Ier.

Sous Stanislas, Claude Dupin, qui veille sur les intérêts de fermiers généraux français, doit lutter contre la concurrence et la contrebande. Du fait de l'enclavement des Trois-Évêchés dans la Lorraine et le Barrois, de la proximité des frontières champenoises, les sujets de Louis XV succombent à la tentation d'acheter le tabac lorrain, meilleur marché. Pour y remédier, Dupin réduit le nombre des entrepôts de cinquante-quatre à vingt, ne conservant que ceux éloignés des frontières françaises ou proches des pays où le tabac est en vente libre (Alsace, Franche-Comté, terres d'Empire). Il limite aussi la quantité de tabac délivrée aux habitants et supprime des manufactures. Enfin, la culture est progressivement réduite selon la volonté de Versailles, qui estime largement suffisantes les superficies autorisées en Franche-Comté, en Alsace et dans les provinces du Nord (Artois, Hainaut, Cambrésis et Flandre). Encore une mesure qui provoque le mécontentement des Lorrains, furieux de payer le tabac le double de son prix habituel.

Nouvel impôt, nouveaux grincements

Au chapitre des impôts, les Lorrains étaient astreints à la subvention, un impôt direct créé par Louis XIV lors de l'occupation des duchés et conservé par Léopold. Chaumont de La Galaizière n'y touche pas, bien que son régime assez complexe exempte pour diverses raisons les habitants de Lunéville, Nancy et Bar. L'installation d'un nouveau duc étant l'occasion d'acquitter un droit de joyeux avènement, payé par les Lorrains dispensés de la subvention, La Galaizière réussit à en tirer six cent vingt mille livres de Lorraine, soit cinquante-cinq mille de plus que lors de l'intronisation de François III.

Autre héritage de Léopold : l'impôt des ponts et chaussées, qui rapportait environ cent mille livres et que le chancelier hisse à cent cinquante mille livres. Versailles conserve aussi les taxes sur les monopoles instituées par Léopold. C'est le cas de la marque des fers, un droit sur tous les produits métallurgiques sortant de chez les maîtres de forges.

Au droit de châtrerie (privilège de faire châtrer les animaux) et de riflerie (droit de dépouiller et ensevelir un animal mort) s'ajoutent aussi ceux sur les postes, les messageries et les péages, nombreux et divers en ces terres frontalières, qui se regroupent sous le générique de foraine.

Les Lorrains ne payaient pas la capitation ni le dixième, mais, au lendemain de la guerre de Succession d'Autriche, la France, à court d'argent, substitue le vingtième [26] au dixième. Stanislas en a signé l'édit présenté par Chaumont de La Galaizière. Ainsi, à compter du 1er janvier 1750, les Lorrains doivent abandonner un vingtième de tous les revenus provenant de la gestion des biens fonciers et immobiliers, des charges, des rentes, des emplois, des droits seigneuriaux, des bénéfices industriels et commerciaux et même des recettes des municipalités. Ce nouvel impôt provoque la réaction des chambres des comptes qui s'opposent à l'application de l'édit de décembre 1749, se retranchant derrière la convention de Meudon. Chaumont de La Galaizière ne désarme pas. Il rappelle les cours à l'ordre et installe à Lunéville un bureau du vingtième où dix-sept contrôleurs travaillent sous la houlette du directeur, Raisant. Le premier vingtième rapportera plus de huit cent trente-deux mille quatre cents livres.

En septembre 1757, un édit royal ordonne la « levée de quatre sols pour livre en sus dudit vingtième ». À l'augmentation de 20 % du vingtième pendant dix ans, un second vingtième s'abat sur la Lorraine pour aider cette fois au financement de la guerre de Sept Ans.

Stanislas joue les médiateurs

La cour souveraine refuse d'enregistrer l'édit et adresse des « remontrances » suivies d'« éclaircissements » particulièrement hardis à l'autorité royale. Stanislas, ouvert à la négociation, convoque son président,

Rouvroy, et trois conseillers, mais chaque partie campe sur ses positions. Pourtant la cour propose de remplacer les deux vingtièmes par un abonnement d'un million de livres de Lorraine. Refus catégorique de Chaumont de La Galaizière, qui convoque par lettre de cachet deux présidents et douze conseillers de la cour. Aucun d'entre eux ne se rend à Lunéville. L'édit est malgré tout publié et enregistré le 30 avril 1758, tandis que onze conseillers sont exilés dans différentes villes des duchés. Parmi eux, le protagoniste de la résistance, le conseiller François d'Aristay de Châteaufort[27]. Par réaction, les avocats de Nancy font la grève des plaidoiries, paralysant la cour, tandis que la noblesse et le clergé prennent fait et cause pour eux.

Avec l'assentiment de Versailles, Stanislas apporte sa médiation et rappelle huit des exilés. De Nancy, la cour adresse de nouvelles remontrances à Versailles, mettant en cause l'administration de La Galaizière. MM. de Bressey et de Raigecourt, au nom de la noblesse lorraine, se rendent en délégation à Versailles pour réclamer la tête du chancelier. Ses jours sont comptés, dit-on en Lorraine. Les ministres de Louis XV tranchent : l'édit sera dûment enregistré, mais le versement d'une somme forfaitaire est accepté. Quant aux trois derniers proscrits, Châteaufort en tête, ils reviennent triomphalement à Nancy, tandis que la cour souveraine enregistre l'édit lors de sa première réunion.

Le duc qui veut du bien...

En septembre 1758, cet épisode inspire à Stanislas une fiction épistolaire dans laquelle il révèle le fond de sa pensée, à savoir que les cours souveraines transgressent les limites de leur compétence pour s'immiscer dans le domaine réservé au roi seul : « Vous n'ignorez pas qu'il a été forcé d'exiler un certain nombre de conseillers de Nancy pour les remettre en règle et dans l'obéissance à laquelle ils ont manqué. S.M. se relâchera bientôt de cette rigueur par le rappel des exilés du nombre desquels était le conseiller Châteaufort, revenu dans la capitale avec un triomphe injurieux au roi et ridicule au public par la réception que lui fit toute la magistrature en jouant un rôle burlesque, indécent à la gravité de son état, et par suite de fêtes et de réjouissances qui ne sont dues qu'aux personnes de la première distinction, et qui ne doivent se permettre que par les ordres du commandant de la ville et du consentement et selon les règles de la police.

« Chacun, après cela, peut juger aisément si pareille extravagance ne méritait pas une punition exemplaire ; mais on ne pourra qu'être étonné de la modération du roi, sans l'être néanmoins du dégoût qu'il a conçu de gouverner des gens qui ne se laissent pas gouverner par la raison, et qui abusent de la douceur d'un prince dont le caractère est autant d'éviter la rigueur de la punition que de rien souffrir d'injurieux par un excès de clémence. [...]

« N'aurait-il pas été plus prudent de s'en tenir là que de troubler la tranquillité publique par une conduite des plus irrégulière ? »

Stanislas reprend toute l'affaire, démonte ses rouages et qualifie de diffamatoire le mémoire du parlement de Nancy, qui n'attaque pas seulement l'honneur de La Galaizière mais blesse la gloire et l'autorité du roi. Il insiste aussi sur le partage des attributions dans le gouvernement de la Lorraine : à la France et à son représentant le pouvoir politique, à lui-même la « souveraineté viagère » d'un « véritable citoyen » qui veut le bien de sa province. « C'est en cette qualité qu'il fera consister sa gloire, son devoir, sa liberté indépendante et la douceur du reste de ses jours qu'il veut finir en toute tranquillité, en fermant l'oreille à toutes les leçons qu'on voudrait lui donner et en ouvrant le cœur à tous ceux qui voudront se conformer à ses bonnes intentions[28]. »

En novembre 1760, l'imposition d'un troisième vingtième est annoncée. La cour s'insurge à nouveau. Ses remontrances présentent le tableau dramatique d'une Lorraine exsangue. Finalement, le projet est abandonné au profit d'un don du clergé et d'un impôt sur les cuirs.

L'armée française agace les Lorrains

Autre désagrément pour les Lorrains : l'armée. Louis XV ne s'est pas privé d'envoyer plusieurs escadrons de cavalerie se refaire une santé en Lorraine. Le fourrage y étant abondant, Versailles estime « qu'il procure sur les lieux une consommation avantageuse de denrées qui ne pourraient être vendues qu'à un vil prix si les sujets qui les recueillent étaient obligés de les transporter ailleurs pour en trouver le débit[29] ». En conséquence, quoi de plus normal que d'imposer les habitants du « montant de l'excédent du prix réglé pour les fourrages » ? À ce prélèvement d'environ quatre cent mille livres par an s'ajoute une participation annuelle de soixante-cinq mille livres pour le financement des réparations des fortifications de Bitche.

Le corps de la maréchaussée, qui remontait au règne de Léopold Ier, est dissous, remplacé par une compagnie de la maréchaussée calquée sur le système français. Pour former la garde de Stanislas, il a fallu recruter parmi les anciens maréchaux des logis de la cavalerie, ou encore parmi les anciens gendarmes et chevau-légers de la gendarmerie. Les gardes à cheval sont à la charge des duchés tandis que l'infanterie sera fournie et payée par le roi de France.

Finalement, l'ensemble constitue deux compagnies de gardes du corps à cheval de quatre-vingt-cinq hommes chacune, cantonnées à Nancy et à Lunéville ; trois compagnies d'infanterie, chacune de deux cents hommes et recrutées dans les compagnies détachées de l'hôtel royal des Invalides. Une quatrième compagnie de gardes à pied, à l'effectif plus modeste, stationne à Commercy, où elle assure la sécurité de la duchesse douairière.

Des uniformes aux couleurs de Stanislas

Ces différents soldats arborent un uniforme très seyant, aux couleurs du roi de Pologne. Chaque garde à cheval porte un chapeau bordé d'argent couvrant des cheveux poudrés, liés par un volumineux ruban noir. Col blanc, habit et veste jaune citron, collet et parements de velours noir. Culotte noire, manchettes de bottes en toile blanche, bottes fortes en cuir noir. Baudrier et ceinturon jaunes avec broderies argent et noir, bordure d'argent, giberne de cuir rougeâtre. Selle en daim blanc, équipage jaune citron bordé d'argent avec le chiffre de Stanislas « S » et la couronne brodée d'argent. La robe du cheval est bai brun.

Le même uniforme habille les gardes à pied, à l'exception des bottes, remplacées par des souliers à boucles d'argent ; selon la saison, ils portent des bas de fil noir ou des guêtres noires. Pour le service courant, les gardes du corps revêtent un uniforme moins brillant et moins coûteux.

Dans un pays où la rigueur et la discrétion esthétique sont de règle, les soldats voyants de Stanislas font sourire les Lorrains. Mais sourire jaune, car ces nouveaux uniformes sont financés par leurs impôts...

Une milice qui vide les campagnes

La mesure la plus impopulaire est incontestablement la levée de la milice par tirage au sort. Initiée pendant les diverses occupations françaises, cette mesure n'avait jamais été appliquée par Léopold Ier ni par François III. En revanche, elle le sera strictement à partir d'octobre 1741, début de la guerre de Succession d'Autriche. L'année précédente, Stanislas avait bien levé un régiment d'infanterie, les gardes-françaises, mais celui-ci n'avait pas quitté Lunéville.

Le 28 octobre 1741, sur ordre du secrétaire d'État à la Guerre de Louis XV, le roi de Pologne signe un ordre de levée de six bataillons de milice de six cents hommes chacun. En premier lieu, ce sont les célibataires de seize à quarante ans et mesurant au moins 1,62 mètre qui sont enrôlés pour six ans. Viennent ensuite les hommes mariés de moins de trente ans. Il y a de nombreuses exemptions : médecins, apothicaires, chirurgiens, étudiants de l'université de Pont-à-Mousson, officiers de justice et de finances, collecteurs de la subvention, maîtres de poste, maîtres des métiers.

Les principales victimes de la conscription sont les agriculteurs et les artisans, qui se plaignent de la pénurie de main-d'œuvre. Ils seront entendus en 1755, quand le pouvoir décidera d'exempter les laboureurs.

Tout est bon pour fuir la conscription

C'est un mal terrible pour certaines régions. Il vide les terroirs et appauvrit des vallées entières. De plus, villes et villages doivent subvenir à l'entretien de leurs miliciens, payer uniformes et armement... Les hommes partent la peur au ventre, car les pertes sont lourdes : le régiment Royal-Barrois, par exemple, comptait initialement trois mille six cents hommes ; quand il rentre, en décembre 1763, il ne reste que trois cents survivants... Ils répugnent en outre à se battre contre cette Autriche qui leur est plus proche que le pouvoir de Versailles.

Dans ces conditions, les Lorrains sont prêts à tout pour échapper à la milice. Les mieux nantis paient des remplaçants, d'autres se précipitent dans le mariage ; certains fuient en Toscane (chez François III), au Banat, terre de colonisation des Habsbourg, ou au Luxembourg tout proche.

L'assimilation est en cours

En dépit de son autoritarisme et de son opiniâtreté, la tâche de Chaumont de La Galaizière se révèle difficile ; même s'il s'entend avec Stanislas, il doit aussi composer avec le comte de Belle-Isle[30], gouverneur de la généralité de Metz depuis 1733. Les attributions de Belle-Isle dépassent d'ailleurs largement les limites des Trois-Évêchés : en tant que commandant en chef, il doit veiller à l'amélioration des fortifications, à la construction de nouvelles casernes, au réaménagement des rues, à la fourniture des subsistances et au logement des armées.

À Versailles, on s'inquiète peu des réactions des populations lorraines. Si agressive soit-elle, la résistance des habitants n'apparaît pas très efficace face au processus d'assimilation progressive. D'ailleurs, parmi les privilégiés qui s'agitent, beaucoup servent docilement Stanislas... donc le roi de France...

Un seul homme pâtit vraiment de la grogne permanente : celui qui se reconnaît dans le refrain que l'on fredonne partout, de Nancy à Bar, d'Hussigny à Saint-Mihiel :

Mesdames, déchirez vos jarretières
Pour étrangler La Galaizière !

CHAPITRE VII

Vivre à Lunéville

Lorsqu'il s'installe à Lunéville, Stanislas n'est plus dans la force de l'âge. Un embonpoint marqué alourdit sa silhouette et empâte son visage. À soixante ans, il souffre de mille maux, conséquences de ses années d'errance de la Baltique à la mer Noire. Mais il ne reste pas inactif pour autant et règle sa vie selon un rituel auquel il ne déroge pas, sauf lorsqu'il se rend à Versailles. Logé au rez-de-chaussée du grand pavillon d'aile, il assiste tous les matins au lever du jour sur le parc et la Vezouze; l'hiver, il s'accorde une heure de sommeil supplémentaire.

Ses dévotions faites, il déjeune d'une tasse de thé ou de bouillon blanc avant de fumer sa première pipe sous les portraits de ses aïeux, de ses proches et des personnages qui ont marqué sa vie, comme Charles XII et le jeune Frédéric II. Dans sa chambre tendue de tapisserie de velours à ramage blanc et vert rehaussé de broderies d'argent où les encoignures de palissandre font office de bibliothèques trône le buste en faïence du roi de France, son gendre.

Bien qu'il se rase lui-même[1], Stanislas se fait aider à sa toilette par son premier valet de chambre, assisté d'un valet ordinaire. Sitôt habillé, il dépouille son courrier. Pendant que le château s'éveille mollement, il profite du calme pour mettre sa correspondance à jour. Trois fois par semaine, il écrit à la reine de France, sa chère fille. À ces lettres, il joint de longues réponses aux missives interrogatives du dauphin et des messages affectueux pour ses petits-enfants qui lui adressent dessins et poèmes.

Un autre interlocuteur bénéficie régulièrement de son ardeur épistolaire : Hulin, son ministre à Versailles, qu'il informe (un peu) et charge (souvent) de mille commissions... parfois futiles !

Le roi passe ensuite à sa correspondance officielle. Les lettres arrivent des quatre coins de l'Europe : de ses partisans polonais qui le tiennent toujours informé, de solliciteurs de tous bords... et de nombreux Lorrains qui implorent sa clémence face à l'intransigeance de son chancelier.

Stanislas dicte ses réponses à son secrétaire particulier, le chevalier de Solignac, qui s'accommode de cette tâche écrasante : « Durant plus d'un mois, j'ai été occupé à faire des lettres pour Sa Majesté Polonaise, à qui l'on écrit de toutes les régions du monde pour lui souhaiter des jours longs et heureux. Cela va à près de cinq cents lettres qu'il faut expédier sur-le-champ et à mesure quelles arrivent[2]. »

Après Solignac, c'est au tour de son intendant aulique de pénétrer dans le grand cabinet boisé aux riches panneaux de bois moulurés habillés d'étoffe de Turquie et de taffetas cramoisi.

La première année de son séjour lorrain, Stanislas a confié l'administration de sa maison à un Lituanien qui l'a rejoint à Königsberg : Simon Syruc. En conflit avec le chancelier Chaumont de La Galaizière, qui le juge trop intrigant, Syruc est rapidement rentré en Pologne. Après son départ, la charge est revenue au gouverneur du château, Charles-Bernard Colin de Contrisson, qui s'en dessaisira en 1742 au profit de François-Antoine Alliot, alors secrétaire du conseil aulique.

Les questions d'intendance réglées, ce sont les affaires des duchés qui mobilisent le début de la matinée. Stanislas reçoit La Galaizière avant de se rendre, selon le jour, au Conseil d'État ou au conseil des finances. Sinon, il accorde des audiences, recevant ses visiteurs avec une simplicité et une bonhomie qui masquent un caractère fier, têtu et impulsif. Il est réputé pour savoir séduire un interlocuteur et le retourner en sa faveur...

Deux messes et un seul repas

À dix heures, le roi gagne la chapelle pour entendre successivement la grand-messe suivie d'une messe basse en musique. Il suit les deux offices attentivement dans une attitude de profonde piété, mais il ne demeure plus prosterné comme il le faisait auparavant.

Aux douze coups de midi, il se hâte vers la salle à manger, où trône une immense table entourée de trois autres, plus petites, et d'un grand fourneau servant de réchauffoir. Les fenêtres tendues de lin diffusent une lumière légère qui éclaire douze tableaux de l'*Histoire d'Achille* fixés dans les boiseries. Sur la cheminée, entre deux gros vases dorés, un buste en pierre de Louis XV fait face au fauteuil du roi garni de velours cramoisi et galonné d'or. C'est là que Stanislas prend son unique repas de la journée. Il déroge rarement à la règle... sauf le 3 novembre, pour la Saint-Hubert, fête des chasseurs. Ce jour-là, après avoir battu la campagne à la tête d'une meute de trois cents chiens aux colliers d'argent, il soupe avec les autres chasseurs.

Naguère constituée de seize couverts, sa table est désormais fixée à vingt-cinq convives. Le roi y accueille les hôtes de marque, les grands officiers et les dames d'honneur. Les musiciens du palais jouent pendant toute la durée du service qu'ils rythment avec force coups de cymbales et sonneries de trompettes. Une telle cacophonie déroute les visiteurs non initiés qui goûtent avec plaisir le calme du vendredi, réservé au luth ou à la harpe.

L'orfèvrerie de table est très sobre : rien que le nécessaire. Stanislas a trop bourlingué pour avoir eu le temps de se constituer un trésor à l'image d'Auguste II ou des rois de Prusse. La vaisselle plate est plus variée, le cristal de Bohême et les porcelaines de Saxe lui donnent belle allure, mais son luxe n'égale évidemment pas celui des tables de Versailles. En revanche, le roi de Pologne sacrifie à la mode des surtouts, ces compositions de céramique ou d'alliage métallique qui abritent salières, poivrières, huiliers, vinaigriers, pots à épices et sucriers. Il en raffole au point de commander d'immenses compositions architecturales que viennent rehausser des jeux hydrauliques. Le surtout qu'il préfère est en plomb. Il représente une rocaille bruissant d'eaux jaillissantes. Dès que l'on a desservi, un ingénieux mécanisme fait sortir du plancher une table qui vient se joindre au surtout, et les invités ébahis découvrent des maisonnettes, des troupeaux avec leurs bergers, des fleurs et des rivières, bref, un paysage aussi bucolique que celui du Rocher, ornement enchanté du parc de Lunéville.

Gourmet, gourmand... mais sans s'éterniser

Gourmet reconnu, attentif à la qualité des repas servis à la Cour, Stanislas n'est pas pour autant un obsédé des banquets interminables : il déteste s'attarder à table. Le repas, réglé comme une horloge, dure une heure seulement. En visite à Lunéville, Montesquieu s'en réjouit dans une lettre à Maupertuis : « On reproche au roi un défaut, mais c'est le défaut d'Henri IV. On dit qu'il n'est

174

pas assez de temps à table, c'est une chose dont je m'accommode fort et je trouve que, depuis un mois que je suis ici, ma santé se fortifie parce que je ne suis plus dans les coups gorge des soupers de Paris[3]. »

Stanislas se délecte de plats polonais, consomme beaucoup de volailles et de gibiers, adore les crudités et raffole des melons de ses jardins au point de s'en rendre malade. Les faisans viennent de son élevage de Vitrimont et les poules de ses fermes sont des sarmates, race qu'il a introduite en même temps qu'il a peuplé les rivières lorraines de cette sorte de brème que les Polonais appellent *karas*[4].

Pour son vin, Stanislas consomme la production locale, limitée au gris des collines de Toul et des côtes de Meuse, mais il préfère le tokay de Hongrie qu'il apprécie depuis sa jeunesse et que l'époux de Marie-Thérèse (François III, son ancien rival en Lorraine) lui expédie chaque année. Comme il n'en reçoit pas suffisamment pour assurer toute la consommation du château, il le fait couper de vin local et réserve à sa table l'essentiel du tokay intact...

Pour les desserts, le gourmet devient franchement gourmand, avec la complicité de son inséparable cuisinier-pâtissier. Depuis Chambord, où il a débuté, François Richard connaît bien la passion du roi pour les pièces montées et les sucreries exotiques.

Promu confiseur-distillateur, Richard règne sur six aides et deux garçons. C'est ainsi qu'il forme Gilliers, qui lui succédera plus tard. Biscuits, bonbons et nougats se transforment en friandises entre ses mains. Ses pièces montées deviennent jardins des délices où fleurs, oiseaux et figurines en sucre filé donnent des allures de fête au repas le plus simple. En 1751, parvenu au sommet de son art, il publiera un traité en forme de dictionnaire intitulé *Le Cannaméliste français*[5], véritable initiation à la cuisine, à l'organisation et à la présentation des repas. C'est à lui qu'est revenue la tâche de populariser un gâteau renommé en Pologne, le « baba[6] », assaisonné de safran, imbibé de vin blanc aromatisé et sucré, dont le pâtissier royal maîtrise vingt recettes ! Comme Stanislas en Lorraine, Marie Leszczynska, aussi gourmande que son père, en introduira la mode à Versailles...

Non content de faire découvrir des recettes polonaises aux Lorrains, le nouveau duc a fait le succès d'un gâteau local, lui préparant une popularité énorme. L'affaire remonte à l'été 1755. Alors que Stanislas est de passage au château de Commercy, une querelle éclate entre le pâtissier et l'intendant. Le premier jette son tablier à la tête du second et s'en va en emportant le dessert. Consternation dans les cuisines... La légende raconte qu'une servante, Madeleine Paumier, propose alors de compenser ce manque en confectionnant un gâteau rapidement cuit selon une recette de sa grand-mère. L'affaire est menée rondement. Stanislas, qui a décelé un parfum d'orange dans ce dessert qu'il découvre, s'enquiert de son nom.

Appelée à la table royale, la jeune fille avoue son ignorance. « Comment t'appelles-tu ? – Madeleine ! – Eh bien, ce sera la Madeleine de Commercy ! »

Tous les après-midi au grand air

Quel que soit le temps, le roi consacre son après-midi à l'exercice et au grand air, indispensables pour combattre ses rhumes chroniques. Il monte à cheval ou en calèche pour une promenade dans les environs, à moins qu'il ne préfère chasser ou pêcher dans l'étang de Lindre, près de Dieuze. Au retour, il se retire dans son cabinet, parfois entouré de ses familiers. Il joue de la flûte ou pastellise quand il ne noircit pas des pages de son écriture fine et rapide. L'esprit sans cesse en éveil, il échafaude des théories, imagine des régimes politiques, se lamente sur la Pologne, rédige une lettre à un conseiller pour donner son sentiment sur le problème des remontrances dans le conflit qui oppose le roi au Parlement, ou jette çà et là quelques réflexions qui s'achèvent par exemple ainsi : « Fin / Je vous prie, mon cher Solignac, de parcourir encore ces feuilles qui sont les dernières dans le goût des premières[7]. »

Son chien Griffon à ses pieds, il passe de longues heures à lire, parfois troublé par l'intrusion du singe Jacquot qui tente d'échapper à un étrange petit tortionnaire que le roi surnomme Bébé. Ce petit bonhomme blondinet au visage gracieux malgré les yeux légèrement exorbités est affublé d'une voix rauque qui rompt le charme dès qu'il ouvre la bouche. Bébé n'est pas un enfant, mais un nain. Il s'appelle en réalité Nicolas Ferry. Né en 1741 à Celles-sur-Plaine, près de Senones, dans la principauté de Salm, au sein d'une famille de paysans vosgiens, il a contracté la petite vérole pendant son enfance. Elle a bouleversé sa croissance : à six ans, il mesurait quarante-trois centimètres et à quinze, pas plus de quatre-vingt-trois. Le libraire Nicolas écrit dans son journal : « Dans le même temps[8] on fit présent au roi de Pologne d'un enfant de cinq ans, qui n'avait que dix-huit pouces. Le roi lui donna le nom de Bébé[9]. »

Stanislas a adopté le petit Vosgien, dont la légende rapporte que sa mère l'a mis au monde à genoux, devant la crèche d'un petit Jésus de cire. Très vite, Bébé a pris conscience de sa personne : protégé du roi qu'il amuse par mille facéties de plus ou moins bon goût, il connaît tous les secrets de la Cour et profite de la situation pour donner libre cours à un caractère colérique, jaloux et vindicatif. S'il danse avec beaucoup de grâce, il ne parviendra jamais à maîtriser la lecture et demeurera ignorant malgré les leçons prodiguées. Mais Stanislas s'accommode de ce petit être inculte qui flatte son penchant pour les plaisanteries grossières et qui exprime par sa bouche fielleuse des sentiments qu'un prince bien éduqué ne peut se dire... Et lorsque Bébé jaillit d'un pâté croustillant au milieu de convives ébahis, il ne fait que renouveler les spectacles des nains de Pierre le Grand et d'Anna Ivanovna... Stanislas lui a fait construire une maison de bois à sa taille, un vrai bijou, où il se cloître pour bouder. Outre une garde-robe de prince et des costumes de théâtre, Bébé utilise une petite calèche tirée par quatre chèvres pour se promener dans les Bosquets.

Soirées tranquilles... mais Cupidon veille

Les soirées sont plutôt calmes à Lunéville. Faute de souper, le théâtre et les concerts commencent tôt. La musique de chambre y est de grande qualité, jouée par une quarantaine de musiciens [10] arrachés par le maître des lieux aux princes d'Empire. Le roi, qui raffole aussi de la danse et du théâtre, ne déteste pas le jeu. Ses résidences accumulent les tables de jeu de toutes sortes : trictrac, piquet, quadrille et pharaon selon la mode. Le soir, Stanislas fait souvent une brève apparition dans le grand cabinet d'assemblée, tournant autour de la vingtaine de tables pour observer les visages tendus des joueurs, éclairés par de grands flambeaux d'argent.

Il se met au lit peu avant vingt-deux heures. C'est le moment des conversations amicales avec ses serviteurs préférés ou avec Rönnow, son fidèle médecin.

Quand le château s'assoupit, Stanislas poursuit ses rêves, échafaudant ses plans sous le regard bienveillant de saint Stanislas et de sainte Catherine, dont les portraits voisinent sur le mur avec celui de la Vierge et de l'Enfant Jésus.

Il ne faudrait pas en conclure que Lunéville s'apparente à une maison de retraite pour notables polonais résignés. Les jeunes et jolies femmes sont nombreuses au château, et Stanislas n'est pas le dernier à se soucier de leur bien-être, en dépit de son embonpoint et des multiples petits maux qui freinent ses enthousiasmes. Sa liaison avec la duchesse Ossolinska s'étant muée en tendre amitié, il succombe aux charmes des dames de sa cour.

La comtesse de Linange, une Polonaise, fait d'abord figure de favorite ; en dépit des attaques permanentes de Catherine Opalinska, qui lui reproche ses manières grossières, elle rassure Stanislas. Mais cette femme imposante et courtaude ne recueille pas longtemps les faveurs d'un roi bientôt attiré par la jeunesse délurée des filles de la princesse de Beauvau-Craon [11]. Elles ont toutes hérité la beauté et la personnalité de leur mère, qui a naguère été la favorite adulée du précédent duc de Lorraine, Léopold Ier.

La plus attirante est Charlotte. Elle a été abbesse de Poussay avant d'épouser un officier du roi, Clément de Bassompierre, maître de camp de cavalerie, qui pour l'heure se trouve à l'armée ; la jeune femme vit à la Cour au service de la reine Catherine. Elle a tout juste vingt ans lorsqu'elle devient la maîtresse de Stanislas, vers 1741, avant de devoir partager les faveurs royales avec sa propre nièce, Mme de Cambis. C'est alors qu'une autre fille de la princesse de Beauvau-Craon vient troubler les amours confortables du roi Stanislas : Marie-Catherine, marquise de Boufflers, qui connaît bien les alcôves du château.

Née le 8 décembre 1711 à Lunéville, elle a passé sa jeunesse au couvent de Remiremont avant d'épouser François-Louis de Boufflers, marquis de Remiencourt, capitaine au régiment des dragons d'Harcourt. Elle a le charme, la beauté et l'entrain de sa mère, et un long séjour à Paris lui a ôté tout vestige de timidité provinciale, la fréquentation des salons littéraires lui ayant permis de côtoyer les plus grands esprits de son temps, et parmi eux Montesquieu et Voltaire. De retour en Lorraine, la marquise, seule avec ses enfants (son mari est à l'armée), commence à fréquenter la cour de Lunéville. C'est là que Chaumont de La Galaizière s'éprend d'elle.

La vraie reine de Lunéville

Mais cette femme aux fins cheveux blonds bouclés, au regard bleu et au teint frais ne se contente pas du chancelier. Elle a d'autres amants, comme l'inattendu « Panpan », qui lui-même vit une folle passion avec Mme de Graffigny[12], naguère ornement de la cour du duc Léopold et dont le salon de la rue Neuve-des-Capucins lui a valu de nombreux admirateurs dans le monde des lettres. De son véritable nom François-Antoine-Joseph Devaux – Panpan est un sobriquet donné en Lorraine à tous les Français –, cet avocat est d'un an le cadet de la marquise, il a étudié chez les jésuites de Pont-à-Mousson.

Avocat sans cause, Panpan brigue d'autres fonctions : la marquise en parle alors à La Galaizière, qui le nomme receveur des finances de Lunéville. Homme de loi sans fortune, le pauvre Panpan n'est guère plus brillant à ce poste, mais Mme de Boufflers, qui redoute une séparation, obtient pour lui la charge de lecteur de Stanislas.

Ainsi, tous les matins à cinq heures, Panpan entre dans la chambre du roi en compagnie d'un autre lecteur, l'abbé Porquet, pour lire des rapports, des notes ou des livres. Le second prend son rôle à la légère au point qu'il aurait un jour lu sans sourciller : « Dieu apparut en singe à Abraham » ; et Stanislas de rectifier avec calme : « Dieu apparut en songe à Abraham[13]. » Porquet aussi appartient à l'entourage de Mme de Boufflers. Religieux peu recommandable et médiocre précepteur de ses enfants, il ne doit son crédit qu'au charme qu'il opère sur elle.

La marquise de Boufflers devient la reine incontestée de Lunéville dès 1745. Entre-temps, le marquis a été nommé officier d'un des régiments de la garde de Stanislas, mais son retour n'a rien changé à la situation : il a décidé une fois pour toutes d'ignorer les aventures de sa femme.

La marquise occupe l'appartement réservé au capitaine des gardes, au rez-de-chaussée de l'aile secondaire du château. Elle tient salon chaque jour jusque tard dans la nuit et insuffle à la Cour une atmosphère primesautière et galante que les habitués de Lunéville apprécient.

Elle a en effet d'innombrables amis, beaucoup de soupirants, quelques amants et plusieurs ennemis irréductibles. Parmi ceux-ci : Catherine Opalinska. La reine déteste cette femme qui n'aime que la fête et le bonheur, et elle ne comprend pas l'intérêt que lui porte Stanislas.

Fuyant cette cour qui ne cherche qu'à s'amuser, la reine a choisi d'y paraître le moins possible. Elle se terre dans ses appartements, tout proches de ceux du roi, et sombre lentement dans une bigoterie et une neurasthénie aggravées par le mal du pays. Ne cessant d'évoquer la Pologne, elle étale ses rancœurs auprès de ses confesseurs, de ses aumôniers et de ses dames d'honneur, dont la plupart la servent depuis Wissembourg. L'hydropisie et l'asthme chronique dont elle souffre depuis plusieurs années n'arrangent rien. Le roi de Pologne s'est accommodé de cet état de choses. Sa tendresse pour celle qui l'a accompagné dans ses chimères demeure profonde, mais il y a bien longtemps qu'ils ne poursuivent plus les mêmes buts.

Une maison bien organisée

À Lunéville, Stanislas ne se soucie guère de l'étiquette. Au contraire, il souhaite vivre comme bon lui semble. État d'esprit inquiétant quand on se remémore son passé de panier percé... Mais tout semble se dérouler sans drames grâce à une maison bien organisée et à des finances bien contrôlées. Le quart de la liste civile sert à payer les appointements et les gages des officiers et des domestiques de la maison du roi : sept cent soixante-deux personnes en 1760, réparties entre la maison civile et la maison militaire, qui font vivre près de deux mille personnes dans une ville de dix mille habitants.

Au rang le plus élevé figure le grand maître de la maison du roi, son cousin François-Maximilien de Tenczyn-Ossolinski, époux de Catherine Jablonowska, maîtresse de Stanislas depuis Dantzig. On l'appelle à Lunéville « Monsieur le Duc » et il représente le roi dans de nombreuses manifestations ; il est de tous les voyages, l'accompagnant durant ses séjours rituels à Trianon comme dans ses escapades à Saverne chez le cardinal de Rohan. Incarnant le parfait arriviste du XVIIIe siècle, il s'est déjà fait remarquer en emportant dans sa fuite à Königsberg une partie des joyaux de la Couronne et les registres du trésor. Stanislas affiche une grande affection pour lui, le comblant de châteaux, de domaines et d'honneurs... sans oublier de lui verser chaque année une pension de soixante-douze mille livres. Dès son arrivé en France, en 1736, Louis XV lui a accordé les lettres de naturalité, puis un brevet de duc en raison de son attachement à Stanislas. L'année suivante, il a reçu l'ordre du Saint-Esprit ; en 1743, Stanislas lui fait octroyer la charge officielle de « gouverneur du château de Lunéville et de capitaine des chasses et des plaisirs du roi ».

L'homme n'attire pourtant pas la sympathie ; peu apprécié de ses compatriotes, il a la réputation d'être cupide. Cela ne l'empêche pas de pratiquer un catholicisme forcené. Avec sa femme, il a obtenu, en 1739, du pape Clément XII, la permission de « faire célébrer chaque jour, à l'exception des fêtes les plus solennelles, la messe dans leurs oratoires en leur présence, celle des serviteurs et celle des hôtes [14] ». Installés au premier étage du château dans un luxe ostentatoire, les Ossolinski tiennent une cour dans la Cour. Leur maison totalise une quarantaine de personnes et leurs salons regorgent d'objets précieux, d'œuvres d'art, de collections d'armes et de médailles les plus rares, auxquels s'ajoute une bibliothèque riche d'un millier d'ouvrages et de recueils de musique.

Mari complaisant, le duc ne semble pas s'offusquer de la liaison de son épouse avec Stanislas. Elle ne durera guère, d'ailleurs, l'âge de Stanislas et son cortège de maux ayant raison des étreintes au profit d'une amitié sincère. Épuisée par une succession de fausses couches, affectée par la mort en bas âge de ses filles, la duchesse, de santé fragile, vit désormais confinée dans ses superbes appartements du Donjon, au centre du château de Lunéville, entourée de ses dames de compagnie, Anna Krotunska, Marie Bosiewiczow et Hélène Piklowna. Elle adore la musique, qu'elle pratique admirablement, jouant du luth et de la viole ou chantant des airs français et italiens. Elle aime aussi filer la laine, quand elle ne passe pas des heures à lire les écrivains de son temps, de Lesage à l'abbé Prévost en passant par Voltaire, Montesquieu et Samuel Richardson.

Parmi les femmes de l'entourage, il faut encore citer la sœur de Catherine Ossolinska, Marie-Anne Jablonowska, qui elle aussi a été la maîtresse du roi à Chambord avant de passer dans les bras du chevalier de Wiltz. Elle séjourne souvent à Lunéville où réside son amant. Leurs ardeurs ne se calment pas, en dépit des efforts de Stanislas, qui l'a mariée au prince de Châtellerault-Talmont...

Vieux sage et collectionneur de livres

Dans la maison du roi, dont la constitution a été officialisée en avril 1737, on rencontre aussi un vieil homme dans le sillage de l'ex-roi de Pologne : le baron Stanislas-Constantin de Meszek. Deuxième personnage de la Cour, il occupe la charge de grand maréchal du palais et d'intendant. C'est l'homme de confiance du souverain. À l'inverse d'Ossolinski, ce sage de quatre-vingts ans est aimé et respecté. Il a beaucoup œuvré à la popularité de Stanislas, qu'il représente dans maints baptêmes et cérémonies.

Troisième personnage de la Cour, le comte Joseph-André Zaluski est le grand aumônier et le conseiller-prélat de la cour souveraine de Lorraine et Barrois. Issu d'une illustre famille polonaise qui compte de nombreux dignitaires de l'Église, il a été nommé en 1728 grand référendaire de la Couronne par Auguste II. Il avait alors vingt-six ans. Ce prêtre d'une grande culture a parcouru l'Europe avec son frère pour recevoir l'enseignement des meilleures universités et satisfaire sa passion de la bibliophilie. Alors qu'il séjournait à Rome, au moment du second échec de Stanislas à Varsovie, il a décidé de se rallier à sa cause et l'a rejoint à Meudon, où il est devenu son grand aumônier. En remerciement, il a reçu en commende l'abbaye de Fontenay, près d'Autun, dont les revenus annuels s'élèvent à douze mille livres de France, puis celle de Villers-Bettnach, en Moselle, deux fois plus riche encore. Conseiller-prélat à la cour souveraine, il reçoit aussi la grande-prévôté de Saint-Dié, le 2 mars 1741, lors d'une magnifique cérémonie à laquelle assistent Stanislas, le duc Ossolinski et Chaumont de La Galaizière.

Perpétuellement en quête d'éditions rares, Zaluski dépense plus d'argent qu'il n'en reçoit. Mais la renommée de sa bibliothèque lunévilloise dépasse les frontières des duchés. À Nancy, il fréquente Antoine Lancelot, ami de Pierre Bayle, et Mabillon, venu inventorier les archives ducales; il visite l'historien Augustin Calmet, installé à l'abbaye de Senones, et chaque fois qu'il se rend auprès de lui il ne manque pas de faire un détour par Montbard pour rencontrer Buffon. Personnage secret, jugé égoïste, il n'est pas aimé en Lorraine. Et ses voyages mystérieux hors des frontières sous de faux noms n'améliorent pas son image. En 1742, vexé de n'avoir pas été élevé à la dignité de primat de Lorraine [15], il renonce à sa charge et regagne la Pologne, d'où il écrit au pape pour démissionner de la grande-prévôté de Saint-Dié; en revanche, il conservera sa vie durant les revenus de son abbaye lorraine. Quant aux seize mille ouvrages précieux laissés à la garde de son fondé de pouvoir, ils lui seront expédiés en 1745 dans quatre-vingt-trois caisses. Ils viendront compléter les trois cent mille volumes de la bibliothèque qu'il ouvre au public, à Varsovie, le 8 août 1747.

Les Lorrains prennent l'ascendant

Dans l'entourage immédiat du roi de Pologne, on côtoie d'autres personnages qui comptent dans le fonctionnement du château. Parmi eux, le grand chambellan, Louis-Marie de Béthune, apparenté à Stanislas par son oncle Jean-Stanislas Jablonowski et beau-père du duc de Belle-Isle. Mais aussi le grand écuyer, le comte de Wiltz, qui appartient à la famille lorraine de Custine. Il occupera sa charge une année seulement : victime d'une mauvaise blessure, il meurt le 2 avril 1738.

Le commandeur de Thianges (qui est en réalité chevalier) est grand veneur. Mais le sosie de Stanislas dans la dernière équipée polonaise (voir chapitre v) démissionne en 1746, tandis que son neveu, le comte de Thianges, entre à la Cour comme gentilhomme de la chambre. Le comte d'Haussonville est grand louvetier et le marquis de Lambertye, capitaine en chef des gardes jusqu'à sa mort en juin 1741. C'est le marquis de Boufflers qui lui succédera. Le marquis de Lenoncourt est grand maître de la garde-robe, le comte de Marsan, premier maître d'hôtel. À cette liste s'ajoutent une vingtaine de chambellans et autant de gentilshommes parmi lesquels quelques Polonais côtoient la vieille aristocratie lorraine, Bassompierre, Ludres, Gournay, Custine ou du Châtelet.

La constitution de la maison du roi montre que les fonctions sont réparties entre Polonais et Lorrains. Preuve que les grands chevaux lorrains n'ont pas longtemps boudé le roi de Pologne... Peu à peu ceux-ci vont d'ailleurs prendre la place des Polonais qui s'éteignent. En 1747, Mme de Bassompierre remplace Mme de Linange comme première dame d'honneur de la reine. En 1756, son frère, le prince de Beauvau, succède au duc Ossolinski comme grand maître de la maison du roi.

En revanche, les Français ne sont pas nombreux, bien qu'ils aient pris en main le gouvernement des duchés. Outre Chaumont de La Galaizière, Alliot et le chevalier de Solignac, une vieille connaissance fréquente par moments les salons de Lunéville : le chevalier de Vauchoux. Stanislas voue une grande reconnaissance à cet artisan de sa réussite, au point de l'inclure dès 1737 parmi les six grands officiers de la Couronne. Onze ans plus tard, il obtiendra la charge de gouverneur de Dieuze, devenant, honneur suprême, bailli d'épée au grand bailliage.

Stanislas n'est pas le véritable moteur de cette mutation. En fait, il applique strictement, sous contrôle de La Galaizière, les instructions de Louis XV, qui ne veut pas d'une cour polonaise à Lunéville.

Parmi les fidèles, Alexandre Dziuli, premier écuyer, qui a rejoint Stanislas à Dantzig ; Hyacinthe Wiklinski, capitaine des cadets, compagnon depuis Königsberg, qui se rendra souvent en mission en Pologne pour régler des successions. Sans oublier Jean Oslowski, huissier de la chambre du roi, et Mathias Salcinoki, officiellement premier valet, mais en réalité secrétaire préféré de Stanislas qui l'emploie depuis son séjour à Deux-Ponts. Restent encore Simon Solinski, crédencier de la reine de Pologne, au service des Leszczynski depuis plus d'un demi-siècle, Joseph-Zlacki Kamienski, sous-écuyer de Stanislas avec lequel il a été formé au métier des armes pendant leur adolescence en Posnanie ; Jean-Ignace Jeller, un Silésien, directeur de l'orchestre du roi, et Jean Chwizdak, le postillon personnel du souverain.

Quant à Jean-Baptiste Lazowski, chef de la bouche, d'abord au service du duc Ossolinski, il épouse une Lorraine en 1746. Le couple aura quinze enfants dont trois futures célébrités : Maximilien, le savant agronome, Félix, le général, Claude, le révolutionnaire.

La ferveur catholique des occupants du château de Lunéville se traduit par la présence d'un petit groupe de jésuites polonais. Outre Zaluski, on remarque le père Radominski, directeur de conscience de Catherine Opalinska depuis Deux-Ponts. En mars 1748, il quitte Lunéville pour Versailles et rejoint Marie Leszczynska. Sébastien Ubermanowicz, ancien professeur à Poznan, est à la fois confesseur du roi et prédicateur. Lorsqu'il meurt, le 13 décembre 1764, il est remplacé par le Lituanien Étienne Luskina. Recruté par la reine Marie, ce jésuite rentrera en Pologne à la mort de Stanislas pour devenir procurateur de l'ordre en Mazovie. D'autres, à l'image de Zaluski, sont moins présents mais profitent de la générosité du roi : Jean-Chrysostome Krasinski, grand aumônier de la reine, reçoit les bénéfices de l'abbaye vosgienne de Chaumouzey ; le bernardin Alexandre-Melchior Gurowski vit sur l'abbaye de Clairlieu, près de Lunéville ; le Polonais d'origine française Joseph-Benoît de Mathy, aumônier ordinaire de Stanislas, reçoit les bénéfices de l'abbaye Saint-Remy de Lunéville; un lointain cousin du roi de Pologne, Stanislas Miaskowski, naguère aumônier de Catherine Opalinska malgré sa grossièreté et son ignorance du latin, est abbé commendataire de l'abbaye de Rangeval; enfin Jean des Tournelles, Polonais d'origine française, fait office d'aumônier ordinaire du roi pendant quatre ans avant de regagner la Pologne en 1751.

CHAPITRE VIII

Le petit Versailles lorrain

En s'installant au château de Lunéville, Stanislas s'est glissé dans un décor imaginé par son prédécesseur dans des conditions inhabituelles. Car Léopold Ier ne s'était pas fixé sur les bords de la Vezouze par goût, mais simplement pour s'éloigner des armées d'occupation françaises qui phagocytaient Nancy. À cette époque, le château n'était pas très séduisant. Dans cette vieille bâtisse difficile à vivre, le duc de Lorraine rêvait d'un palais comparable à celui qui obsédait toutes les cours d'Europe, Versailles.

Le talent de Germain Boffrand

Après une première série de travaux effectués dès 1703, Léopold avait sollicité Germain Boffrand[1] en 1709. L'architecte français venait alors de s'éloigner de son maître Jules Hardouin-Mansart, concepteur notamment de la galerie des Glaces à Versailles, que le duc connaissait pour l'avoir déjà consulté. Boffrand réalisa plusieurs projets, dont un plan en H qui eut l'heur de plaire au duc. En 1711, il fut nommé premier architecte du duc de Lorraine et les travaux débutèrent aussitôt. L'architecte se rendait à Lunéville régulièrement, mais

189

travaillait plutôt à Paris d'après les relevés pris sur le terrain par Christophe André, qui surveilla les travaux jusqu'en 1712, relayé ensuite par Philippe-Sigisbert Cléret.

Léopold avait ardemment souhaité un château dans l'esprit de Versailles. Pour y parvenir, Boffrand dut non seulement tenir compte d'une forte dénivellation d'est en ouest, mais aussi du versant abrupt qui au nord domine la rivière, cernée d'un sol marécageux.

Le résultat fut à la hauteur des ambitions. La demeure découverte par Stanislas présente un corps central constitué par quatre colonnes d'ordre composite soutenant un attique couronné par un dôme pyramidal, le Donjon, qui donne toute sa majesté à l'ensemble. Conscient de la rudesse du climat lorrain, l'architecte a prévu aussi un péristyle qui conduit de la cour d'honneur au parc et qui permet aux arrivants de descendre de voiture à l'abri. Les appartements ducaux ne sont pas situés dans ce corps principal, mais dans l'intimité d'une aile latérale qui donne sur le jardin.

Jardins et parcs, appelés dès le début des travaux les Bosquets, complètent harmonieusement le bâtiment de Boffrand. Dessinés vers 1710 par Yves des Hours, un émule de Le Nôtre, aidé de Germain Boyleau, « jardinier de Paris », ils seront achevés en 1724 par Louis de Nesle, dit Gervais, qui a travaillé aussi à Meudon et à Schönbrunn. Miroir, jets d'eau et cascades, mis au point par Didier Lalance, doivent leur alimentation à une ingénieuse machine à élever les eaux de la Vezouze imaginée en 1732 par Philippe Vayringe. Enfin, charmilles, quinconces et parterres reçoivent une statuaire inspirée de la mythologie et sculptée notamment par Guibal, Adam et Vallier.

Le projet initial était plus grandiose encore. Mais entre-temps il avait été revu à la baisse à cause d'un incendie accidentel qui ravagea l'aile ducale et la chapelle en 1719. Le coût de la reconstruction, ajouté aux difficultés financières de Léopold, avait freiné les ambitions ducales. Boffrand profita quand même de la restauration de la chapelle pour repenser ses hauteurs de plafond afin d'y superposer deux ordres, ce qui n'avait pas été possible à Versailles. Résultat : un bâtiment lumineux d'une grande pureté. Les travaux devaient ensuite se limiter aux jardins et à quelques embellissements.

La disparition subite du duc Léopold, le 27 mars 1729, y mit un terme. La duchesse Élisabeth-Charlotte se borna, après lui, à construire en 1733 une salle de comédie dans le prolongement des appartements ducaux, au sud-est. C'est là qu'elle fit transporter (vers 1735) une partie des décors baroques de l'opéra de Nancy signés par l'architecte italien Francesco Bibiena – jusqu'à cette époque, les représentations théâtrales, quoique fort prisées, se déroulaient sur une scène démontable installée dans les jardins.

Stanislas commence par jardiner

En 1737, le nouvel occupant de Lunéville n'est pas dérouté. Au contraire, il aimerait prolonger le rêve de Léopold et développer le château. Il en a le loisir, le gouvernement des duchés ne le mobilisant guère. Seule contrainte : ne jamais mettre en péril sa pension annuelle. Règle que lui rappellera souvent le vrai « patron » de la Lorraine, La Galaizière. Sagement, Stanislas va donc oublier les bâtiments. Il se contentera de bouleverser l'ordonnancement des appartements et de veiller lui-même à leur décoration.

En revanche, il va jeter son dévolu sur les parcs et jardins, qu'on appelle toujours les Bosquets. Au nord, la bande de terre qui sépare le château de la Vezouze n'est qu'un marécage. En le voyant, Catherine Opalinska a poussé les hauts cris. Cela lui a rappelé l'expérience malheureuse de Chambord... Pour résoudre le problème, Stanislas décide de faire canaliser l'eau et de réaménager les Bosquets. Il profite de l'occasion pour se débarrasser des terrains vagues et des constructions vétustes qui défigurent l'est du parc, jouant avec les perspectives pour donner l'impression de dominer la campagne.

Stanislas brise l'équilibre sévère des Bosquets. Avec la complicité de son premier architecte, Jean-Nicolas Jennesson[2], puis, dès 1738, avec Emmanuel Héré[3]. Ce dernier a étudié le métier en suivant son père sur les chantiers du duc Léopold, dont il était le commis des travaux. Il a trente-deux ans lorsque Stanislas, qui lui a déjà confié la charge de capitaine concierge du château de Lunéville, fait de lui son premier architecte après la disgrâce de Jennesson. Homme de cour, Héré s'intègre parfaitement à l'entourage du roi, qui apprécie ce jeune architecte à l'oreille complaisante.

Pour l'heure, celui-ci doit réaliser un pavillon insolite, digne de ceux de Tschifflik, dans la partie méridionale des Bosquets reprise sur les anciens jardins de l'hôtel de Craon. Ce sera un kiosque semblable au *kösk* des Turcs, qui abrite fontaines et bains de jardin. Celui qu'édifie Héré en 1738 a la forme d'un T composé d'un pavillon carré et d'une galerie à deux niveaux. De larges baies en plein cintre habillent le rez-de-chaussée du pavillon orchestré autour d'un salon à l'italienne, tandis que l'étage accueille une tribune réservée aux musiciens. Le décor grouille d'angelots, de coquilles, de guirlandes fleuries et de torches. Les armes des Leszczynski, soutenues par des aigles, trônent au-dessus des têtes[4]. Des fontaines encadrent la porte centrale. Au milieu du salon, grâce à un ingénieux mécanisme hydraulique, une table surgit du sol ; elle est décorée d'un surtout de porcelaine figurant un paysage animé de minuscules jets d'eau.

Au fond du pavillon, un petit couloir mène à la galerie, ornée, au rez-de-chaussée, d'un portique à huit colonnes toscanes qui abrite une grotte d'où l'eau ruisselle en cascade. À l'étage, un salon ovale entouré de niches fait office de salle de bains. Il communique avec un petit cabinet où le roi aime passer la nuit en été, après avoir écouté un concert. Entièrement en bois, à l'exception des colonnes toscanes, le Kiosque, mi-turc, michinois avec ses toits retroussés, allie l'exubérance exotique au plus parfait décor rococo. Dans cette ambiance, Stanislas retrouve une parcelle de cette vie orientale qu'il a tant aimée à Bender... pendant sa détention. Vingt-trois ans plus tard, une nuit de juillet 1761, le Kiosque sera détruit par un incendie, probablement causé par un feu d'artifice organisé en l'honneur des petites-filles de Stanislas. Le roi apprendra la nouvelle au petit matin : « Sire, votre pavillon chinois est réduit en cendres. – Les maisons voisines ont-elles souffert ? – Il y en a trois d'endommagées. – Qu'on les répare vite. Quant au Kiosque, je ne le regrette pas, je vais en imaginer un bien plus beau[5]. » Ce qu'il fera en 1762, en confiant la réalisation à l'architecte Mique, successeur de Héré.

Exotisme sur une île artificielle

Près du Kiosque, en lisière des Bosquets, il s'empresse de faire ériger une comédie champêtre, amphithéâtre formé de banquettes de gazon ornées d'orangers. C'est un véritable théâtre de verdure, agrémenté d'une infinité de jeux aquatiques dont il ne se lasse jamais. Au nord, une fois les eaux canalisées, les nouveaux Bosquets prennent l'allure d'une île exotique appelée Saint-André, située entre la Vezouze et le Grand Canal. À son extrémité, Héré reçoit pour mission d'ériger un curieux pavillon de bois en forme de feuille de trèfle et aux toits en pagode, dans un environnement de quinconces. Au centre, un salon circulaire entouré de trois pièces nichées dans les lobes : deux sont meublées en chambres à coucher, la troisième se partage entre les bains, la garde-robe et la chaudière. L'ensemble est ceint d'une galerie couverte. La décoration intérieure renforce l'aspect de pagode de l'extérieur : peintures et tissus tendus reproduisent des scènes et des paysages chinois, épousant la mode de l'Extrême-Orient qui s'est emparée de l'Europe.

Stanislas prend plaisir à déguiser sa propre réalité en donnant à ses pavillons l'allure des résidences du Grand Moghol. Il fait là figure de précurseur puisque la construction de son Trèfle est bien antérieure à celle de la pagode fortifiée de Munich, de la maison de Thé du parc de Sansouci de Potsdam, de la pagode de Kew Gardens à Londres ou de celle de Chanteloup près d'Amboise. Dès sa construction, le bâtiment est attribué par le roi de Pologne à son inséparable compagnon, le duc Ossolinski, devenu grand maître de la maison du roi. À sa mort, elle reviendra à son successeur, le prince de Beauvau.

Sur l'île Saint-André, le roi Stanislas commande aussi à Héré la construction de six maisonnettes identiques, les Chartreuses. Murs de brique et toits d'ardoises leur donnent fière allure, d'autant qu'elles possèdent chacune un jardin et une tonnelle. Au fil des années, ces pavillons changeront souvent d'aspect : démolis, modifiés et reconstruits au gré de l'humeur de Stanislas, ils passent de six à treize. En 1740, il y en a huit, que le roi distribue à ses favoris pour y cultiver leur jardin. Il est de bon ton de le convier pour y goûter les produits des Chartreuses. Ces maisonnettes rappellent curieusement les douze petits pavillons construits vers 1680 à Marly par Hardouin-Mansart pour les invités de Louis XIV...

Le Rocher et ses automates

Outre-Rhin, la mode est alors aux paysages animés, et Stanislas n'ignore pas l'existence des cent soixante-cinq figurines du théâtre miniature d'Auguste II, son rival des années polonaises. En matières précieuses, elles ont été réalisées au début du siècle par l'orfèvre-joaillier allemand Johann Melchior Dinglinger. Sitôt les Chartreuses terminées, il lance donc Héré dans un nouveau projet, son Rocher magique : un décor animé par quatre-vingt-six automates grandeur nature. Les automates sont conçus par l'horloger François Richard, qui a imaginé un astucieux système hydraulique pour les mouvoir. Disposé en fer à cheval, sur deux cent cinquante mètres environ, près du Grand Canal, ce décor est accolé à l'escarpement des anciens remparts qui longent le château de Lunéville. Une superposition de pierres de grès des Vosges, de buissons et d'arbres compose un site montagneux bruissant de sources, de ruisseaux et de torrents. Il sert de havre aux moulins, cabanes, ateliers, bergeries de briques et de planches.

Tout un village reconstitué

Les quatre-vingt-six automates réjouissent le roi de Pologne qui passe des heures à les contempler. Sur l'appui d'une fenêtre, un chat miaule en remuant les oreilles et la queue. Il s'apprête à fondre sur un rat ; mais la proie se rebiffe en montrant ses dents. Près de la roue d'un moulin à eau, un garçon meunier s'affaire pendant qu'une femme tamise de la farine à sa fenêtre. Sur le seuil du moulin, le meunier brandit une cruche en fumant sa pipe, la meunière file à ses côtés, tournant son fuseau d'une main et mouillant son fil de l'autre, en baissant la tête. Auprès d'elle, son enfant caresse un chien. Dans le

195

poulailler voisin, un coq chante à tue-tête. Tout en haut du Rocher, les ailes d'un moulin à vent tournent sans relâche. Une jeune fille ouvre la fenêtre, regarde vers le bas en remuant la tête puis disparaît après l'avoir refermée. Plus bas, un cheval mange dans une auge. Sur la colline voisine paissent des brebis, sous l'œil du berger qui joue de la musette en battant la mesure avec le pied. Son chien, couché à ses pieds, se lève de temps à autre pour veiller sur son troupeau. Agenouillé au fond d'une grotte couverte de stalactites, un ermite se frappe la poitrine à intervalles réguliers tout en levant la tête. Plus loin, à l'ombre d'un berceau couvert de pampres et de verdure, quatre hommes et une jeune fille font honneur à une table bien garnie. On y boit joyeusement tandis que, au bas de la fontaine qui déverse son eau dans un bassin de pierre, deux blanchisseuses s'affairent : l'une bat le linge, l'autre le savonne. Au-dessus, un petit garçon et une fillette se balancent.

La société idéale d'un roi sans trône

Le Rocher n'est pas seulement « le jouet du roi », comme l'appellent les railleurs de la Cour. Cet univers magique où l'on vit en harmonie est l'image de la société pastorale dont rêve Stanislas. Utopie, il concrétise les aspirations manquées d'un souverain sans trône. C'est aussi l'ironie d'un roi conscient de régner par délégation alors qu'il brûle d'appliquer ses idées. Le Rocher est achevé en 1742, tout comme la Pêcherie, faux atelier qui sert d'embarcadère à l'extrémité du Grand Canal.

« *Pavillon de la Cascade* » : *classique et baroque*

Héré s'attelle dès 1743 au pavillon de la Cascade, érigé au-dessus de la triple chute qui surplombe le Grand Canal, à l'endroit où il forme un angle droit. Le bâtiment, construit en matériaux légers, présente deux niveaux, couronnés d'une terrasse à balustrade ornée de trophées, d'animaux, de mosaïques et de vases d'ornement. Sept hautes portes-fenêtres en plein cintre, séparées par huit colonnes doriques, constituent le premier niveau ; le second, conçu comme un attique, confère à ce pavillon l'allure d'une maison palladienne.

L'habitation se limite à une étroite galerie et à un grand salon où trône une table ronde surmontée d'une fontaine. Stucs et peintures luxuriantes couvrent les murs tandis qu'au plafond, en trompe l'œil, le char de Phoebus surgit des nuées cotonneuses. Cette fois, Héré a savamment mêlé classique et baroque pour composer un bâtiment raffiné qui s'harmonise avec le romantisme des cascades en escaliers animées de jets d'eau et ornées d'un bataillon de sculptures.

Un petit palais à Chanteheux

Parallèlement, depuis 1741, Héré travaille à un autre projet, le petit palais de Chanteheux, à l'extrémité de la longue perspective centrale des Bosquets, en direction du village du même nom. Après bien des négociations, Stanislas est parvenu à tripler la longueur des Bosquets à travers les garennes royales. Il en fait une longue avenue bordée d'une quadruple rangée de tilleuls qui court jusqu'à l'horizon où se détache la silhouette d'un petit château. Entre deux tours rondes servant de colombiers, deux ailes basses couronnées de balustres font office de dépendances. Mais tous les regards convergent vers le pavillon carré à trois niveaux décalés les uns par rapport aux autres et couvert de terrasses. Elles sont toutes ornées de vases et de statues ; des horloges monumentales remplacent les frontons tandis que les tuyaux des cheminées sont ingénieusement enchâssés dans huit vases taillés en pots de fleurs.

À chaque niveau correspond un salon, dont celui du rez-de-chaussée en forme de croix grecque, limité par seize énormes colonnes imitant le marbre et supportant une voûte peinte. Des pavés qui simulent la faïence égayent la pièce où quatre grandes fontaines de marbre, aux silhouettes d'enfants pêchant, dirigent leurs jets d'eau vers un grand bassin. Plus tard, le centre sera orné d'une statue de Louis XV, réduction de celle qui sera érigée sur la place Royale de Nancy.

Un magnifique escalier à rampe dorée conduit au salon à l'italienne dont le plafond en dôme ouvert au centre dévoile par une galerie le second étage éclairé par douze grandes fenêtres. Comme au Kiosque, le balcon permet de dissimuler l'orchestre, afin que la musique envahisse les lieux comme par enchantement.

Héré a aménagé les angles en oratoire, en cabinet tendu de bleu et argent, en chambre de repos et en atelier où Stanislas s'isole pour peindre.

Lunéville a son Trianon

Le salon de Chanteheux – comme on appelle ce palais féerique – regorge de somptueuses étoffes et de meubles argentés ou dorés. Peintures, fresques, motifs de stucs, or et argent, rocailles et statues complètent un décor rehaussé par les douze lustres en cristal de Bohême et les girandoles qui éclairent de mille feux les glaces placées au-dessus des quatre cheminées. Quelques chinoiseries, pendules et estampes, à la mode de l'époque, ajoutent une touche d'exotisme.

Pour Chanteheux comme pour le pavillon de la Cascade, Héré a puisé son inspiration dans la Villa Rotonda, près de Vicence, conçue par Palladio. Malgré quelques lourdeurs, concessions aux caprices du roi de Pologne, ce « Trianon lorrain » est un chef-d'œuvre. Il suscite l'admiration de Voltaire qui avoue : « Le château de Chanteheux est sans contredit le salon le plus beau, le plus riche et mieux orné qui soit en Europe ; il est unique en son genre[6]. »

Stanislas s'est donc façonné un décor à l'aune de ses plaisirs et s'est entouré d'une profusion de tableaux, de tapisseries, d'objets et de meubles. Le beau-père du Roi Très-Chrétien entend tenir son rang...

Multiples résidences... secondaires

Sur les bords de la Vezouze, au nord, il possède une autre résidence située dans le petit village de Huviller, la Ménagerie du roi, communément appelée Jolivet. Il l'a achetée pour 225 000 livres au marquis de Lambertye, capitaine des gardes du corps, contraint de s'en séparer en raison de mauvaises affaires... Stanislas, le baron de Meszek puis, à sa mort, le duc Ossolinski en auront la jouissance. C'est une jolie maison champêtre composée d'une ferme, du bâtiment du maître, d'une écurie, d'une orangerie, de vergers et de magnifiques potagers où l'on cultive des plantes rares comme les ananas. Deux parterres bordés d'ifs taillés en cônes s'étirent devant la maison, tandis qu'une allée de charmilles percées de portiques offre aux promeneurs de charmants points de vue sur la ville.

Un peu plus au nord, à huit kilomètres de Lunéville, Stanislas occupe de temps à autre une ancienne résidence

LE PETIT VERSAILLES LORRAIN

de Léopold à Einville-au-Jard. S'il ne modifie pas le pavillon central ni le grand canal du parc, il lui a adjoint une galerie composée de petits pavillons de chêne coiffés de toits verts et un salon-fumoir logiquement appelé Tabagie. Les jardins sont embellis. Outre ceux du roi et d'Ossolinski, au sud et au nord du château, un grand jardin s'étend à l'ouest, accessible par une terrasse ornée de deux parterres et de quinconces ; elle surplombe le jardin dessiné d'un côté autour du canal signalé par des orangers en caisse et de l'autre, terminé par une cascade bordée de pots de fleurs et de jets d'eau disposés en amphithéâtre. L'ensemble est couronné de cabinets de rocaille et de berceaux de feuillage abritant des orangers. C'est là que se situe la Tabagie, retraite favorite de Stanislas, entièrement en bois, inspirée du fumoir du roi de Prusse qu'il a admiré.

Parallèle au canal, la Galerie construite par Héré déploie ses vingt-quatre portes-fenêtres sur le jardin. Entre elles, le mur disparaît sous quatorze panneaux peints qui représentent les résidences du roi de Pologne. Trente-huit lustres éclairent cette immense salle dont les bougies se démultiplient à l'infini grâce aux miroirs des portes qui conduisent à deux délicieux petits salons chinois. Là encore, la féerie du spectacle éphémère est au rendez-vous...

Un décor pour la fête

Stanislas a planté à Lunéville un décor fait pour la fête et le divertissement. En dépit des sempiternelles jérémiades de Catherine Opalinska, chaque événement est prétexte à réjouissances. À l'occasion du mariage de Madame Élisabeth, sa petite-fille, avec l'infant d'Espagne Philippe, le 26 août 1739, Stanislas convie deux cents invités à un spectacle des mille et une nuits : au théâtre de verdure que vient d'achever Héré, cinquante mille pots à feu se démultiplient en jeux multicolores dans les eaux des fontaines, des bassins et des cascades.

Quelques années plus tard, c'est le mariage du Dauphin avec l'infante Marie-Thérèse qui se traduit par trois jours de liesse et de ripailles en 1745[7]. En l'honneur de son petit-fils, Stanislas fait ériger une sorte de temple à l'Hymen et à l'Alliance où les armes de France et d'Espagne s'unissent au-dessus d'un cartouche en forme de cœur renfermant les médaillons des époux. Cette immense pièce montée de carton-pâte doit s'embraser sous les yeux ébahis de milliers de spectateurs. L'artillerie, les timbales et les trompettes scandent le départ des fusées, tandis que mille soleils étincellent avant de disparaître dans le ruissellement d'or des cascades, alors qu'un bouquet de deux mille fusées met le feu au ciel, le palais et les Bosquets jaillissant d'un écrin de lumière.

Un château de plus : Commercy

Après la disparition de la duchesse-douairière Élisabeth-Charlotte, en 1745, Stanislas complète ses possessions avec le château de Commercy où la veuve de Léopold s'était retirée. La maison de la duchesse s'est dissoute d'elle-même, les uns cherchant à se faire employer à Lunéville, les autres, fidèles aux Habsbourg, préférant tenter leur chance à Vienne, à Bruxelles ou dans le lointain Banat.

Stanislas se rend pour la première fois à Commercy le 26 mars 1745. Il est stupéfait par l'allure du château, construit, suppose-t-on, au début du siècle par le bénédictin Léopold Durant, architecte de l'abbaye de Moyenmoutier. Ancienne résidence d'exil du cardinal de Retz, le château s'unit harmonieusement à la ville par une place en fer à cheval. L'accueil est chaleureux. Tout en rappelant sa fidélité à la duchesse défunte, Duhaut, curé de la ville, prononce un discours plein d'onction :

« Souffrez que j'ajoute, sire, que ce sera moins le devoir et l'éclat du trône qui nous inspireront ces sentiments que notre respectueuse tendresse et la vénération dont nous sommes pénétrés, depuis longtemps, avec toute l'Europe, pour ces rares vertus qu'elle admire en vous, et qui font de Votre Majesté, non seulement un grand roi, mais le plus affable et le plus gracieux des souverains[8]... »

Le souverain songe déjà aux transformations indispensables pour accentuer le caractère bucolique du lieu. Aussitôt commandés, les travaux rapidement exécutés sont achevés dès 1747. S'il ne touche pas à l'architecture extérieure, le roi de Pologne modifie l'intérieur selon son goût et ses habitudes, privilégiant le grand salon avec vue sur la Meuse où trônent un grand billard et un jeu de trou-madame. Ses appartements se composent d'une antichambre ornée de sept pièces de tapisserie de Beauvais, évocation de différentes chasses, et d'une grande chambre d'assemblée toute tendue de damas et de taffetas cramoisi, tissus que l'on retrouve aussi dans la chambre du roi. Pour cette pièce, il a préféré des tons printaniers – paille, rose et blanc – pour faire ressortir la délicatesse du mobilier peint à la chinoise et des pastels du roi et de la reine de France, et de la tenture de péquin pour le petit cabinet qui ouvre sur le grand cabinet doré et vert. Partout des lustres en cristal de Bohême et des glaces. Ossolinski et La Galaizière logent à l'étage.

Stanislas relance l'imagination de Héré pour transformer les jardins de Commercy en éden, avec la complicité d'un petit canal dérivé de la Meuse. Le château devient le royaume de l'eau et des jeux hydrauliques régentés par un Neptune doré sur son char au milieu d'une île plantée dans un grand bassin long de cent vingt mètres. Parallèle au château, le bassin est le point de départ du grand canal qui conduit au pavillon royal où Stanislas aime dormir. Pour y accéder, le roi met à la disposition de ses invités d'étranges embarcations aux allures fantastiques de dragon et d'hippocampe mues par des plongeurs et entourées d'une théorie de petites gondoles dorées. Une galerie en arcades relie les trois ailes de cette élégante construction où l'eau coule sur la façade dans les treillis de fer et donne l'illusion de colonnes de cristal.

Une statue de Diane au milieu de la rivière, un kiosque et une fontaine royale d'inspiration turque dans la forêt complètent le décor. Sans oublier, sur la terrasse du château, la grotte de Cerbère qui crache de l'eau et le pont d'eau où les promeneurs passent entre des colonnades d'eau ruisselante. À l'exotisme s'ajoute le caractère initiatique des jardins, préfiguration du paradis terrestre qui conduit à la quête d'absolu. Ici, tout a jailli de l'imagination du roi de Pologne, traduction par la nature des pensées qui l'occupent.

CHAPITRE IX

Affaires de famille

Pendant que Stanislas joue les architectes-jardiniers-décorateurs, le paysage politique de l'Europe change à nouveau. Le nouveau roi de Prusse s'appelle Frédéric II. Il a succédé à son père Frédéric-Guillaume, mort le 31 mai 1740. L'avènement du prince royal n'a pas suscité beaucoup d'inquiétude. Surtout pas chez Stanislas, qui apprécie sa finesse d'esprit et son goût pour les lettres et la poésie.

Six mois plus tard, le 20 octobre, la mort de l'empereur Charles VI est différemment ressentie. L'application de la pragmatique sanction en faveur de sa fille Marie-Thérèse ne semble pas acquise. De plus, l'Autriche, très affaiblie depuis son conflit avec l'Empire ottoman, doit survivre avec une armée désorganisée et un trésor presque vide. L'événement réveille les rivalités germaniques : la Bavière et la Saxe s'opposent à la pragmatique sanction. Frédéric II suit en faisant valoir les droits des Hohenzollern sur la Silésie, que ses troupes ne tardent pas à envahir.

Maladresse de l'émissaire français

La France a signé la pragmatique sanction, à condition qu'elle ne lèse pas les intérêts de l'Électeur de Bavière Charles-Albert, allié et proche parent de Louis XV. Mais le roi ne tient pas à plonger dans un nouveau conflit, comme il le révèle au cours d'une banale conversation versaillaise : « Je demeurerai les mains dans les poches, à moins que l'on ne voulût élire un protestant empereur[1]. » Fleury, fidèle à sa politique de neutralité, n'est pas plus favorable que le roi à une intervention armée. Finalement, le Conseil du roi opte pour un compromis : laisser à Marie-Thérèse l'héritage de ses ancêtres (Bohême, Hongrie, Autriche) et favoriser l'élection de Charles-Albert de Bavière au trône du vieil Empire romain germanique.

Investi du titre d'ambassadeur et promu maréchal, le comte de Belle-Isle part représenter la France à la diète électorale de Francfort. Situation paradoxale pour ce petit-fils de Fouquet et ami de Stanislas qui ne brille pas par son sens de la diplomatie. Outrepassant ses instructions, il signe, le 5 juin 1741, un traité avec la Bavière et la Prusse aux termes duquel la France soutiendra par les armes l'Électeur de Bavière, garantira la possession des conquêtes silésiennes au roi de Prusse et votera à la diète en faveur de Charles-Albert. De son propre chef, Belle-Isle vient d'entraîner la France dans la voie de la guerre.

Marie-Thérèse fait face à la coalition sans pour autant parvenir à éviter l'élection du Bavarois, qui devient, le 24 janvier 1742, l'empereur Charles VII. Cependant, en sacrifiant la Silésie, elle obtient le désengagement du roi de Prusse après une négociation secrète, tandis qu'à Londres lord Carteret affirme son soutien à l'Autriche pendant que la Saxe dépose les armes. Par cette volte-face inattendue, Frédéric II ridiculise la France.

206

Le cardinal de Fleury meurt le 29 janvier 1743 à quatre-vingt-neuf ans. Très affecté par cette disparition, Louis XV décide de se passer de Premier ministre, bien qu'il associe à ses réflexions son cousin, le jeune prince de Conti. En revanche, il confie la direction des opérations militaires à un homme de confiance, le maréchal de Noailles. Au printemps de 1744, il met un terme à la situation équivoque provoquée par la maladresse de Belle-Isle en déclarant la guerre à l'Angleterre et à l'Autriche. Les opérations militaires se déplacent pour se concentrer sur la frontière des Pays-Bas, théâtre privilégié des guerres du Roi-Soleil, ce qui n'exclut pas une menace sur le front de l'Est. Comme son aïeul, Louis XV décide de prendre la tête des troupes : il accompagnera l'armée de Flandre confiée à Noailles. Secondé par Maurice de Saxe, qu'il vient de faire maréchal, il remporte une série de victoires en s'emparant successivement de Menin, Ypres, Knocke et Furnes.

La Lorraine de nouveau menacée ?

L'inquiétude a gagné les Lorrains, qui se demandent comment la situation va évoluer. Les troupes françaises, chassées de Bohême, ont repassé le Rhin, repoussées par les soixante mille hommes du prince Charles-Alexandre, douzième enfant du duc Léopold et d'Élisabeth-Charlotte. Si l'Autriche sort victorieuse de l'affrontement, ce frère de François de Lorraine pourrait bien prétendre aux duchés lorrains.

Pour prévenir toute attaque, le roi de Pologne fait creuser des fossés autour de Lunéville et renforcer les gardes du château par douze canons disposés devant les grilles. Le 29 août 1743, il replie la reine Catherine à Nancy et la rejoint le lendemain ; à la mi-septembre, c'est La Galaizière qui rallie la capitale ducale. Mais

207

bientôt l'hiver approche, écartant tout risque d'incursion ennemie, et tout le monde regagne Lunéville.

Au cours de l'été suivant, les armées du prince Charles-Alexandre prennent pied en Alsace après avoir trompé la vigilance des hommes du maréchal de Coigny. À peine les Autrichiens ont-ils franchi le Rhin que la cour de Lunéville déserte à nouveau le château. Première étape à La Malgrange, ancienne résidence d'été du duc Léopold. Devant le danger, Catherine Opalinska et sa suite vont se réfugier au château de Meudon.

Stanislas les aurait bien suivies si le chancelier ne lui avait rappelé ses devoirs de souverain. Il reste donc en Lorraine, mais s'abrite, avec son trésor, derrière les remparts de Metz. Seul à Lunéville, Meszek veille. C'est lui qui reçoit le message rassurant de Charles-Alexandre au roi de Pologne, affirmant que si ses troupes doivent traverser la Lorraine, elles ont reçu l'ordre de n'y commettre « aucune violence ni excès qui ne puisse inquiéter Sa Majesté ». Rassuré, Stanislas revient à Nancy puis se décide à rallier Lunéville.

Mais bientôt, en Alsace, Haguenau est prise, ce qui met la Lorraine sous la menace des troupes autrichiennes qui approchent de Saverne. Stanislas retourne s'enfermer dans Metz pendant que La Galaizière tente d'organiser la résistance en regroupant les milices, en armant les ouvriers des salines et en faisant élever des fortifications de fortune le long des routes qui conduisent vers l'Alsace.

Le roi à Metz

Louis XV quitte le front du Nord pour l'Est, emmenant avec lui vingt-six bataillons et trente-six escadrons de l'armée de Noailles. En Flandre, Maurice de Saxe dispose de soixante mille hommes en campagne et de quarante mille dans les places pour empêcher une invasion. Le roi entre dans Metz le 5 août 1744, accompagné de sa maîtresse, Mme de Châteauroux, qui le suit depuis le début de la campagne. Le surlendemain, il reçoit Schmettau, grand maître de l'artillerie du roi de Prusse, venu lui annoncer le revirement de son roi : Frédéric II a décidé de reprendre la lutte contre Marie-Thérèse en pénétrant en Bohême et en Moravie, ce qui bouleverse les plans du prince Charles-Alexandre : il repasse précipitamment le Rhin et retourne en Souabe. L'Alsace est sauve, la Lorraine respire... Et Stanislas, qui ne s'est pas montré particulièrement courageux dans l'aventure, peut remercier la Providence.

Entre-temps, Louis XV, souffrant de maux de tête et de fièvre, s'est alité chez Belle-Isle. Les médecins dépêchés à Metz le croient perdu. Sitôt la nouvelle connue, le royaume tout entier prie pour le salut du roi bien-aimé.

Aux mains d'un clergé intrigant et tout-puissant, le royal malade abjure ses fautes et renvoie sa maîtresse. À l'aube du jour de l'Assomption, il reçoit même l'extrême-onction alors que Marie Leszczynska, qui a reçu l'autorisation de se rendre à Lunéville[2], atteint Vitry-le-François le 17 au matin, où elle embrasse Stanislas venu à sa rencontre. Le soir même, avant minuit, elle arrive à Metz et se précipite dans la chambre du roi qui lui demande pardon. De leur côté, le Dauphin et Mesdames ont reçu l'ordre de se rendre à Verdun pour attendre de nouvelles instructions. Mais le précepteur du Dauphin, le duc de Châtillon, préfère conduire son protégé directement à Metz – décision maladroite qui irrite Louis XV, dont la santé s'est améliorée. Mesdames sont arrivées le lendemain, la famille royale se trouve donc réunie pour suivre la convalescence du roi.

Le 8 septembre, celui-ci peut s'habiller, mettre sa perruque et réunir son Conseil d'en haut. Certes, il est guéri, mais il garde le souvenir amer de s'être donné en spectacle, de s'être repenti comme un simple bourgeois.

La famille royale visite Lunéville

Bientôt l'atmosphère de Metz devient irrespirable pour lui ; il estime qu'il est temps de poursuivre la guerre. Le 21 septembre, le Dauphin est envoyé à Lunéville, le temps d'embrasser « Papinio » (surnom qu'il a donné à son grand-père), de jeter quelques pièces à la foule assemblée à la sortie de la messe à Chanteheux, de se dégourdir en chassant à Einville et d'admirer le spectacle du Rocher.

Le jour de son départ, le cortège de ses sœurs fait son entrée dans Lunéville entre une haie de deux cents jeunes filles en robe blanche et écharpe bleue. Mêmes visites, mêmes spectacles, mêmes découvertes, la chasse en moins. Mais le cœur n'y est pas. Mesdames restent émues par l'incident de Metz et Stanislas songe aux trésors de diplomatie qu'il va falloir déployer pour recevoir le roi et la reine de France.

Marie aurait bien aimé accompagner le roi en Alsace, mais Louis XV décide froidement que ce n'est pas utile. Elle part alors pour Lunéville le 28 septembre et il la rejoint le lendemain. Stanislas, qui a rappelé Catherine Opalinska de Meudon, s'est préparé à égayer le séjour de ses hôtes. Marie a été accueillie à l'entrée de la ville par un escadron d'amazones ; le lendemain toute la population est massée dans la rue pour voir passer le roi de France. Le roi de Pologne exulte : le Roi Très-Chrétien lui rend enfin visite... Souffrante, comme à l'accoutumée, Catherine Opalinska se fait excuser... Le Rocher et ses automates, le Kiosque, la Cascade, Chanteheux, Jolivet dévoilent leur féerie de lumières et d'eaux. Un feu d'artifice ponctue le souper en grand couvert tandis que, le lendemain, Stanislas entraîne son gendre à la chasse. Tout cela n'empêche pas le séjour de Louis XV d'être un échec. Maussade, il quittera Lunéville dès le 2 octobre, sans même prendre le temps de saluer Catherine Opalinska... qui s'en offusquera. La Cour garde le souvenir d'un homme perdu dans ses pensées, souvent indifférent. Seul Chanteheux et les édifices l'ont intéressé (il aurait même déclaré avec une pointe d'étonnement : « Mon père, vous êtes mieux logé que moi. »).

Il abandonne donc Marie Leszczynska, partagée entre la peine de n'avoir pu reconquérir son époux et la joie de prolonger ce séjour familial. Hélas, le 3 octobre, elle apprend la nouvelle de la disparition de sa fille Madame Septième, morte à l'abbaye de Fontevrault loin des siens. Elle tente de s'apaiser par la prière, songeant à ce bébé naguère baptisé – ironie du sort – Félicité. Auprès de son père, elle épanche son cœur d'épouse bafouée, mais Stanislas lui rétorque simplement que le propre d'une reine est d'être trompée. Il parle en connaissance de cause... Elle s'inquiète aussi pour sa mère : « Je suis en peine de Maman ; elle a de la fièvre et a été saignée. Je vous avoue que si je la laisse dans cet état quand je partirai, cela me fera une peine affreuse. Il est bien triste qu'un voyage qui ne devait que me plaire soit aussi mêlé d'amertume. Que la volonté de Dieu soit faite[3] ! »

Mort de la duchesse douairière Élisabeth-Charlotte

À la même heure, une autre femme est au plus mal, la duchesse douairière de Lorraine Élisabeth-Charlotte. Sa santé l'a toujours préoccupée, au point qu'elle s'est entourée de cinq médecins, de deux chirurgiens et d'un apothicaire ! Alors même que son fils Charles-Alexandre était sur le point d'envahir la Lorraine, elle a été victime d'une attaque d'apoplexie suivie de convulsions. Malgré les soins, la veuve de Léopold Ier s'éteint le 23 décembre 1744. Dans son journal, le libraire nancéien Nicolas note : « Tout le pays retentit de gémissements. Son corps resta exposé dans sa chambre tendue de deuil pendant un jour et demi. On y célébra la messe devant une foule nombreuse. La princesse sa fille ne l'a pas quittée pendant sa maladie, puis s'est retirée dans ses appartements [4]. » À Nancy, « on s'attendait à ce que l'évêque de Toul donnerait un mandement pour qu'on priât Dieu pour elle : il n'en fit rien ; au contraire, il donna des ordres pour que l'on ne sonnât que quand le corps arriverait à Nancy et empêcha les curés et le clergé de l'accompagner. Il leur permit de faire seulement l'aspersion au passage, leur ordonnant de retourner dans leurs églises par le chemin le plus court [5]. »

Au son du canon, la dépouille de la duchesse est conduite aux Cordeliers de Nancy en un cortège aussi lugubre que magnifique. Les carrosses drapés de noir, entourés de gardes du corps à cheval et de pages portant des flambeaux, entrent dans la ville le 19 février vers cinq heures du soir ; cent pauvres en robes noires escortent le catafalque entre une haie de soldats du régiment du roi. Afin d'éviter toute manifestation, La Galaizière a interdit la publication de l'oraison funèbre prononcée par le père Cuny. Et la cour de Lunéville se contente de prendre le deuil pendant un mois.

Nouveaux tourments à Versailles

L'été 1746 apporte à Stanislas une mauvaise nouvelle : la disparition brutale de sa petite-bru, l'épouse du Dauphin, morte après ses couches. À peine la dauphine espagnole est-elle enterrée à Saint-Denis que Louis XV songe à la remplacer par Marie-Josèphe, princesse de Saxe. Pour cela, il faut convaincre Marie Leszczynska du bien-fondé de ce choix qui ferait dauphine de France la petite-fille du rival malheureux de son père, Auguste III.

La reine, qui couve le Dauphin, trouve que l'on va trop vite en besogne, mais le roi passe outre et les négociations avancent si bien que Louis XV annonce publiquement leur conclusion le 19 novembre. Il adresse dès le 22 une lettre à Stanislas afin de ménager la susceptibilité de ses beaux-parents :

« Monsieur mon frère et beau-père,

« La nécessité de remarier promptement mon fils, les circonstances présentes, le peu de princesses à portée d'y prétendre et le bien infini qui m'est revenu de la princesse Marie-Josèphe de Saxe a fixé mon choix sur elle. Le roi son père vient de me l'accorder, et je me hâte d'en faire part à Votre Majesté en lui demandant l'agrément et la permission pour son petit-fils, ainsi que celui de la reine son épouse, à qui je n'écris pas présentement, crainte de l'importuner[6]. Je suis, avec l'amitié la plus sincère, la plus tendre et la plus parfaite[7]... »

Cette attention de Louis XV touche Stanislas, mais au fond la décision ne l'émeut guère, car il n'éprouve aucune rancœur à l'égard des descendants d'Auguste III. Le père de Marie Leszczynska joue même le jeu de la cour de France, allant jusqu'à féliciter son vieil ennemi.

Le surprenant bracelet de la dauphine

Mais il devra patienter pour faire la connaissance de Marie-Josèphe, car l'état de Catherine Opalinska s'est aggravé pendant l'été 1746 ; on le juge si alarmant que Versailles a décidé de modifier l'itinéraire de la future dauphine pour éviter la Lorraine. Pour la première fois, Lunéville ne s'embrasera pas à l'unisson de Versailles, Paris, Dresde et Varsovie. Quand, quelques semaines plus tard, Stanislas apprendra « l'épisode du bracelet », il regrettera encore plus de n'avoir pu rendre hommage à la petite Saxonne. À la cour de France, la coutume veut en effet que, le troisième jour après le mariage, la dauphine porte un bracelet enchâssant le portrait de son père. Toute la Cour guette la réaction de Marie Leszczynska. Lorsque la dauphine paraît avec le magnifique bijou, personne n'ose le regarder. Pour chasser le malaise, la reine s'avance vers la jeune femme : « Voilà donc, ma fille, le portrait du roi votre père ? – Oui, maman, voyez comme il est ressemblant. » Surprise : c'est le portrait de Stanislas !

Catherine Opalinska a-t-elle su ce geste de la dauphine ? On l'ignore. Peut-être aurait-il chassé la rancœur qu'elle avait éprouvée à l'annonce d'un mariage qu'elle considérait, elle, comme une véritable trahison... Sa santé s'est encore altérée, la neurasthénie faisant place à une sorte de démence sénile. Elle ne rêve plus qu'à la terre de ses aïeux. Pour l'apaiser, Stanislas lui promet de rentrer en Pologne. La légende raconte même qu'il aurait fait atteler des voitures lourdement chargées dans la cour du château pour qu'elle emporte dans son agonie les sons des préparatifs du départ...

Une attaque cérébrale met un terme au calvaire de la reine de Pologne, le 19 mars 1747. Elle sera enterrée à Nancy, en l'église Notre-Dame-de-Bon-Secours. « On sonna dans toutes les églises de la Lorraine pendant quarante jours, relate le libraire Nicolas. Le roi fit donner cent livres de France à chaque couvent et paroisse de Nancy, Lunéville, Saint-Nicolas pour prier pour la reine [8]. » Dans les jours suivants, Stanislas est introuvable. Il s'est retiré dans la solitude à Jolivet, comme à chaque fois qu'il est frappé par le malheur.

La Lorraine acclame Adélaïde et Victoire

La vie et les fêtes ne reprennent à Lunéville qu'un peu plus tard. Stanislas a sa cour, ses amis, ses complices et ses compagnes... mais pas de famille. Sa fille et ses petits-enfants sont tous à Versailles.

Le 2 juillet 1761, le roi patiente sous les ombrages de la Fontaine royale, dans la forêt de Commercy : il attend Mesdames, qui vont demeurer quelques jours auprès de lui avant de prendre les eaux à Plombières. À respectivement vingt-neuf et vingt-six ans, Adélaïde et Victoire en attendent la guérison de leurs embarras gastriques, dus à une gourmandise... héréditaire. Parties de Marly, les filles de Louis XV voyagent avec un équipage d'une centaine de personnes.

Stanislas est très ému de retrouver ses petites-filles ailleurs qu'à Versailles. Quant aux princesses, habituées à l'hostilité et au mépris de la Cour, elles s'étonnent de se voir fêtées et acclamées. Commercy et la Fontaine royale s'illuminent de sept mille pots à feu ; Nancy mobilise une compagnie de cavalerie bourgeoise qui, étendards au vent, fait les honneurs de la ville dans une cacophonie assourdissante de coups de canon, de volées de cloches, de timbales et de trompettes. Place Royale, les filles du Bien-Aimé découvrent, sous les ors des derniers rayons du soleil couchant, la statue du roi, leur père, tandis que se multiplient hommages et cadeaux. Le primat de Lorraine, M. de Choiseul, ouvre pour elles la châsse de saint Sigisbert pour leur offrir un mince fragment du corps du roi d'Austrasie[9].

La nuit précédant l'arrivée de Mesdames à Plombières, un violent orage détruit tous les décors de fleurs et feuillages préparés par les habitants, mais l'accueil joyeux de la population et la bonne grâce des princesses métamorphosent l'atmosphère pesante de cette petite station thermale encaissée dans la vallée de l'Augronne.

Rien n'est trop beau pour ses petites-filles

Les princesses doivent demeurer en Lorraine trois mois, suivant deux cures entrecoupées de quelques semaines de détente à Lunéville. Stanislas invente mille et un tours pour les étonner. Lunéville étincelle de lumière et les soirées s'achèvent par des feux d'artifice chaque fois plus ingénieux ou exotiques. Le Rocher répète inlassablement le ballet de ses automates. Fascinées par l'ambiance qui se dégage de cette principauté miniature, Mesdames ont failli faire les frais de l'espièglerie de leur cher Papinio : sous le pont de bois qui enjambe le canal face au Rocher, Stanislas a fait dissimuler une tuyauterie complexe destinée à arroser les jupons des dames restées sur le pont en pleine contemplation des poupées animées. Elles prennent la fuite, déclenchant l'hilarité du roi de Pologne.

En cet été torride, la Cascade est le théâtre d'une pastorale écrite par le chevalier de Solignac et composée par Perardel, le musicien du roi, tandis qu'au bout du canal un vaisseau battant pavillon hollandais s'apprête à accoster pour exécuter un ballet hollandais. En revenant vers le château, un groupe de danseurs alsaciens accueille les princesses avant de laisser la place à la musique du roi pour le bal que Stanislas ouvre avec Madame Adélaïde. Le jour, c'est l'eau qui reflète les rayons du soleil et illumine le décor ; la nuit, des milliers de pots à feu soulignent la courbe des bassins, révèlent les statues, dévoilent des cabinets de verdure ou incendient une cascade. Les couleurs tournent au fantastique et les jets d'eau deviennent cristal lorsque Mesdames s'en vont souper à Chanteheux en empruntant l'allée illuminée. Le théâtre de verdure remporte la palme des illuminations avec un décor qui, grâce aux effets de perspective, peut représenter une résidence du roi de Pologne. La fête prend fin le 28 août 1761. Mesdames regagnent Plombières pour leur seconde cure ; Stanislas, affrontant la chaleur et la fatigue de la route à travers les Vosges, leur rend visite à trois reprises.

Les eaux réussissent à Mesdames et Stanislas, pressentant d'autres cures, s'empresse de faire ériger dans la grand-rue une splendide maison [10] dont le rez-de-chaussée en arcades offre une promenade agréable quand il pleut. La demeure est si séduisante que les Plombinois la surnomment le « palais royal ». Mesdames renouvellent leur séjour en 1762. De nouveau, Commercy, Nancy, La Malgrange et Lunéville se mobilisent pour la fête.

Elles arrivent dans la station vosgienne le 29 mai, accompagnées par le comte de Croix, envoyé du roi Stanislas. Mieux : celui-ci leur dépêche certains de ses musiciens qui, chaque jour, offrent un nouveau concert, tandis que quatre cents hommes du régiment Royal-Navarre constituent la garde d'honneur. Maître d'œuvre des loisirs, le comte de Croix étourdit Adélaïde et Victoire de promenades, de fêtes champêtres, n'hésitant pas à faire construire un théâtre en planches pour donner *Le Mariage de Figaro*, dont les répétitions ont été dirigées par Beaumarchais lui-même, lui aussi achevant une cure à Plombières.

Comme l'année précédente, Stanislas se rend à plusieurs reprises dans la station thermale. Il y donne une grande fête sous les feuillées du val d'Ajol, où coule une fontaine bien connue des chasseurs et des amoureux. Trouvant le lieu romantique à souhait, il se serait écrié : « C'est une des beautés de la nature et je veux qu'elle porte mon nom [11] ». Ce qui fut fait...

Marie veut remarier son père

C'est à l'occasion de cette fête que Stanislas rencontre la sœur de la dauphine, la princesse Christine de Saxe, qui voyage sous le pseudonyme de comtesse de Henne-berg. En fait, elle s'est arrêtée à Plombières à l'instiga-tion de Marie Leszczynska. La reine songe en effet à remarier son père. Elle a cru y parvenir avec Mme de La Roche-sur-Yon, mais celle-ci est morte ; depuis, ses espoirs reposent sur Christine de Saxe ; elle a vingt-neuf ans. En apprenant le dessein de sa fille, Stanislas s'esclaffe : « Je me chatouille de rire sur votre projet de mon mariage. Je viens d'apprendre que ma prétendue épouse est terriblement laide [12]. »

Mais lorsqu'il rencontre la princesse à Plombières, il découvre une jeune femme charmante et instruite. Il l'invite à Lunéville mais écrit à Marie Leszczynska : « Je reviens dans ce moment de Plombières, ayant laissé les chères Mesdames dans une parfaite santé et Mme la comtesse d'Henneberg dans une estime générale de tout le monde, qu'elle s'est acquise par son mérite, lequel pourrait faire un progrès particulier sur moi et réaliser votre pensée. Mais il y a une raison insurmontable à ne pas faire aller plus avant. Voulez-vous la savoir ? C'est que cette union ne produirait pas une autre reine de France, ma chère et incomparable Marie. Ainsi cet évé-nement ne sera pas mis dans le compte des extraordi-naires de ce siècle [13]. »

CHAPITRE X

Les visiteurs de Lunéville

Stanislas prend plaisir à recevoir des hôtes de passage, aristocrates en mission, diplomates en escale, amis polonais, princes et princesses en route pour Plombières ou écrivains et philosophes venus discourir avec ce prince savant. Qu'il réside à Lunéville ou à Commercy, il a prévu pour eux des appartements au château et des chambres en ville. Helvétius, alors tout jeune fermier général, s'y arrête à l'occasion d'une tournée d'inspection alors qu'il est plongé dans la rédaction de son essai *De l'esprit*. Pour sa part, Montesquieu séjourne à La Malgrange en juin 1747 et confie à l'abbé de Guasco qu'il a « été comblé de bontés et d'honneurs à la cour de Lorraine[1] ». Il éprouve beaucoup d'estime pour son hôte royal, au point de disséminer dans ses *Voyages* et ses *Cahiers* des observations favorables sur la manière dont il administre la Lorraine.

Stanislas reçoit aussi le président Hénault, magistrat et littérateur, confident de Marie Leszczynska qui l'a nommé surintendant de sa maison, ainsi que Paradis de Moncrif, protégé de Maurepas et de d'Argenson qui assume la charge de lecteur de la reine. Le fameux abbé Morellet fait une brève apparition, tout comme la comtesse de Bentinck, surnommée la « Sévigné de l'Allemagne[2] ».

Sur le chemin de Berlin, le physicien Maupertuis fait deux fois étape en Lorraine, dont un séjour en 1754 en compagnie de son ami mathématicien et géographe La Condamine qui se rend aux eaux, à Plombières.

Outre des savants académiciens et des amis des Encyclopédistes, le roi de Pologne se fait un devoir de bien recevoir les princes ses voisins. Dans une lettre du 16 janvier 1748, Alliot informe le comte de Sade, militaire, diplomate, poète, philosophe, libertin et père du marquis, de l'arrivée à Lunéville des ducs de Wurtemberg[3] :

« Le roi [Stanislas] et toute la Cour en sont charmés. Sa Majesté les retient encore demain pour leur faire prendre un cerf. Aujourd'hui, ils ont été à Chanteheux, Einville et Jolivet, puis à la comédie de *Démocrite*[4] jouée par les dames, et au *Coq de village*[5], où jouait Lécluse[6]. Il y a eu appartement très brillant ; on va souper, il y a un concert de cinquante personnes, puis bal masqué[7]. »

Émilie du Châtelet

En février 1748, c'est Voltaire et sa maîtresse, Mme du Châtelet, qui débarquent à Lunéville.

Le couple intrigue les habitués de la cour de Lorraine. La belle Gabrielle-Émilie Le Tonnelier de Breteuil, marquise du Châtelet, est tombée dans les bras de l'écrivain quinze ans plus tôt, en 1733. Elle avait alors vingt-sept ans et lui trente-neuf. Mariée à dix-neuf ans à un militaire de carrière, Florent-Claude du Châtelet, aîné d'une famille de la vieille noblesse lorraine, la jeune marquise, savante et mondaine, faisait déjà le bonheur des salons littéraires de la capitale. Son esprit vif amusait, sa voix était mélodieuse et elle dansait à ravir. Raffolant des diamants, des rubans et des pompons, elle se ruinait aux cartes et pratiquait aussi bien la frivolité que la géométrie. Fier de cette épouse brillante, le mari, qui n'avait su conquérir son cœur, s'accommodait d'une alliance fondée sur le respect de la liberté de chacun (elle lui donna pourtant trois enfants, dont deux survivront). La jeune femme aux yeux verts « eau-de-mer » a rencontré l'écrivain à l'esprit caustique dans un salon. Il l'a séduite, elle l'a étonné.

Lorsque, en juin 1734, le parlement de Paris condamne les *Lettres philosophiques*, Voltaire se sent menacé d'une lettre de cachet qui le jetterait en prison. Émilie lui offre aussitôt l'hospitalité du château de Cirey-sur-Blaise, fief des du Châtelet, aux confins de la Champagne et de la Lorraine. Avec la complicité du marquis, Voltaire et Émilie entretiennent une liaison passionnée et studieuse, semée d'orages mais cimentée par une admiration mutuelle. Dans la tranquillité de Cirey, Émilie traduit de l'anglais *La Fable des abeilles* de Mandeville, elle écrit un *Examen de la Bible* et compose à l'intention de son fils des *Institutions de physique*. Voltaire, lui, publie les *Éléments de la philosophie de Newton* et travaille à un essai sur *Le Siècle de Louis XIV*, sans pour autant négliger ses activités de poète et de dramaturge.

Au fil des années, la « divine Émilie » est devenue plus possessive, supportant mal les voyages de Voltaire dans ces « courettes allemandes » qu'elle méprise. Leur relation amoureuse s'est dégradée, d'autant que le philosophe ne résiste pas à la tendresse de sa nièce, Marie-Louise Denis. Il ne rompt pas avec Émilie, mais sa passion se mue en amitié, et Mme du Châtelet souffre « d'aimer pour deux ».

Quand le duo s'installe à Lunéville, à la fin de l'hiver 1748, Voltaire affiche une cinquantaine souffreteuse. En revanche, Émilie resplendit du haut de ses quarante-deux ans. Grande et toujours mince, elle partage l'amour de la fête et du jeu avec la marquise de Boufflers. Certes, on la dit déprimée... mais pas devant ses (nombreux) admirateurs. L'un d'entre eux est un gentilhomme sans fortune qui répond au nom de Jean-François de Saint-Lambert. Nancéien d'origine, il a trente-deux ans, et les méchantes langues racontent qu'il a ajouté une particule à son nom. Il a passé son enfance non loin de Haroué, où il est devenu le compagnon de jeu des Beauvau-Craon, ce qui lui a valu le modeste grade de lieutenant dans la garde de Stanislas. De santé fragile, ce militaire mondain apprécie davantage les salons où l'on parle de poésie que la promiscuité des campements. Les jolies femmes apprécient sa dolence charmeuse ; Mme de Boufflers le compte d'ailleurs parmi ses amants.

Au cours d'un dîner chez Chaumont de La Galaizière, Émilie a l'occasion de converser avec Saint-Lambert. Séduction réciproque : il est flatté d'intéresser une femme d'esprit divinisée par Voltaire ; elle s'émeut de sa sensibilité. Le cœur d'Émilie s'enflamme, celui de Saint-Lambert se laisse glisser dans une aventure qu'il croit sans lendemain. Mme de Boufflers assiste impuissante à l'idylle de son jeune amant avec la maîtresse de Voltaire.

La légende prétend que l'invitation de Voltaire et d'Émilie aurait été manigancée par le père de Menoux, le jésuite confident de Stanislas, dont il partage les réflexions théologiques mais sans jamais réussir à s'imposer comme directeur de conscience... Le religieux déteste la marquise de Boufflers et il a maintes fois sermonné Stanislas pour qu'il répudie cette personne dont l'immoralité le choque. Il aurait donc imaginé de pousser Mme du Châtelet dans le lit de Stanislas pour en chasser sa rivale. Peine perdue ! Certes, Stanislas apprécie les appas de la belle Émilie, mais il n'y succombera pas.

Théâtre pour toute la Cour

Voltaire connaît Lunéville pour y avoir séjourné en 1735 et fréquenté le salon de Mme de Graffigny, où il a rencontré le jeune Panpan. Émilie, en revanche, découvre le château. Pour les recevoir dignement, Stanislas a mis les petits plats dans les grands. Émilie occupe l'ancien appartement de la reine et Voltaire, celui d'angle, au premier étage, avec une vue superbe sur les Bosquets et au loin sur Jolivet.

Fêtes, dîners, spectacles, concerts, bals masqués ponctuent le séjour. L'écrivain y participe joyeusement, il se déguise même en « sauvage » pendant qu'Émilie chante et danse pour les beaux yeux de son nouvel amant. Mais voilà que Saint-Lambert a pris froid et doit garder la chambre. Elle s'inquiète : « Vous aurez du bouillon, à dîner par Panpan, des eaux de Sedlitz[8] et le livre, si ce maudit chevalier Beauvau[9] veut me le rendre.

« Nous allons dîner au Kiosque, je serai du moins plus près de vous[10]. J'irai vous voir quand vous le voudrez. Je voudrais que ce fût bientôt, car j'en ai bien de l'impatience.

« Je laisse cette lettre à Mlle Chevalier[11] dans l'espérance qu'à mon retour de la messe je trouverai de vos nouvelles.

« Voilà des pastilles, la moitié d'une suffira pour vous embaumer ; mais il faudrait commencer par bien balayer, par ouvrir les fenêtres pour ôter la mauvaise odeur. J'imagine que l'air ne vous fera pas de mal. Ayez d'autres matelas. Et mandez-moi si vous voulez que j'en parle à Mme de Boufflers. Adieu, je vous adore[12]. »

Pendant ce temps, la fête bat son plein. Voltaire profite de l'occasion pour faire jouer *Zaïre*, qui n'a cessé de connaître le succès depuis sa création en 1732. Et de préciser à ses amis d'Argental : « En vérité ce séjour-ci est délicieux. C'est un château enchanté dont le maître fait les honneurs. Mme du Châtelet a trouvé le secret d'y jouer *Issé*[13] trois fois sur un très beau théâtre[14] et Issé a fort réussi. La troupe du roi m'a donné *Mérope*; croiriez-vous, Madame, qu'on y a pleuré tout comme à Paris? Et moi qui vous parle je me suis oublié au point d'y pleurer comme un autre. On va tous les jours d'un palais dans un Kiosque, ou d'un palais dans une cabane, et partout des fêtes, et de la liberté. Mme du Châtelet, qui joue aujourd'hui Issé en diamants, vous fait mille compliments. Je ne sais pas si elle passera ici sa vie. Mais moi, qui préfère la vie unie et les charmes de l'amitié à toutes les fêtes, j'ai grande envie de revenir dans votre cour[15]. »

Émilie du Châtelet est l'héroïne de ces représentations. Seules ses rivales la raillent en rappelant sa quarantaine bien entamée. On en parle jusque dans les salons parisiens. Mme Geoffrin brosse pour sa fille le portrait de la délicieuse Émilie croqué par Mme du Deffand, qui se pique pourtant d'être son amie : « Représentez-vous une femme grande et sèche sans cul, sans hanches, la poitrine étroite, deux petits tétons arrivant de fort loin. De gros bras, de grosses jambes, des pieds énormes, une très petite tête, le visage aigu, le nez pointu, deux petits yeux ver de l'air [*sic*], le teint noir, rouge, échauffé, la bouche plate, la dent clairsemée et extrêmement gâtée[16]. »

Pris au jeu, Voltaire mène les apprentis comédiens à la baguette, leur faisant jouer, avec la complicité de Saint-Lambert, *Nanine ou Le Préjugé vaincu* et *La femme qui a raison*. Mais le théâtre n'est pas sa seule occupation. Dans le calme de ses appartements, il a écrit la *Guerre de 1741*, dont il lit quelques passages devant le roi, le père de Menoux, le comte de Tressan et même Mme de Graffigny qui séjourne exceptionnellement en Lorraine. Enfin, il donne la primeur à Stanislas de son nouveau conte, *Memnon*.

Faux départ et retour en fête

À la fin d'avril 1748, le séjour de Voltaire et d'Émilie prend fin. La marquise se retire à Cirey, où elle endure les tourments de la jalousie et de l'éloignement, couvrant Saint-Lambert de lettres qu'elle adresse à Nancy chez sa mère et à Lunéville chez le fidèle Panpan ; Saint-Lambert ne se presse pas de répondre à cette correspondance enflammée. Puis Émilie retrouve Voltaire à Paris, où elle se démène pour obtenir à son mari un commandement en Lorraine. C'est en fait un stratagème pour justifier sa présence régulière à la cour de Lunéville... auprès de son amant.

Elle finit par obtenir satisfaction. Dès l'été 1748, Voltaire et la marquise reprennent donc le chemin de la Lorraine. Stanislas s'installe à Commercy avant d'accomplir son séjour annuel à Trianon auprès de sa fille et de ses petits-enfants. Comme à l'habitude, fêtes et représentations théâtrales se succèdent dans le décor féerique du château d'eau ou sous les ombrages de la Fontaine royale. Émilie répète *Agnès*[17], elle joue dans *Le Double Veuvage*[18] et le même jour chante dans *Zélindor, roi des Sylphes*[19].

L'arrivée à Lunéville de Louise-Adélaïde de Conti, princesse de La Roche-sur-Yon, annonce le début de la saison thermale à Plombières. Après un bref séjour à la cour de Stanislas, la princesse s'y rend le 16 août, bientôt suivie par Mme de Boufflers et par Émilie. En fait, la marquise de Boufflers veut mettre à profit la présence de Stanislas à Versailles pour se rendre à Saverne en compagnie de l'un de ses amants, le vicomte de Rohan-Chabot. Une petite halte à Plombières est prévue. Mais Stanislas déjoue les plans de sa « dame de volupté » en conviant Émilie du Châtelet à se joindre à son amie et en accompagnant ces dames à Plombières avant de prendre la route de Versailles...

Émilie déteste Plombières, où elle passe le plus clair de son temps dans sa chambre à ressasser ses souvenirs ou à apprendre ses prochains rôles. Le 24 août, elle s'épanche dans une lettre à Saint-Lambert : « On est logé cinquante dans une maison. J'ai un fermier général qui couche à côté de moi. Nous ne sommes séparés que par une tapisserie, et quelque bas qu'on parle, on entend tout ce qu'on dit ; et quand quelqu'un vient vous voir, tout le monde le sait et vous voit jusque dans le fond de votre chambre. Nous ne mangeons que chez la princesse[20] ; vous n'y êtes point assez familier pour y passer votre journée. Enfin, cela est impraticable de toute façon. Il faut regarder ceci comme un temps de calamité et tâcher de n'en plus essuyer de semblable[21]. »

Pendant ce temps, Voltaire et Stanislas voyagent ensemble jusqu'à Paris. L'écrivain s'active à la représentation de sa nouvelle pièce, *Sémiramis*. Tout le monde se retrouve à Lunéville en septembre 1748. Mme du Châtelet peut se rassurer sur son avenir lorrain, Stanislas a nommé son époux grand maréchal des logis. Voltaire, lui, est moins heureux. Il vient d'apprendre son infortune de la bouche même de la divine Émilie : « M. de V. est dans la plus grande fureur, je crains qu'il n'éclate. Il m'a dit qu'il voyait bien ce matin que je n'avais pas le feu parce que j'avais envoyé Mala[22] chez vous, et il est sorti dans la plus grande colère. Cela me pénètre de douleur[23]. » Vexé, il finit pourtant par s'accommoder de la situation.

Un secret trop pesant

Et la vie reprend, joyeuse et insouciante pour la cour de Lunéville qui se délecte toujours autant des spectacles offerts par la charmante Émilie. Elle chante et danse dans *Les Éléments* d'André Destouches, elle accompagne Voltaire dans *L'Étourderie* de Barthélemy-Christophe Fagan. Ce qui ne l'empêche pas de dévoiler un caractère de plus en plus difficile. De plus, elle se sent dolente et souffre de mille petites misères. Tout cela cache un secret : Émilie est enceinte. Après avoir quitté Lunéville, en décembre 1748, elle finit par avouer à son amant : « Je vous ai mandé que je suis grosse, j'ai besoin de prendre des mesures et des arrangements pour mes couches, très différentes si je dois les faire à Lunéville ou à Paris. M. du Châtelet n'est pas si affligé que moi de ma grossesse, il me mande qu'il espère que je lui ferai un garçon[24]. C'est à vous à décider mon sort[25]. »

Tenaillée par son lourd secret, Mme du Châtelet parvient cependant à faire bonne figure dans les salons ; elle assiste même à la répétition de *Sylvie* dans les « petits cabinets », un spectacle offert à Louis XV par ses familiers et dont Mme de Pompadour tient le rôle-titre. Dans l'ombre, Voltaire, l'ami fidèle, soutient la douce Émilie désemparée par le désamour flagrant de Saint-Lambert qui l'entraîne dans une nouvelle dépression. Elle pleure sa folie d'avoir cru trouver un cœur digne du sien et se lamente sur la sécheresse des rares réponses de Saint-Lambert. Éloignée de son amant, elle s'impose un rythme infernal, ne mangeant presque plus et passant ses nuits à achever la traduction et le commentaire des *Principes de la philosophie naturelle* de Newton[26]. À l'aube de l'année 1749, elle s'empresse de conclure ses travaux, hantée par la crainte de « mourir en couches ». Elle met de l'ordre dans ses papiers, règle ses affaires et se décide à révéler son « malheureux secret » à sa rivale de Lunéville, Mme de Boufflers : « Je suis grosse, et vous imaginez bien l'affliction où je suis, combien je crains pour ma santé, et même pour ma vie, combien je trouve ridicule d'accoucher à quarante ans après en avoir été dix-sept sans faire d'enfant...

« Vous sentez combien je compte sur votre amitié et combien j'en ai besoin pour me consoler et pour m'aider à supporter mon état. Il me serait bien dur de passer tant de temps sans vous, et d'être privée de vous pendant mes couches. Cependant, comment les aller faire à Lunéville et y donner cet embarras[27] ? »

Elle hésite encore à avouer qu'elle veut accoucher en Lorraine, redoutant un refus du roi de Pologne. Elle compte bien sur la solidarité féminine, car, fine mouche, la marquise de Boufflers a dû saisir son appel de détresse. Mais celle-ci n'a pas le temps d'y répondre qu'Émilie saute sur une occasion inespérée. Voilà que Stanislas s'installe à Trianon pour quelques jours, au printemps 1749[28]. Une indisposition passagère lui a fait différer son voyage à Versailles pour rencontrer sa petite-fille préférée, Madame Infante, qui s'est accordé une halte de quelques mois en famille avant de rejoindre son époux don Philippe dans ses nouveaux États de Parme et Plaisance[29].

Émilie en profite pour lui rendre visite ; mieux, le roi de Pologne l'invite à y demeurer pendant toute la durée de son séjour. Elle dîne souvent en tête à tête avec lui et confie à Saint-Lambert : « Le roi ne m'a jamais marqué tant d'amitié. Il veut absolument que je fasse mes couches à Lunéville, il dérangera tous ses projets pour y être ; il me laisse bien honteuse de penser que cela dépend de tout autre chose[30]. Il fait non seulement accommoder ma petite maison[31], mais il la meuble[32]. »

Pour Émilie, la partie est gagnée. Elle en a même profité pour demander une gratification pour son amant. Rassérénée, elle poursuit sa tâche, travaillant sans relâche, même à Trianon. Aux premiers jours de l'été 1749, Voltaire et elle reprennent le chemin de la Lorraine. Une halte à Cirey, un bref séjour à Commercy, et Lunéville est atteint aux alentours du 20 juillet. Émilie peut se féliciter d'avoir parlé au roi ; tout est prêt pour la recevoir, elle et sa progéniture. « Je viens de ma petite maison avec Y[33]. Le bleu en est charmant à présent, on l'a éclairci ; je crois qu'on pourra y habiter à la fin de la semaine prochaine[34]. » Saint-Lambert est présent lui aussi... bien qu'il ait tout tenté pour rejoindre sa garnison dans les Flandres ! Quant à Voltaire, il informe ses amis d'Argental : « J'ai vu aujourd'hui une centaine de vers du poème des *Saisons*[35] de M. de Saint-Lambert. Il fait des vers aussi difficilement que Despréaux. Il les fait aussi bien, et à mon gré beaucoup plus agréable. J'ai là un terrible élève. J'espère que la postérité m'en remerciera, car pour mon siècle je n'attends que des vessies de cochon par le nez. [...] Mme du Châtelet n'accouche encore que de problèmes. Bonsoir, bonsoir, anges charmants[36]. »

Voltaire nerveux

Depuis son arrivée en Lorraine, Voltaire fait preuve d'une grande activité créatrice. Il a écrit une comédie en vers, *La Femme qui a raison*, pour le théâtre de Commercy, où Émilie paraît encore en Mme Duru qui marie ses enfants à un marquis et à sa sœur contre l'avis de son bourgeois de mari ; il lit en grande cérémonie *Nanine,* où la vertu roturière triomphe sur le préjugé de la naissance. Puis il « accouche[37] » en huit jours de son *Catilina*, réponse à celui que le vieux Crébillon mit trente ans à écrire. Non content de cette première banderille plantée dans les flancs de son rival, il est pris d'une nouvelle fureur créatrice et trousse sur-le-champ un *Électre*[38] pour venger Sophocle.

Plus la date de la délivrance de Mme du Châtelet approche, plus Voltaire devient irritable et nerveux. Depuis plusieurs semaines, il s'en prend à l'intendant Alliot, à qui il reproche son autorité abusive dans l'organisation de la Cour. Afin de pourvoir aisément aux besoins de tous les hôtes qui résident au château, celui-ci a fixé des horaires stricts pour le service du dîner, ce qui déplaît à l'écrivain, qui adore traîner toute la matinée en robe de chambre pour travailler en paix et demande à être servi dans sa chambre. Alliot, estimant qu'un hôte doit se plier aux usages de la cour qui le reçoit, fait la sourde oreille : s'il ne vient pas prendre ses repas dans la grande salle à manger du château, il ne dînera pas. Furieux, Voltaire adresse alors un ultimatum faisant état de sa mauvaise santé et des efforts qu'il a accomplis en quittant tout pour se rendre auprès de Stanislas. Alliot ne bouge pas. Un second billet, plus menaçant encore, n'émeut pas l'intendant qui, visiblement, ne porte pas le philosophe dans son cœur. Celui-ci se tourne alors vers Stanislas : « Les rois sont depuis Alexandre en possession de nourrir les gens de lettres, et quand Virgile était chez Auguste, Allyotus, conseiller aulique d'Auguste, faisait donner à Virgile du pain, du vin et de la chandelle. Je suis malade aujourd'hui, et je n'ai ni pain ni vin pour dîner[39]. »

Mais, las de ces caprices, Stanislas ne prend pas sa défense et se contente d'ordonner à son intendant de répondre à l'écrivain. Celui-ci s'empresse de rappeler que les usages de la cour de Lorraine ne sont pas ceux des cours étrangères et qu'il n'y a donc pas lieu de les modifier pour un seul invité. Enfin, si le duc de Lorraine a apprécié d'être comparé à Auguste, M. de Voltaire n'est pas Virgile...

Après le bonheur, la tragédie...

L'incident est oublié quand, dans la nuit du 3 au 4 septembre 1749, la « divine Émilie » met au monde une petite fille. Le jour même, Voltaire annonce la nouvelle à

230

la baronne de Staal de Launay[40] avec une certaine ironie : « Elle était à son secrétaire à deux heures après
minuit, selon sa louable coutume. Elle dit en griffonnant
du Newton : "Mais je sens quelque chose !" Ce quelque
chose était une petite fille, qui vint au monde beaucoup
plus aisément qu'un problème. On la reçut dans une ser-
viette ; on la déposa sur un gros in-quarto, et on fit coucher la mère, pour la forme, et pour la forme aussi elle ne
vous écrit point[41]. »

Félicitée par toute la Cour qui défile dans sa chambre,
Émilie semble se rétablir rapidement, ce qui incite Stanislas à se rendre à La Malgrange pour son pèlerinage
rituel à Notre-Dame-de-Bon-Secours, non sans avoir
célébré l'événement par un magnifique feu d'artifice.
Hélas ! Le 10 septembre, Émilie, se sentant fiévreuse,
avale un verre d'orgeat glacé. Son état empire subitement. Saint-Lambert, à son chevet, assiste à la syncope
fatale. La Cour est abattue. Bébé a cessé ses agaceries
stupides, Mme de Boufflers pleure une complice et Voltaire sanglote de toute sa carcasse. Le jour même, il griffonne ce billet à sa nièce, Marie-Louise Denis : « Ma
chère enfant, je viens de perdre un ami de vingt ans. Je
ne regardais plus il y a longtemps Mme du Châtelet
comme une femme, vous le savez, et je me flatte que
vous entrez dans ma cruelle douleur. L'avoir vue mourir,
et dans quelles circonstances ! et par quelle cause ! Cela
est affreux[42]. »

La marquise du Châtelet est inhumée le lendemain
dans l'église Saint-Remy de Lunéville[43]. Stanislas, qui
déteste les enterrements, est resté à La Malgrange. Ce
jour-là, Alliot écrit au comte de Sade : « Hier à deux
heures du matin mourut à Lunéville, dans son sixième
jour de couches, sans aucun sacrement, Mme la marquise
du Châtelet. Elle a été enterrée aujourd'hui, à dix heures
du matin, dans la paroisse de Lunéville, sans avoir pu
rester exposée à cause de l'infection horrible qui sortait

231

de son corps. Telle vie, telle mort ; j'en frissonne d'horreur. Son mari et Voltaire partent demain pour Cirey. Dieu veuille que ce dernier ne revienne plus chez nous[44]. »

Mme de Boufflers anime, Stanislas médite...

La mort subite de la « divine Émilie », suivie quelques jours plus tard de celle de sa fille, a ôté le goût de la fête à la cour de Lunéville. Stanislas, bouleversé par cette fin tragique, s'enferme dans son cabinet. Il faudra toute la persuasion et la patience de Mme de Boufflers pour le faire sortir de sa tanière.

Le carnaval de 1750 marque le retour des réjouissances ; elles débutent à Nancy, où le roi a élu domicile à l'hôtel de l'Intendance, le temps d'assister à la représentation de *Cénie*, la nouvelle pièce de Mme de Graffigny, que Paris vient d'applaudir. Soupers, bals masqués, feux d'artifice, théâtres, concerts, la fête bat son plein à Nancy comme à Lunéville sous la houlette de Mme de Boufflers, qui n'a pas hésité à reprendre les rôles de la pauvre Émilie. Jamais elle n'a autant été la reine de Lunéville, tant et si bien que son pire ennemi, le père de Menoux, rend les armes. Il est vrai que Stanislas vieillissant se détache des plaisirs de la chair, préférant l'étude et la méditation, flanqué de son fidèle chien Griffon, de son singe, de ses perroquets... et de Bébé, toujours à l'affût de quelque farce de mauvais goût.

Voltaire parti pour la cour du roi de Prusse, Saint-Lambert retenu à Nancy pour le service du duc, la cour de Lunéville continue de recevoir un ballet incessant de visiteurs venus des quatre coins de l'Europe. L'âge venant, Stanislas fait figure de sage à qui l'on vient demander conseil ou mendier un service. Mais si la princesse de La Roche-sur-Yon fait partie des habitués que

Stanislas prend plaisir à recevoir, ce n'est pas toujours le cas de l'excentrique Marie-Anne Jablonowska, princesse de Talmont et sœur de l'ancienne favorite du roi, Catherine Ossolinska. Stanislas ne cesse de sauver ce ménage en perdition. Sitôt rabibochée avec son époux, voilà la princesse au bras d'un nouvel amant. Cette fois, elle s'est entichée de Charles-Édouard Stuart[45], devenu, depuis la paix d'Aix-la-Chapelle, indésirable en France. Ainsi, l'arrière-petit-fils britannique de Jean Sobieski vivra une année avec sa maîtresse aux crochets du roi Stanislas... Un jour c'est le comte de Sade, père du marquis, qui vient séjourner à Commercy ; une autre fois c'est le prince de Conti qui fait étape à Lunéville ; ou encore Maurice de Saxe qui loge à La Malgrange.

Lunéville est aussi l'étape préférée des Polonais sur la route de Versailles. On y rencontre souvent Stanislas-Vincent Jablonowski, frère des deux sœurs Jablonowska, qui reçoit l'ordre du Saint-Esprit le 2 février 1750 ; ou leur autre frère, Joseph-Alexandre Jablonowski, qui deviendra un écrivain célèbre. Pour l'heure, il est le plus précieux informateur du roi, qui ose lui dévoiler ses projets utopiques et le récompensera de sa fidèle discrétion en lui faisant obtenir l'ordre de Saint-Michel en 1756.

Combat de nains dans la cheminée

En dépit d'un accueil parfait, certaines visites ne sont pas de tout repos. Témoin celle de la comtesse Humiecka[46], parente de Stanislas et épouse du grand porte-glaive de la Couronne.

Quand elle fait halte, en 1758, elle a pour compagnon de voyage un gentilhomme de vingt-deux-ans, Joseph Boruslawski[47], qui a la particularité d'être nain. Cet orphelin, protégé de la comtesse, mesure cinq pouces de moins que Bébé[48]. Bien proportionné, intelligent, cultivé, il connaît les bonnes manières, parle l'allemand et le français. Sa compagnie séduit la cour de Lunéville et suscite la pire jalousie chez Bébé. Ce sentiment se mue en haine lorsque le nain vosgien découvre que son rival polonais a les faveurs de Stanislas. Profitant d'un instant d'inattention, Bébé tente de le jeter dans la fournaise d'un âtre. Alerté par les hurlements, Stanislas intervient in extremis... Bébé est sermonné et le château trouve dans l'incident de quoi alimenter les ragots de la semaine...

Même le fils de son ennemi

La même année, une autre visite vient animer Lunéville : celle de Xavier[49], fils cadet d'Auguste III, l'adversaire saxon de Stanislas en Pologne (voir chapitre v). Elle bouleverse les Polonais du château, et l'on fait des gorges chaudes dans toute la Cour. Pourtant Stanislas n'en a cure : le temps a passé, Xavier n'est plus un ennemi mais le frère de Marie-Josèphe, l'épouse de son petit-fils le Dauphin. Il réserve donc à l'héritier saxon un accueil des plus chaleureux. Le chevalier de Beauvau et le marquis de Boufflers attendent son équipage devant Chanteheux pour l'escorter, tandis que le roi de Pologne s'avance jusqu'à la grille des Bosquets pour le conduire au Kiosque. En dépit de son aversion pour les soupers, Stanislas a fait préparer un féerique repas nocturne agrémenté de spectacles et de feux d'artifice. Le lendemain, messe en musique, dîner de trente-six couverts, promenade à Chanteheux et découverte du Rocher.

L'accueil réservé au Saxon résume bien l'état d'esprit de Stanislas, toujours heureux d'ouvrir les portes de son château et de transformer les réceptions en fêtes...

CHAPITRE XI

Dévot et défenseur des jésuites

Quand il arrive en Lorraine, Stanislas découvre près de Nancy un magnifique domaine aux constructions hétéroclites, La Malgrange. L'ensemble comprend un petit pavillon vieillot, communément appelé vieille Malgrange, jadis « château et maison de plaisir » de Catherine de Bourbon, sœur du roi de France Henri IV, et de son époux, le duc Henri II. On y trouve aussi un édifice inachevé, la neuve Malgrange, commande du duc Léopold à Boffrand en 1711, ainsi qu'une ménagerie, ancienne ferme où l'on a installé des animaux exotiques. Depuis 1723, la vieille Malgrange est devenue, sous la houlette de Josse Bacor, un atelier de tapisserie dont les plus belles productions font aujourd'hui l'orgueil du Kunsthistorisches Museum de Vienne.

Stanislas imagine d'en faire son palais résidentiel lors de ses déplacements à Nancy, évitant ainsi le désagrément d'un séjour au cœur de la ville, dans un palais inconfortable et peu accueillant. Non loin de là, il s'est rendu à la chapelle des Bourguignons, modeste lieu de prière construit au cœur du cimetière des Bourguignons, où ces vaillants guerriers ont trouvé la mort avec leur chef, Charles le Téméraire, le 5 janvier 1477. Après cette bataille mémorable, le jeune duc de Lorraine René II et son épouse Philippe de Gueldre ont fait ériger une chapelle à la Vierge salvatrice et commandé sa statue à Mansuy Gauvain. En 1505, le sculpteur imagier a livré son œuvre, une Vierge au manteau dans la plus pure tradition médiévale.

Une nouvelle Malgrange et une nouvelle chapelle

Impressionné par la ferveur qui entoure la statue, Stanislas décide de reconstruire une chapelle digne de cette Vierge honorée fidèlement depuis les malheurs provoqués par la guerre de Trente Ans. Il répond ainsi au vœu des Lorrains, qui ont fait de la chapelle des Bourguignons un sanctuaire national, confié à l'ordre des Minimes, et respecte le culte qu'il a toujours rendu à la Vierge Marie.

En 1738, il commande à Héré la construction d'une nouvelle Malgrange adaptée à ses besoins ainsi qu'une nouvelle chapelle pour Notre-Dame-de-Bon-Secours. Les plus belles pierres, récupérées de la démolition de la neuve Malgrange, serviront de matériau pour l'édification du sanctuaire, dont la première pierre est posée le 14 août 1738 par l'évêque de Toul, Mgr Bégon.

Sans perdre de temps, Héré poursuit de front les deux chantiers, créant une résidence de villégiature blottie au fond d'une double allée d'ormes, curieux assemblage de bâtiments au milieu de jardins superbes, et une ravissante petite église baroque à l'architecture originale pour la région. Fidèle aux goûts du roi de Pologne, il construit La Malgrange en forme de pavillon central à un étage qu'une galerie à colonnade et balcon relie à deux avant-corps latéraux. À l'image de l'éphémère Trianon de porcelaine de Versailles, la façade est décorée de carreaux de Delft aux motifs floraux et animaliers d'un bleu profond. À l'intérieur, une longue galerie de marbre dessert les appartements royaux et la chapelle. Stanislas élit domicile au premier étage. Une autre galerie, vers le nord-est, conduit aux communs et aux logements des grands officiers de la Cour (c'est le seul vestige qui demeure aujourd'hui de La Malgrange de Stanislas[1]). La galerie sud mène à une orangerie rapidement transformée en salle à manger. Marbres, faux marbres et stucs donnent une allure féerique à l'ensemble, où la lumière joue avec l'eau et les miroirs.

La légère déclivité du sol inspire aussi au roi de Pologne le jardin des Goulottes, vaste réseau de petits ruisseaux qui dessinent des arabesques en sillonnant le gazon ; ces goulottes finissent par se rejoindre dans un bassin de rocaille entouré d'oiseaux multicolores qui piaillent à tue-tête en jetant de l'eau sur un hibou. « Cela n'est point du tout bâti à notre mode, à la fin la peur m'a pris d'être en Turquie, ironise le président Hénault. Mais je fus rassuré en voyant dans le bois une figure de saint François à la place de celle de Mahomet. »

Un chef-d'œuvre baroque oriental

À la même époque, le clocher à bulbe de Notre-Dame-de-Bon-Secours crève le ciel. Pour l'extérieur, Héré joue la sobriété avec une façade étroite et élancée grâce aux quatre colonnes d'ordre composite, vestiges de La Malgrange de Léopold. À l'intérieur, une seule nef assez haute aux voûtes en plein cintre. Au-dessus du porche flanqué de deux chapelles sont placées trois tribunes aux armes du roi Stanislas. Le chœur d'une travée, fermé par une abside pentagonale, ouvre sur la nef par une grande arcade en cintre surbaissé. De chaque côté, deux autels latéraux sont dédiés à saint Stanislas et à sainte Catherine d'Alexandrie, patrons du roi et de la reine de Pologne.

Héré a réalisé là un petit chef-d'œuvre dans le plus pur baroque oriental : une profusion de stucs colorés et d'imitation de marbre, œuvre des frères Mansiaux, décorateurs attitrés du roi de Pologne, et un arc triomphal tendu de fausses draperies. Sans oublier des saints de facture baroque, tous choisis par Stanislas : saint Gaëtan de Thienne, sainte Reine, saint François de Paule et surtout saint Jean Népomucène[2], patron de la Bohême, qui était apparenté aux Leszczynski.

Les frises de la nef chantent la gloire de Marie tandis que sur la voûte une fresque de Provençal[3] évoque les trois mystères de la Vierge : l'Immaculée Conception, l'Annonciation et l'Assomption. Provençal signe là une œuvre originale, à la composition proche de la voûte de la chapelle du château de Versailles, peinte par Antoine Coypel entre mars 1709 et juin 1710, mais qui se démarque des canons du classicisme pour aboutir à une œuvre composite, caractéristique de ce que l'on appellera plus tard le « baroque lorrain ».

De magnifiques grilles[4] bordent la galerie supérieure et séparent le sanctuaire de la nef. On les attribue au fameux serrurier nancéien Jean Lamour, qui fit partie du groupe d'artistes de Stanislas, bien que les spécialistes n'y retrouvent pas son style habituel.

Une nécropole dynastique

Au fond de l'abside, une niche au baroque redondant et bouffi d'exaltation sert d'écrin à la Vierge miraculeuse. La translation de celle-ci a eu lieu le 7 septembre 1741, jour de la consécration de la nouvelle chapelle, en présence du roi et de la reine de Pologne. C'est entre les mains de cette madone au manteau dont le visage exprime une grande sérénité que Stanislas a remis son destin. À ses pieds, il a déposé un peu de sa Pologne natale tout en la rendant à la vénération des Lorrains.

C'est aussi auprès d'elle qu'il a choisi de reposer avec ses proches en transformant la modeste chapelle en nécropole. Un caveau est aménagé sous le dallage du chœur : en 1747, on y déposera la dépouille mortelle de Catherine Opalinska, rejointe en 1756 par les restes des Ossolinski, puis, dix ans plus tard, par ceux de Stanislas. Pour la reine de Pologne, le roi commande un mausolée à Nicolas-Sébastien Adam. Fils du sculpteur nancéien Jacob-Sigisbert, l'artiste a conquis sa notoriété à Paris. Son œuvre, achevée en 1749, immortalise Catherine Opalinska agenouillée sur un tombeau placé devant une pyramide de marbre. Un ange débonnaire la guide vers les cieux tandis qu'un aigle aux ailes déployées tourne sa tête vers la souveraine. Deux gracieux médaillons, la Foi et la Charité, traités en bas relief, encadrent l'épitaphe.

Frappé par l'élégance et la finesse de la sculpture, Ossolinski profite du séjour à Nancy de Nicolas-Sébastien Adam, venu en 1749 surveiller la pose du monument, pour lui commander son propre tombeau, qu'il fait installer dans la chapelle de gauche à l'entrée[5]. En janvier 1756, Catherine Ossolinska précédera de six mois son époux dans le caveau de Notre-Dame-de-Bon-Secours.

Dévotions cinq fois par an

Depuis la consécration du sanctuaire, en 1741, Stanislas a pris l'habitude de faire ses dévotions à Bon-Secours cinq fois par an, aux grandes fêtes de la Vierge. Car il est dévot. Face à la religion, il se comporte comme la plupart de ses compatriotes, qui cultivent jalousement le culte des saintes reliques et un amour immodéré pour la Vierge de Czestochowa.

Le fait religieux a dominé le roi de Pologne au point de rythmer son existence – offices, prières publiques, pèlerinages, visites pieuses – et de régir ses rapports sociaux et sa vision du monde. « Il y trouve à la fois une synthèse cosmique, une sagesse, un décor affectif et une règle institutionnelle[6]. » Stanislas ne conçoit pas qu'un homme instruit dans le christianisme puisse devenir athée. Aussi écrit-il clairement : « Il n'est point d'athées, et [...] il n'en fut jamais ; parce que, pour l'être, il faudrait pouvoir se prouver clairement et invinciblement la non-existence de Dieu : ce qui n'est non plus possible à l'homme que de se faire Dieu lui-même, d'anéantir ce monde et d'en créer un nouveau[7]. » Et quand bien même il y en aurait, Stanislas en appelle à la tolérance. « L'athéisme, poursuit-il, peut être sur toutes les lèvres ; il n'est jamais dans l'esprit, ni dans le cœur. C'est un masque qui donne un air de savoir et d'intrépidité à l'ignorance et à la faiblesse, mais qui, toujours prêt à tomber, exige du soin à le remettre sans cesse[8]. »

Lors du séjour de Voltaire à Lunéville, Stanislas a poussé son hôte philosophe à faire ses Pâques. En vain. L'affaire, connue à Versailles, n'a fait que déchaîner les moqueries. Mais que sait-on là-bas de la piété du roi de Pologne ? Loin des querelles qui divisent les chrétiens, Stanislas affiche une foi candide et sereine qui rejette toute morale austère et fait l'apologie du bon sens : « La vraie religion n'a peut-être jamais tant souffert de la violence de ses persécuteurs, écrit-il dans ses *Réflexions sur divers sujets de morale*, que de la folie et de la mauvaise foi de ceux qui la représentent comme un fantôme effrayant par ses rigueurs[9]. » Et le roi de recommander la mesure en toute chose : « Le trop de dévotion mène au fanatisme ; le trop de philosophie, à l'irréligion[10]. »

Piété démonstrative

Dans la pratique, Stanislas éprouve le besoin de se livrer à une piété démonstrative . il assiste tous les jours à la messe, et même deux fois les dimanches et fêtes. De la consécration à la communion du prêtre, il demeure étendu à même le sol, face contre terre. L'âge venant, il va se contenter de suivre les offices prosterné sur son prie-dieu, le visage enfoui dans ses mains. Il n'est pas question pour lui de déroger aux jeûnes et aux abstinences : pendant la semaine sainte, il se prive de tout aliment solide du jeudi soir au samedi midi. Il jeûne aussi le jour anniversaire de sa sortie de Dantzig et fait chanter un *Te Deum* dans la chapelle, en action de grâces pour sa vie sauve et sa liberté.

Pèlerinages et processions rythment sa vie, sans pour autant troubler le rituel voyage à Versailles, réglé sur le calendrier marial. Pour son séjour à Trianon auprès de sa chère Marie et de ses petits-enfants, il quitte la Lorraine après le 15 août pour rentrer la veille du 8 septembre, afin de célébrer l'Assomption et la Nativité de la Vierge à Notre-Dame-de-Bon-Secours.

Dans la chapelle des Récollets de Versailles, Marie prie aux mêmes heures que son père à Nancy. Le dauphin Louis, qui admire son grand-père, en aurait bien fait autant si son précepteur, l'évêque de Mirepoix, ne lui avait recommandé de ne « pas adorer le saint sacrement comme un moine ».

Le Sacré-Cœur

Attaché aux manifestations publiques de la religion, Stanislas honore saint Sigisbert, patron de Nancy, dont la primatiale conserve les reliques, avec autant de dévotion que lorsqu'il assiste à une procession de la Fête-Dieu ou à un chemin de croix à La Malgrange.

Reste le culte du Sacré-Cœur, introduit par des théologiens et des mystiques au début du XVIIᵉ siècle. Marguerite-Marie Alacoque, visitandine à Paray-le-Monial, a déclaré avoir eu entre 1673 et 1675 trois apparitions du Christ qui lui aurait montré ses plaies et son cœur et lui aurait demandé l'établissement d'une fête particulière et d'un culte public. Le confesseur de la religieuse, le jésuite Claude La Colombière, donna de la publicité à ces visions tout en recommandant la dévotion au Sacré-Cœur. Malgré la méfiance de Louis XIV et l'opposition des jansénistes, le culte s'est répandu et la Pologne y a adhéré dès la première heure. En Lorraine, la première fête du Sacré-Cœur a été célébrée en 1695 et le culte s'y est développé modestement.

Stanislas obtient le rattachement d'une confrérie du Sacré-Cœur à l'église des Carmes dès 1739. Le 1ᵉʳ juin 1742, pour la première fois, la fête du Sacré-Cœur est célébrée à Lunéville en même temps qu'à Versailles. Une grande croix, promenée en procession dans toute la ville, est alors plantée en présence du beau-père de Louis XV. Un contrat et une somme allouée par le roi assurent la pérennité de cette cérémonie, fixée au lendemain de l'octave du Saint-Sacrement : une messe, des vêpres, un sermon devront rassembler une foule recueillie composée de la Cour et des corps constitués.

En 1749, une confrérie s'installe à l'église Saint-Remy de Lunéville[11], mais il faut attendre 1763 pour que Stanislas parvienne à fléchir la méfiance du pape Clément XIII. Cette année-là, avec la bénédiction frileuse du Saint-Siège, l'évêque de Toul, Drouas de Boussey, adopte la fête du Sacré-Cœur pour son diocèse : elle aura lieu le dimanche suivant l'octave de l'Épiphanie.

Un autel signé Jean Girardet

Deux ans plus tard, Clément XIII approuve l'office de la fête du Sacré-Cœur, mais Stanislas et Marie Leszczynska n'ont pas attendu l'autorisation pontificale pour inciter à la consécration d'autels au nouveau culte. La reine de France choisit d'en offrir un à la cathédrale de Toul, dont l'exécution sera confiée aux artistes renommés des duchés, dont Jean Girardet[12]. « Peintre ordinaire du roi de Pologne » avant de se hisser au titre de « premier peintre du roi », Girardet a été le portraitiste privilégié des ducs et le décorateur de leur pompe funèbre. Au service de Stanislas, il excelle dans la grande peinture décorative comme dans les tableaux religieux. Hélas, Stanislas ne verra jamais le Sacré-Cœur de Girardet car son installation à Toul[13] se fera deux ans après sa mort, en 1768. Dans l'interprétation de l'artiste, le Christ grandeur nature se tient debout sur le monde revêtu d'une robe rouge et d'un manteau bleu. Il tient de ses deux mains sa poitrine d'où jaillit son cœur enflammé. Apparemment, cette présentation du Sacré-Cœur n'eut pas l'heur de plaire au chapitre de la cathédrale, car, sitôt Mgr Drouas disparu, le 21 octobre 1773, le tableau fut remanié et le cœur camouflé sous les plis de la robe...

Soixante-deux abbayes et prieurés

En Lorraine, Stanislas a découvert une terre de catholicité où la réforme protestante a eu peu de prise sur une population bien entourée par les monastères, les couvents et les prieurés, fort nombreux dans les duchés. En 1738, on y recense trente-trois abbayes d'hommes, réparties sur quatre diocèses, sept abbayes de femmes et vingt-deux prieurés.

Les religieux des monastères ont toujours élu leurs abbés ; pourtant, cette pratique tend à disparaître avec l'arrivée du roi Stanislas, au profit de la commende, ce système qui donne au souverain la possibilité de nommer des clercs séculiers à des bénéfices réguliers, ceux des abbayes par exemple. C'est le cardinal de Tencin, ambassadeur du roi de France à Rome, qui a été chargé d'obtenir cette autorisation du pape et qui l'a obtenue en 1740, après deux ans de négociations.

Stanislas distribue un peu trop vite les prébendes, ce qui lui permet, par exemple, de donner en commende à Joseph-André Zaluski l'abbaye de Villers-Bettnach et la charge de grand prévôt de Saint-Dié, ou à son lointain cousin Stanislas Miaskowski l'abbaye de Rangeval.

Mal tolérée en Lorraine, cette application de la commende provoque des incidents. C'est le cas des prémontrés de Sainte-Marie-Majeure de Pont-à-Mousson, qui, en 1755, s'opposent à la nomination du futur chevalier de Boufflers, fils de la marquise, par Stanislas. L'affaire remonte jusqu'à Rome, qui donne gain de cause aux prémontrés. En revanche, c'est grâce à l'appui de Chaumont de La Galaizière qu'Anne-Charlotte, la fille de la duchesse douairière Élisabeth-Charlotte, a été abbesse de Remiremont à l'âge de vingt-quatre ans. En guise de remerciements, le chancelier a reçu du marquis de Spada, chevalier d'honneur de la jeune fille, une bague ornée de diamants.

La puissance des jésuites

Outre les couvents, ce bastion du catholicisme qu'est la Lorraine se partage entre les franciscains, qui jouent un rôle important par leur apostolat populaire, et les jésuites, maîtres de l'enseignement. La Compagnie de Jésus règne dans les duchés depuis la création, en 1572, de l'université de Pont-à-Mousson, à l'image de celle de Dillingen, en Souabe, dont elle a repris les statuts.

Stanislas n'est donc pas dépaysé en arrivant en Lorraine, lui qui ne se confesse qu'à des jésuites polonais, en l'occurrence le père Sébastien Ubermanowicz et le Lituanien Étienne Luskina.

Très vite, un jésuite bisontin va prendre de l'ascendant sur le roi de Pologne : le père Joseph de Menoux[14], qui allie intelligence, sévérité et obstination. Depuis qu'il fréquente la cour de Lunéville, il a pris la tête du « parti dévôt » ou « parti français », composé des chanoines de Tervenus et Gautier, de l'évêque de Troyes Poncet de La Rivière, aumônier du roi, de l'évêque de Toul, Drouas de Boussey, mais aussi du lieutenant de police Thibault de Montbois, du chancelier Chaumont de La Galaizière et du fidèle Alliot. Menoux rêve de chasser de la Cour la marquise de Boufflers et son parti lorrain, où figurent notamment quelques-uns de ses soupirants : Saint-Lambert, le comte de Tressan, Panpan Devaux et l'abbé Porquet (voir chapitre VII). Bon chrétien mais jaloux de son libre arbitre, le roi de Pologne sourit aux recommandations du jésuite. Il accepte même d'aller faire retraite à Nancy, y passe quelques jours et regagne bien vite Lunéville et sa cour de joyeux lurons.

S'il trouve le père de Menoux un peu trop encombrant, il éprouve suffisamment de respect pour l'ordre, n'hésitant pas à prendre sa défense même lorsque celui-ci se met en position délicate. Par exemple, en 1761, quand un conflit éclate entre les paroissiens de Maron, soutenus par leur curé Jean-François Couquot, et les jésuites de Nancy, détenteurs des dîmes du lieu, à propos de l'édification de la nouvelle église du village. Volant au secours des membres de la Compagnie, le père de Menoux trousse un libelle que la cour souveraine juge diffamatoire ; elle ordonne qu'il soit lacéré et brûlé par la main du bourreau. « Ce fut fait avec éclat, raconte l'envoyé de Louis XV, Lucé, au duc de Choiseul. Le peuple étant accouru en foule de toutes parts aux portes du palais, parce que des mauvais plaisants avaient précisé que c'était le père de Menoux en personne que l'on allait brûler. Apprenant la mésaventure du jésuite, Stanislas est entré dans une grande fureur, fulminant contre les juges qui ont flétri un homme qu'il honore de sa bienveillance. Il a voulu casser l'arrêt. Et Chaumont de La Galaizière eut toutes les peines du monde à le calmer [15]. »

Faire face au jansénisme

Fondée au XVIe siècle pour défendre et propager la foi catholique en formant la spiritualité des laïcs, la Compagnie de Jésus a choisi pour terrain d'action l'enseignement et la prédication. Des missionnaires parcourent les campagnes pour combattre l'ignorance et la superstition. Durant plusieurs semaines, ils rassemblent les paysans et, à force de cantiques, de célébrations et de prêches, leur inculquent les règles d'une catholicité issue des sacrements. Parallèlement aux activités du noviciat et du collège de Nancy ainsi que de l'université de Pont-à-Mousson, des campagnes missionnaires sont régulièrement organisées au XVIIe siècle pour lutter contre la poussée janséniste.

Cette doctrine, on le sait, est issue des idées exposées par l'évêque d'Ypres, Cornelius Jansenius, dans un ouvrage, l'*Augustinus*, publié après sa mort en 1640. Ce mouvement, qui répond à une volonté de retour spirituel à l'Église primitive, gagne Port-Royal par l'abbé de Saint-Cyran et reçoit le soutien de Pascal dans *Les Provinciales*. Il finit par être condamné par Rome, provoquant la fermeture et la destruction de Port-Royal. La querelle a repris de la vigueur en 1713 avec la publication de la bulle *Unigenitus* qui condamne cent une propositions extraites des *Réflexions morales* du père Pasquier Quesnel parce qu'elles s'inspirent des thèses de Jansenius. Jusqu'alors élitiste, le jansénisme gagne certaines couches populaires. Des foules se précipitent au cimetière Saint-Médard à Paris où repose le diacre François de Pâris, un janséniste pur et dur, mort en 1727 à l'âge de trente-sept ans. Louis XV fait fermer le cimetière. Avec peine, le cardinal de Fleury tente de maîtriser l'incendie, mais la dévotion populaire a gagné la noblesse de cour et le monde de la robe.

Devant le danger janséniste, les jésuites lorrains ont resserré les rangs comme leurs frères de Rhénanie et d'Allemagne du Sud. Ils multiplient les missions à travers les duchés et même à Nancy, sous la houlette des pères Foulon et Pichon. Plus sensible à la grandeur de l'homme qu'à sa servitude, Stanislas, qui n'a pas souscrit aux thèses jansénistes, note : « Dans certains hommes, les vertus sont si près de l'excès qu'elles sont presque aussi à craindre que les vices [16]. »

Hostile sans violence aux jansénistes, le roi de Pologne préfère renforcer le rôle des jésuites dans les duchés en instituant les missions, fondées par ses lettres patentes du 21 mai 1739. Elles installent, au noviciat des jésuites de Nancy, huit missionnaires chargés d'assurer, chaque année, douze missions de trois ou quatre semaines dans les duchés et le diocèse de Metz. Une rente correspondant à un capital de 626 000 livres permet de subvenir à leurs besoins et à la distribution d'aumônes dans les paroisses. Les missionnaires doivent aussi organiser trois jours par an une prière publique pour « demander à Dieu, le premier jour, la conversion des pécheurs ; le second, la prospérité de la famille royale de France ; et le troisième, le repos des âmes des père et mère du roi fondateur ; de celle de Sa Majesté après son décès ; et de celle de la reine son épouse [17] ».

Installées pour l'heure dans la maison du noviciat de Nancy, les missions royales ne sont pas toujours bien accueillies car une partie importante de leurs revenus doit être prélevée sur les biens des bénédictins et des chanoines réguliers. Ainsi, le prieuré bénédictin de Lay-Saint-Christophe, qui aurait dû céder ses biens aux jésuites, porte l'affaire à Rome. En dépit de la bienveillance de Benoît XIV, il n'a pas eu gain de cause : le père de Menoux est intervenu contre eux. Entre-temps, l'intrigant jésuite a succédé au père Leslie et au père Pichon à la tête de l'institution. Ce dernier, très apprécié à la cour de Lunéville, publiera en 1745 un ouvrage sur *L'Esprit de Jésus-Christ et de l'Église sur la fréquente communion* [18] pour combattre le célèbre traité de morale pratique d'Antoine Arnauld, *La Fréquente Communion,* paru à Paris en 1643.

Dix mille fidèles dans les rues de Nancy

Outre les aumônes destinées aux pauvres, les missionnaires apportent à la population une présence affective qui se concrétise par des distributions d'images pieuses et d'objets bénits, des processions et l'élévation de croix. La mission d'août et septembre 1739 à Nancy réunit un cortège de plus de dix mille fidèles dans les rues de la ville. Le 15 août, le saint sacrement est porté par l'évêque de Toul, entouré des missionnaires en surplis, brandissant des flambeaux. Le roi et sa suite, tout le clergé de Nancy, les cinq curés et leurs vicaires, les chanoines du chapitre de Saint-Georges et de la primatiale, les autorités civiles et judiciaires, tous défilent entre une haie de dragons du régiment d'Orléans. Sermons et conférences se succèdent au fil des jours et du parcours, à l'église Saint-Epvre, à la paroisse Saint-Pierre. « Vers quatre heures du matin, écrit le libraire Nicolas, on faisait la prière suivie de la messe, un sermon, ensuite la bénédiction du saint sacrement ; à dix heures, un second sermon ; à deux heures après midi, se faisait la conférence, avant et après laquelle on chantait des cantiques ; à six heures du soir, le dernier sermon suivi de la bénédiction[19]. »

Le 14 septembre, au cours de la dernière cérémonie, la croix de mission est plantée dans le bois de La Malgrange, juste dans l'axe des appartements de la reine. Elle servira de prétexte à Stanislas pour ériger douze petites chapelles à claire-voie, figurant les stations du chemin de croix conduisant au calvaire. Un an après jour pour jour, en la fête de l'Exaltation-de-la-Sainte-Croix, Mgr Bégon bénit le chemin de croix. À chaque station, le père de Menoux exhorte à la prière sur le mystère représenté, puis le père Collin prononce un long sermon à la gloire de Dieu et du roi Stanislas devant la foule qui se presse derrière l'évêque de Toul et les missionnaires. Par contrat, Stanislas a déterminé le parcours de cette procession qui doit partir de Notre-Dame-de-Bon-Secours pour s'y achever à nouveau dans les chants des « mystères de la passion de Notre-Seigneur ». En 1742, le roi fait construire aux abords du calvaire un petit couvent de capucins dédié à saint Félix de Cantalice et composé d'une chapelle, d'une petite tour avec sa cloche et d'un petit bâtiment pour loger trois moines. L'ensemble a été édifié par le frère Antoine Poirel, originaire de Gerbéviller et ancien membre de l'ordre.

L'originalité essentielle des missions royales réside dans la prédication dialoguée, sorte de théâtre sacré hérité du théâtre d'éducation en vigueur dans tous les collèges jésuites. Ainsi, plusieurs acteurs interviennent dans les conférences des missionnaires qui sont découpées en cinq actes séparés par des chants.

Une maison pour les missionnaires à Nancy

Stanislas veille personnellement au bien-être des missionnaires, et plus particulièrement à celui du père de Menoux, auquel il accorde en 1741 une rente de cinq cents livres au titre de pension alimentaire. La même année, Stanislas achète à son ancien architecte Jennesson une propriété pour y faire construire par Héré une maison pour eux. Situé dans le faubourg de Bon-Secours, près de l'église Saint-Pierre que Jennesson vient d'achever, l'hôtel des Missions royales entre en fonction deux ans après, en 1743. Ce bâtiment de deux étages est élégant, avec son pavillon central à trois niveaux couronné d'une balustrade. Stanislas s'est réservé un appartement au rez-de-chaussée. Le calme du lieu et la proximité de Notre-Dame-de-Bon-Secours en font une étape privilégiée pour le roi, qui n'éprouve aucune attirance pour le palais du Gouvernement, au centre de Nancy.

En 1745, la maison des Missions royales devient le Séminaire royal des missions. Indépendant du noviciat de Nancy, il accueille un supérieur, douze missionnaires, deux frères et des domestiques. Dès lors, le séminaire est placé « sous l'autorité et la protection royale, pour jouir de tous les privilèges, prérogatives, immunités, franchises et droits qui appartiennent à de semblables établissements[20] ».

Sous la houlette du père de Menoux, l'institution progresse, forte de sa royale protection, mais il arrive que les jésuites en abusent. En 1745, ils posent des treillages sur le mur d'un bâtiment ainsi que sur le mur de l'église, propriétés du sieur Jennesson, sans s'acquitter du droit d'accotage. L'architecte réclame son dû, puis, devant leur silence, assigne les jésuites au bailliage de Nancy qui les condamne à payer. Les jésuites font appel, mais la sentence est confirmée : les pères n'ont plus qu'à régler la facture. De passage à Nancy, Stanislas écoute d'une oreille complaisante les plaintes des missionnaires. Il confie l'affaire à Chaumont de La Galaizière, qui confirme à son tour l'arrêt de la cour.

L'année suivante, le libraire Nicolas relate l'affaire Jennesson, qui n'est toujours pas réglée. En l'absence du père de Menoux en voyage à Rome, où il plaide la cause des jésuites, c'est le père Pichon qui explique au roi de Pologne « que Jennesson lui avait manqué de respect en les faisant assigner sans sa permission[21] ».

Stanislas réagit violemment, convoque sur-le-champ le lieutenant de police de Nancy et ordonne l'arrestation de Jennesson jusqu'à restitution de la somme. L'architecte est conduit à la conciergerie, où il promet de rendre aussitôt l'argent à la mission, « mais il ne trouva personne, le père Pichon s'étant caché de même que les autres missionnaires, il fut obligé de les donner à un frère coupe-choux qui affecta de ne savoir signer, alors il appela des témoins pour remettre l'argent et en fit dresser un procès-verbal[22] ». Cette histoire exemplaire montre bien la toute-puissance des jésuites dans la Lorraine de Stanislas. Elle révèle aussi le parti pris du roi de Pologne, qui refuse d'exploiter la duplicité du père Pichon, préférant passer son courroux sur Jennesson, dont il a déjà refusé les services en arrivant à Lunéville.

L'affaire des billets de confession

Grâce à leurs missions, les jésuites tiennent en échec le jansénisme en Lorraine, mais celui-ci reste bien présent dans le royaume de France. Le feu qui couvait reprend en 1749 avec l'affaire des billets de confession. Il était jadis courant de demander à toute personne réclamant les sacrements un billet signé d'un prêtre attestant l'avoir entendu en confession. C'était une façon détournée de démasquer les protestants. Mgr de Beaumont, nouvel archevêque de Paris, imagine le même stratagème pour débusquer les jansénistes, exigeant des mourants la révélation du nom de leur confesseur ou la présentation d'un billet impliquant leur acceptation de la bulle *Unigenitus*. Faute de ces justificatifs, les derniers sacrements et la sépulture chrétienne leur sont refusés. Cette décision divise le royaume : d'un côté, les parlements, jansénistes, la bourgeoisie et le petit peuple de Paris ; de l'autre, la Cour, les jésuites et la plupart des évêques. Les incidents se multiplient à Paris et en province. Les parlements se mobilisent et adressent des *Grandes Remontrances*[23] au roi.

L'ampleur de la crise ne laisse pas Stanislas indifférent. À la lecture des *Grandes Remontrances*, il griffonne un mémoire qu'il intitule *Le Remède pire que le mal* : « Ce qui se passe aujourd'hui dans le royaume au sujet du mal prétendu des billets de confession ne justifie que trop le titre de l'ouvrage que je vais entreprendre, et que je consacre entièrement au bien de l'État, dont les intérêts me touchent plus que les miens propres[24]. » Le roi de Pologne se livre à une analyse subtile dans laquelle il pèse le pour et le contre sans rejeter le principe des billets de confession puisqu'ils font connaître les opposants à la bulle : « Ce qui est certain, c'est que, par la conduite du Parlement qui le désapprouve comme contraire à la police de l'État, le mal qu'on veut guérir et qui n'était presque plus aperçu que par un reste de symptômes aisés à guérir, ce mal est empiré de manière qu'il n'est presque plus possible d'y employer d'autres remèdes que ceux qui par leur violence risquent de détruire la nature en la forçant[25]. » La querelle dépasse la simple question des billets de confession ; elle annonce une crise institutionnelle dont le roi de Pologne voit le danger : « Je n'ose pénétrer plus avant dans des vues qu'il n'est tout au plus permis que de soupçonner, mais le schisme de la religion n'est pas le seul prêt à éclater dans le royaume. Il est rare que, partout où l'on se pique de noble intrépidité, qui ne convient qu'à l'innocence, une entreprise téméraire ne soit bientôt suivie d'une autre. Il est un schisme, non moins dangereux, qui fermente sourdement dans l'État. Déjà les esprits s'échauffent, les cœurs s'altèrent, les maximes changent, et l'amour de l'indépendance cherche à saper les barrières qui retiennent les peuples dans une heureuse et paisible sujétion[26]. »

Sans contester ni les droits des magistrats ni ceux des évêques, il exhorte les parlements à plus de maturité et rappelle que le seul remède viendra de Louis XV : « Nul autre que le roi ne peut le guérir, et il le fera sans doute, non point par les moyens que pourrait exiger son autorité lésée, mais par ceux qui conviennent le plus à la douceur et à la bonté de son caractère. Qu'il confonde le Parlement par sa clémence ; c'est la vengeance la plus digne d'un roi[27]. » Il suggère deux réformes : limiter le droit de remontrance et créer quatre cours nouvelles dans le ressort du parlement de Paris : Limoges, Poitiers, La Rochelle, Lyon ou Châlons-sur-Marne : « Cet établissement ne manquerait point de diminuer le trop grand pouvoir d'une compagnie alliée à la plupart des plus riches familles de la capitale[28]. »

Attentif à l'évolution de l'agitation parlementaire, Stanislas se fait adresser toute la prose engendrée par cette querelle, qu'il s'agisse des *Lettres d'un homme du monde au sujet des billets de confession et de la bulle Unigenitus* de l'abbé Pelvert ou des *Réflexions sur les onze lettres d'un homme du monde au sujet des billets de confession et de la bulle Unigenitus* d'un janséniste anonyme. Il entre même dans le débat en écrivant une *Réponse d'un citoyen demeurant à Liège à son ami à Paris* dans laquelle il dévoile les bases d'un traité d'ecclésiologie.

Mais l'affaire des billets de confession s'est envenimée en Lorraine dès l'arrivée à la tête du diocèse de Toul de Claude Drouas de Boussey, en juin 1754. Il a la réputation d'être un antijanséniste décidé depuis qu'il a été le secrétaire de Joseph Languet de Gergy, archevêque de Sens. Désireux d'en finir avec les jansénistes en Lorraine et poussé par les curés de Nancy, il publie le 26 août 1764 une ordonnance signifiant à toutes les communautés ecclésiastiques qu'à « l'avenir lesdits religieux ne pourront confesser les malades ni faire faire la communion aux enfants sans la permission de leur curé ».

Ce texte provoque une levée de boucliers dans le diocèse, révélant l'existence d'un fort courant janséniste. La cour souveraine s'empare de l'affaire et condamne ce texte comme « contraire aux constitutions canoniques, aux lois et usages des duchés, et comme propre à jeter le trouble dans les esprits ». Le 2 janvier 1755, dans des *Remontrances* adressées à Stanislas, la même cour justifie sa position avec diplomatie : « C'est un principe, Sire, qu'une ordonnance ecclésiastique concernant la discipline de l'Église ne peut avoir force de loi dans les États d'un souverain qu'elle ne soit de lui autorisée. Tout le monde reconnaît dans les souverains catholiques la qualité de protecteurs de l'Église[29]. » Une phrase confirme la subordination du spirituel au temporel : « L'autorité d'un évêque n'est point un empire, c'est un ministère réglé par les constitutions canoniques et subordonné aux lois des souverains. »

Pour mettre un terme au conflit, l'évêque de Toul écrit à Stanislas le 4 février 1755 en lui proposant de modifier les termes de son ordonnance. Mais la cour souveraine, informée de la publication de brochures anonymes en faveur de Drouas de Boussey, persiste dans son opposition tandis que le prélat révoque son ordonnance. Habile, la cour souveraine a remporté une victoire : en honorant l'autorité du duc, elle a pris la défense des jansénistes peu appréciés du roi, tout en flattant le gallicanisme de Versailles et en veillant au respect des traditions lorraines.

Mais Stanislas n'est pas dupe, sa réponse à l'évêque de Toul le 5 mars 1755 le confirme. Parfait dans son rôle de souverain paternaliste, il rappelle Drouas de Boussey à l'ordre, lui reprochant d'avoir semé le trouble dans les duchés : « Non, Monsieur, ma loi est faite, jaloux du repos, du bonheur et de la confiance de mes sujets, je ne souffrirai pas qu'un faux zèle l'emporte sur l'amour paternel que je ressens et que je me pique de manisfester à toute occasion en qualité de bon père de famille ; et, bien loin de me rétracter de ce que j'ai prononcé par mon arrêt, je prétends le soutenir de toute sa vigueur, pour éviter dans la suite toutes sortes d'altercations scandaleuses et incompétentes, par mon arrêt je prétends non seulement imposer le silence au bruit imprudemment excité, mais encore en faire une loi conforme aux ordonnances des ducs mes prédécesseurs pour qu'à l'avenir le parlement n'excède jamais le pouvoir émané de ses souverains [30]. » Magnanime, il enterre le différend : « Ne parlons plus de ce qui s'est passé, je m'impose à moi-même silence, et veux que tout le monde le garde, et qu'en l'observant fidèlement on jouisse de ce vrai repos qui fait le bonheur de la vie et la prospérité de l'État [31]. »

La chasse aux jésuites

Le 3 septembre 1758, à Lisbonne, le roi du Portugal Joseph Ier est blessé par deux agresseurs. Une centaine de personnes sont arrêtées et une dizaine exécutées. On accuse aussitôt les jésuites d'avoir poussé les conjurés au crime en leur assurant que le régicide est permis en certaines circonstances. Conséquence : en septembre 1759, tous les membres de la Compagnie de Jésus sont déclarés hors la loi au Portugal.

Depuis son adolescence, on l'a vu, Stanislas a toujours entretenu des liens étroits avec les jésuites, dont il reconnaît le rôle efficace dans la réforme catholique en Pologne. Mais il comprend que leur expulsion du Portugal n'est que le premier acte d'une chasse qui va se développer dans toute l'Europe. Le 3 avril 1759, il écrit ainsi à sa fille : « Je voudrais avoir tous les jésuites portugais pour les mettre à l'abri de toute persécution[32]. » En France et en Lorraine, on suit avec beaucoup d'intérêt cette affaire, d'autant que l'attentat de Damiens[33] contre Louis XV est encore présent dans les esprits.

Les jansénistes profitent de l'occasion pour publier quelques pamphlets insinuant que les jésuites, sous la protection du Dauphin, auraient intérêt à voir disparaître Louis XV. Il est vrai que le prince a hérité l'admiration de Marie Leszczynska pour ces religieux qui dirigent toutes les consciences de la famille royale. L'hostilité s'accroît dès 1760. Les critiques se multiplient, l'entreprise de démolition de l'image de la Compagnie de Jésus est en place. D'attaques en procès, parfois provoqués par les propres erreurs des jésuites, on peut conclure, en 1761, que leurs jours sont comptés.

Stanislas et Marie s'inquiètent

Stanislas s'en inquiète et partage sa crainte avec la reine de France, mais il ne peut croire à l'éviction des jésuites : « Il est sûr que plus je pense à l'horreur du procédé contre les pauvres jésuites, moins je peux croire et me persuader que leur perte puisse avoir lieu. J'ai ici le plaisir d'avoir mon ami l'évêque de Verdun. Si tous les évêques pensent comme lui, on ne pourra pas faire subsister ce qui a été fait sur ce sujet sans se déclarer contre la religion et contre l'autorité de l'Église[34]. »

De son côté, Louis XV ne souhaite pas l'anéantissement des jésuites ; il est favorable à une réforme de leur constitution, avec le concours du Saint-Siège. Stanislas, qui a beaucoup entendu parler d'un jeune professeur, Joachim Cerutti[35], réclame sa venue à la mission royale de Nancy. Sous la direction des pères de Menoux et Leslie, Cerutti compose une défense de l'ordre, publiée en 1762 en trois volumes sous le titre *Apologie de l'institut des Jésuites*. S'il suscite l'admiration, le texte du jésuite ne peut détourner la main de la justice. Pour Stanislas, la bataille apparaît perdue, et il l'exprime à Marie Leszczynska le 23 juin 1762 : « Pour les jésuites, je les crois perdus, puisque le roi ne s'oppose à leur perte[36]. » Le 6 août, le parlement de Paris ordonne la fermeture des collèges. Marie écrit à son père : « Je ne vous parle pas de ce que le Parlement a fait, car cela me fait mal, j'en suis dans la douleur : ce sont les indulgences de Luther ! » Elle ajoute, désabusée : « Je ne vis que d'amertume, et ma consolation c'est Dieu et de penser que cette vie est courte.

« Ce que je puis vous dire, c'est que ni lecture, ni peinture, ni tous les plaisirs de la solitude ne m'empêchent point de sentir tout ce qui se passe, parce que cela touche l'intime de mon âme ; il n'y a que le cabinet de la belle mignonne[37] où je prie Celui qui seul peut y remédier et qui peut donner la force aux faibles. »

Elle conclut par ces mots prémonitoires : « C'est une sotte chose que d'être reine. Hélas ! pour peu que les choses continuent à aller comme elles vont, on nous dépouillera bientôt de cette incommodité[38]. »

Ultime démarche auprès de Louis XV

Inquiète pour les jésuites, Marie les recommande à son père. Mais il n'est guère plus rassuré qu'elle : « Je ne suis pas un moment tranquille sur la sûreté des miens en Lorraine qu'il me semble que je ne tiens que par la queue [39]. » Il n'en tente pas moins une démarche auprès de son gendre : « Pendant que le public s'étonne et que chaque fidèle de vos sujets frémit sur le spectacle tragique de la persécution inouïe contre les jésuites, en mon particulier qu'il me soit permis de vous exposer ma vive douleur sur ce triste sujet que ma raison ne peut comprendre, ni mon cœur sensible supporter. Si l'estime et la considération que j'ai pour cette société lui donnent le privilège sur mes sentiments, ce qui regarde la religion en cette occasion, votre autorité, l'utilité pour le bien de votre royaume prévaut dans la part que je prends à ce qui peut m'intéresser le plus vivement, très persuadé que toute injustice doit se briser aux pieds de votre trône, et que cette persécution inouïe, parvenue au terme de la plus grande animosité, ne fera voir qu'autant plus le pouvoir de votre sagesse, de votre justice et de votre autorité.

« Permettez que je les jette à vos pieds ; s'ils succombent par la persécution de leurs ennemis, rien ne leur sera plus glorieux que de se relever par une protection telle que la vôtre. Vos illustres prédécesseurs les ont établis, il ne vous reste que de les maintenir ; et à moi de vous assurer de mon tendre attachement avec lequel je suis, etc. [40] »

Stanislas s'adresse aussi au parlement dans une longue lettre, habile et convaincante : « Mon zèle pour ma patrie m'ouvre ce seul chemin pour pénétrer jusqu'à vous en vous déclarant par avance que je suis plus parlementaire que soi-disant jésuite, et que ce n'est pas leur cause que je défends, mais la vôtre et celle de toute la respectable magistrature, étant plus important pour le bien de l'État que votre gloire soit irréprochable qu'un corps de religieux subsiste[41]. »

Le roi de Pologne a perdu...

Dans son plaidoyer, Stanislas rappelle que les jésuites risquent d'être condamnés sans avoir eu les moyens de se défendre. Une telle erreur judiciaire pourrait causer plus de préjudices au Parlement qu'aux inculpés. « Vous êtes exposés au jugement de toute l'Europe, poursuit le roi de Pologne qui demande au Parlement de revenir sur sa décision, ne vous piquez pas, je vous prie, de fermeté. Le monde n'existerait pas si Dieu par sa miséricorde ne modérait pas la rigueur de sa justice, et je ne trouve rien de plus grand dans le plus souverain gouvernement que d'avoir le droit de punir et par la clémence d'en savoir faire usage. Dans ce système l'affaire peut être redressée, et ce que vous avez fait soi-disant avec raison peut passer pour des mesures prises par précaution pour prévenir un mal que vous avez trop pris pour réel[42]. »

Stanislas va tout tenter pour sauver les jésuites. Il envoie le père Cerutti à Versailles défendre la cause de la Compagnie. En vain. Les parlements les ont condamnés et leurs biens sont placés sous séquestre. Le roi signe l'édit de suppression de la Compagnie de Jésus dans tout le royaume le 19 novembre 1764. Ses biens sont confisqués mais ses membres peuvent demeurer en France. Commentant son geste, Louis XV avoue : « Je n'aime point cordialement les jésuites, mais toutes les hérésies les ont toujours détestés, ce qui est leur triomphe. Je n'en dis pas plus. Pour la paix dans mon royaume, si je les renvoie contre mon gré, du moins je ne veux pas qu'on croie que j'ai adhéré à tous ce que les parlements ont fait et dit contre eux[43]. »

Quatre ans de répit en Lorraine

Stanislas, lui, ouvre ses duchés aux jésuites, les assurant de sa protection. Cette même année 1764, il a perdu son confesseur polonais, le père Ubermanowicz. Inquiète, Marie Leszczynska lui recommande de ne pas se confesser à un curé. Stanislas la rassure : en attendant l'arrivée de Pologne du père Luskina, écrit-il, « je me servirai d'un jésuite[44] ».

La Compagnie connaîtra quatre années de répit dans les duchés de Lorraine et de Bar. La mort de leur bienfaiteur en 1766 ne compromettra pas leur position car, par respect pour Marie Leszczynska, Louis XV ne les chassera pas immédiatement ! Pour le faire, il attendra la disparition de la reine, en 1768.

CHAPITRE XII

Pour une Église sociale

La prééminence des jésuites en Lorraine depuis l'installation du roi de Pologne a suscité l'hostilité des ordres monastiques, comme les bénédictins, et celle du clergé séculier, qui conteste le rôle des missions royales. En réaction se développe un courant gallican, richériste et presbytérien auquel appartiendra le fameux curé d'Emberménil, l'abbé Grégoire.

Une ecclésiologie très personnelle

Stanislas a conscience de tout cela; et, bien qu'il ait privilégié la Compagnie de Jésus dans les duchés pour ses qualités apostoliques, il n'a jamais adhéré à sa théologie. Teintée de « sarmatisme », l'ecclésiologie qu'il s'est fabriquée relève d'un savant amalgame de lectures, de voyages enrichissants et de conversations diverses. Toujours au fait des événements de son temps, il s'est fait lire les textes les plus variés, ceux des adversaires des jésuites, tels Helvétius et Roussel de La Tour, comme les œuvres de dom Calmet[1]. De plus, il a beaucoup côtoyé les théatins, dont il honorait le fondateur, saint Gaëtan, et surtout les piaristes, dont étaient issus Stanislas Konarski et Joseph Zaluski.

Fondés à Rome en 1607 par le bienheureux Joseph Cazalanz, les piaristes, très répandus en Italie, ont essaimé en Europe centrale, où ils ont exercé une action éducative aussi importante que celle des jésuites. Le roi Ladislas IV Wasa les a introduits en Pologne pour contrebalancer l'influence des pères de la Compagnie de Jésus, et leur avait même octroyé le monopole de l'édition des journaux en langue polonaise. C'est au collège romain du Nazarenum qu'a été formé Stanislas Konarski[2]. D'élève des piaristes, il est devenu professeur, exerçant successivement à Rome, Venise, Paris, Dresde et Vienne. Il a refusé les honneurs des rois saxons pour soutenir la cause de Stanislas Leszczynski, auquel il a rendu visite à Chambord.

À l'époque, le piariste et Stanislas sont proches au point d'échafauder ensemble un système éducatif. Stanislas sert de trait d'union entre la société française des Lumières et la *szlachta*. Alors que la Pologne traverse ce que l'on appelle la « nuit » saxonne – cette léthargie intellectuelle et politique qui paralyse le pays depuis la mort de Jean Sobieski –, Stanislas voit grandir son influence sur sa terre natale grâce à l'entremise des piaristes.

Konarski rappelé en Pologne

Entre 1738 et 1740, Stanislas Konarski multiplie les voyages entre Paris, Lunéville et Varsovie. Il fréquente le collège des Quatre-Nations, se lie avec Fontenelle et Rollin, accumule les connaissances et acquiert assez d'expérience pour réaliser des réformes, vraisemblablement imaginées dans le secret du cabinet royal de Lunéville. Mais ces séjours prolongés sur les terres lorraines inquiètent tant les chancelleries européennes que le supérieur de l'ordre rappelle tous les frères piaristes dans leurs couvents.

À cette époque, en 1740, Konarski fonde le Collegium nobilium scholarum piarum à Varsovie, bientôt suivi d'un collège à Wilna, puis à Lvov. Il y enseigne aussi bien Descartes que l'histoire moderne, le droit public polonais que les langues étrangères. Cultivant traditionalisme polonais et pensée nouvelle, Konarski se révèle fin pédagogue. Rançon du succès, ses établissements servent de pépinière aux jeunes nobles qui façonneront l'éphémère Pologne moderne du roi Stanislas-Auguste Poniatowski.

Concurrencés sur leur terrain privilégié, les jésuites réagissent aussitôt en créant dans les grandes villes des instituts destinés à la noblesse. Ils n'hésitent pas à faire appel à des professeurs ecclésiastiques et laïques français, publient des grammaires françaises, traduisent La Fontaine, Molière, Boileau, aménagent des laboratoires, créent des observatoires astronomiques, jouent les contradicteurs des philosophes et adaptent des pièces françaises.

N'approuvant pas ce choix, Konarski crée en 1743 un théâtre pour lutter contre le mauvais goût des jésuites. Voilà pourquoi il a traduit l'*Othon* de Corneille... Mais le piariste ne s'arrête pas là. Il publie aussi un traité sur la réforme de l'éloquence qui provoque la colère des jésuites [3].

Ensuite, les affaires se compliquent. Konarski et Stanislas se brouillent. Pour quelles raisons ? Le combat du piariste contre les jésuites défendus par Stanislas ? À moins que les mœurs très libres du roi ne choquent le piariste... Toujours est-il qu'en mars 1747 Konarski arrive à Lunéville pour inscrire son parent Ignace à l'École des cadets et suivre une cure à Plombières. Il y reste deux mois, modestement logé chez un marchand de la ville.

Pourquoi n'est-il pas l'hôte de Stanislas, alors que tous ses anciens partisans de passage à Lunéville séjournent au château? Il est vrai que Catherine Opalinska a rendu l'âme peu de temps après l'arrivée de Konarski et que la Cour a observé un deuil de six semaines. Ensuite Stanislas est parti pour Versailles pendant près de trois semaines. Peut-être Konarski a-t-il été victime d'une manœuvre du père de Menoux, qui redoute l'influence du piariste sur le roi de Pologne...

Malgré cette brouille, le père piariste et le roi déchu se sont mutuellement influencés, aussi bien dans leurs textes religieux et politiques que dans leurs projets éducatifs.

Le roi veut réformer l'Église

Stanislas ne s'est pas contenté de créer des pèlerinages, il a aussi songé à réformer l'Église. La légende veut que l'influent Menoux ait guidé sa plume quand il ne s'est pas substitué à lui. C'est peu crédible tant l'esprit libre de Stanislas était difficile à influencer dans ce domaine[4]. Outre le chevalier de Solignac, qui ne cache pas son admiration pour Fontenelle, admirable vulgarisateur des sciences, et le fidèle Tercier, censeur favorable de *De l'esprit* d'Helvétius, Stanislas n'hésite pas à faire appel au chanoine Montignot, janséniste notoire, comme premier bibliothécaire de la bibliothèque publique de Nancy, ou même à un richériste[5] convaincu, le père Gautier, chanoine régulier.

De tous ces courants de pensée, de toutes ces personnalités, Stanislas s'inspire pour construire une philosophie personnelle sans pour autant s'éloigner des préoccupations de l'époque. Le grand débat des Lumières qui a animé la vie des Églises est celui des relations du spirituel au temporel mais aussi celui des rapports hiérarchiques dans l'Église. Stanislas a beaucoup écrit sur ces thèmes. Dans ses *Observations sur le gouvernement de Pologne,* projet de réformes contre les abus des dirigeants de la *Rzeczpospolita,* le roi — pour qui on ne saurait être un bon citoyen sans être un bon chrétien – rejette la confusion des pouvoirs : « Ainsi, anathème à celui qui prétendrait que la puissance temporelle eût quelque droit sur la puissance spirituelle, et qu'une main séculaire pût mettre la main à l'encensoir[6]. » Mais il affirme aussi que « la religion doit nous conduire dans la morale et dans la politique, autant que dans tout ce qui concerne le culte de Dieu[7] ».

Toute réussite réside dans un parfait équilibre et une bonne harmonie entre les deux puissances. Il décrit cette situation idéale dans sa réponse à un ami, à propos de l'*Entretien d'un Européen avec un insulaire du royaume de Dumocala :* « Voilà tout le fond de la religion des Dumocaliens ; ils adorent le Créateur, ils respectent sa puissance, ils craignent la justice, ils sont persuadés qu'il y aura dans une autre vie des châtiments pour l'ingratitude, pour le mensonge, pour la calomnie, pour l'injustice, pour le parjure, et des récompenses pour la tempérance, pour la bienfaisance, pour la probité, pour l'hospitalité. De là naît parmi eux l'amour de l'ordre ; l'amour de l'ordre inspire la subordination aux lois, la subordination aux lois impose des devoirs ; l'accomplissement des devoirs fait des bons citoyens ; et du mérite des bons citoyens dépend la prospérité de l'État. Voilà ce que les brachmanes ne cessent de prêcher à Dumocala ; ils enseignent et recommandent surtout la soumission du Prince ; le Prince et ses ministres respectent et protègent la juridiction des brachmanes ; ces biens réciproques réunissent indivisiblement les intérêts mutuels des deux puissances, et assurent le repos de la nation[8]. »

Pour parvenir à cette harmonie des pouvoirs, Stanislas n'entrevoit qu'une seule solution : que les magistrats et les évêques soumettent leurs projets ou leurs remontrances au roi. C'est ce qu'il précise en 1755 à l'évêque de Toul : « Ce que j'ordonne à mon parlement là-dessus, je l'exige par amitié de vous, Monsieur, dans les cas qui vous obligeront de faire quelques *nouveaux règlements* dans votre diocèse ; la connaissance que vous m'en donnerez me mettra en état de prendre toutes les mesures possibles pour maintenir comme je le dois tout ce qui concerne la religion, le culte de Dieu et la tranquillité publique[9]. » Mais, pour que le système fonctionne, l'Église ne doit pas être une puissance d'oppression qui entrave le bonheur des hommes. Et Stanislas suggère alors une sécularisation partielle des biens de l'Église. En Pologne, par exemple, ceux-ci devraient être confiés à la gestion d'un conseil spirituel qui fixerait, notamment, les appointements des évêques, des curés et des religieux ; l'excédent serait dévolu à l'armée. Cette thèse se retrouve dans la plupart des écrits du roi, notamment dans son projet d'édit sur la mendicité.

Stanislas ne se borne pas à réfléchir sur la seule question de la gestion des biens du clergé. C'est l'Église dans son ensemble qu'il analyse : la doctrine, l'ecclésiologie, le magistère, la discipline. Les passions déchaînées par la bulle *Unigenitus*, l'essor du richérisme, la notion d'infaillibilité pontificale, l'autorité des évêques, leur subordination à Rome, le rôle des laïcs dans le magistère sont autant de sujets de préoccupation qu'il consigne dans une liste manuscrite de trente *Questions à résoudre*[10]. On peut lire par exemple : « Notre Seigneur, en prêchant sa divine doctrine, a-t-il laissé la liberté à chacun de l'expliquer à son gré ? Suffit-il de dire qu'il faut obéir à l'Église sans convenir unanimement de la définition de son autorité ? L'obéissance sans réserve au pape est-elle un article de foi ? Pourquoi, sur un point si essentiel de l'obéissance à l'Église, il n'y a pas une conformité générale dans tous les pays catholiques ? »

Ménageant gallicanisme et ultramontanisme, Stanislas propose un système ecclésiastique qui vise à tempérer la puissance pontificale par des institutions nationales. Il préconise notamment l'élection des papes par les évêques, supérieurs et cardinaux, parce qu'ils « sont d'un institut divin et revêtus d'un véritable caractère apostolique[11] ». Il imagine un concile permanent, sorte de synode épiscopal composé de douze délégués des principales nations catholiques – France, Pologne, Portugal, Allemagne, Espagne et Italie –, qui aurait pour mission de représenter en permanence auprès du pape les fidèles de la chrétienté.

Le roi de Pologne accorde une place prépondérante aux évêques, ce qui est une manière habile de tempérer la primauté romaine. Il faut souligner que, dans ce projet de réforme, le roi écarte les moines parce que les territoires de mission ne sont ni des « nations » ni des « églises », et aussi par défiance pour le monde claustral. En cela Stanislas est bien un homme des Lumières : « Il n'est aujourd'hui, surtout dans les monastères, que trop d'ouvriers employés sans talents et sans vocation à la moisson de l'Évangile[12]. »

L'originalité est ici d'associer des idées nouvelles avec des traditions puisées à différentes sources. En Stanislas cohabitent un ultramontanisme modéré de réformisme gallican, une touche d'humanisme chrétien, quelques bribes de contre-réforme associées à un fort « républicanisme » sarmate.

En marge de la réforme de l'Église, Stanislas s'est voulu éducateur, rédigeant des textes, voire des prières, à l'usage des fidèles ; notamment lors de l'inauguration de la place Royale à Nancy, il a composé une *Prière pour le roi de France, le jour qu'on posera sa statue à Nancy*[13]. Le 21 novembre 1755, l'évêque de Toul publie ce texte à la suite de son mandement, recommandant de le réciter dans toutes les paroisses des duchés devant le saint

267

sacrement exposé. S'intéressant à toutes les couches de la société, il écrit aussi, en 1751, une *Lettre sur l'éducation des enfants et particulièrement sur celle des princes*[14]. Ces recommandations sont conçues pour être enseignées dans les écoles, mais aussi au prône et au catéchisme.

Parfois le texte est écrit à quatre mains avec le père de Menoux. C'est le cas en 1760 de *L'Incrédulité combattue par le simple bon sens*[15], sorte d'essai philosophique dans lequel Stanislas « ne s'érige point ici en théologien, pour prouver à nos philosophes la vérité de la religion qu'ils traitent de chimère. Je me réduis à leur faire voir par la raison même, dont ils font leur idole, qu'au lieu d'appuyer leur système elle le condamne et le proscrit ; qu'ils prennent pour des lumières supérieures les ténèbres où ils sont plongés »[16]. Y combattant l'athéisme des philosophes, le roi de Pologne charge Menoux d'en envoyer un exemplaire à Voltaire – échange de bons procédés puisque l'ermite de Ferney adresse fidèlement ses œuvres importantes au roi.

Profitant de l'occasion, le jésuite a pris soin de joindre à l'envoi une missive des plus ironiques. Voltaire répond sur le même ton : « Envoyez surtout beaucoup d'exemplaires en Turquie ou chez les athées de la Chine : car, en France, je ne connais que des chrétiens. Il est vrai que, parmi ces chrétiens, on se mange le blanc des yeux pour la grâce efficace et versatile, pour Pasquier Quesnel et Molina, pour des *billets de confession*. Priez le roi de Pologne d'écrire contre ces sottises, qui sont le fléau de la société : elles ne sont certainement bonnes ni pour ce monde ni pour l'autre. [...]

« Vous êtes tous de grands fous, molinistes, jansénistes, encyclopédistes. Il n'y a que mon cher Menoux de sage ; il est à son aise, bien logé, et boit de bon vin. J'en fais autant ; mais, étant plus libre que vous, je suis plus heureux. Il y a une tragédie anglaise qui commence par ces mots : Mets de l'argent dans ta poche, et moque-toi du reste. Ce n'est pas tragique, mais cela est fort sensé[17]. »

Bien que plus diplomatique, la lettre qu'il adresse au roi de Pologne décoche quelques flèches contre le jésuite de Nancy : « Le dernier livre de Votre Majesté, que le cher frère Menoux m'a envoyé de votre part, est un nouveau service que Votre Majesté rend au genre humain. Si jamais il se trouve quelque athée dans le monde (ce que je ne crois pas), votre livre confondra l'horrible absurdité de cet homme. Les philosophes de ce siècle ont heureusement prévenu les soins de Votre Majesté. Elle bénit Dieu sans doute de ce que, depuis Descartes et Newton, il ne s'est pas trouvé un seul athée en Europe. [...] Un grand roi tel que vous, Sire, n'est ni janséniste, ni moliniste, ni anti-encyclopédiste ; il n'est d'aucune faction ; il ne prend parti ni pour ni contre un dictionnaire ; il rend la raison respectable, et toutes les factions ridicules ; il tâche de rendre les jésuites utiles en Lorraine, quand ils sont chassés du Portugal ; il donne douze mille livres de rentes, une belle maison, une bonne cave à notre cher Menoux, afin qu'il fasse du bien ; il sait que la vertu et la religion consistent dans les bonnes œuvres, et non pas dans les disputes ; il se fait bénir et les calomniateurs se font détester[18]. »

Voltaire est si fier de sa réponse qu'il en envoie des copies à tous ses amis. Le 28 août 1760, il écrit à d'Argental : « Frère Menoux, jésuite, m'a envoyé une mauvaise déclamation de sa façon intitulée *L'Incrédulité combattue par le simple bon sens*. Il a mis cet ouvrage sous le nom du roi Stanislas, pour lui donner du crédit ; il me l'a adressé de la part de ce monarque, et voici la réponse que j'ai faite au monarque. Voyez si elle est sage, respectueuse et adroite. Vous pourriez peut-être en amuser M. le duc de Choiseul, en qualité de Lorrain[19]. »

Une cinquantaine de fondations

L'idée maîtresse qui infléchit les écrits de Stanislas, c'est la liberté, parce qu'elle permet d'accéder à une forme de bonheur. Celle qui, pour être durable, s'ouvre sur une sociabilité universelle et trouve sa plénitude dans la bienfaisance : « Le plus grand de tous les bonheurs consiste à faire le bonheur des autres, et qu'il est aussi glorieux de répandre des grâces que de les mériter[20]. » Pour lui, tous les hommes sont sur terre « pour l'utilité des autres hommes ». Stanislas a fort à faire en Lorraine, où la mendicité est endémique, conséquence d'une longue série de guerres et d'une succession d'hivers rigoureux qui ont fait exploser les prix des céréales... quand ils ne mènent pas à la famine. Au début, le roi de Pologne se contente de poursuivre la politique sociale menée par le duc Léopold, qui avait créé un bureau des pauvres et des caisses de secours.

Mais leurs jugements diffèrent. Pour son prédécesseur, le mendiant et le vagabond étaient des produits de la fainéantise ; il rejoignait en cela la thèse des philosophes des Lumières. Pour le roi de Pologne, resté fidèle à la grande spiritualité du XVIIᵉ siècle, le pauvre incarne l'image du Christ et l'aumône demeure l'une des formes les plus élevées de la charité.

Ne pouvant engager la couronne de France dans cette action humanitaire, limité financièrement par son absence de pouvoir politique, Stanislas tourne la difficulté en ayant recours au système des fondations. Il en crée près d'une cinquantaine dans les domaines les plus divers. En 1746, il met sur pied la *Fondation des enfants-orphelins* à l'hôpital Saint-Julien de Nancy : une rente de onze mille livres, fondée sur un capital de deux cent vingt mille livres de France, pour assurer le logement, l'entretien et l'éducation de vingt-quatre enfants « nés dans les États de Lorraine et Barrois, orphelins et

270

véritablement pauvres, parmi lesquels on choisira de pré-férence les orphelins de père et de mère[21] ». En 1748, une rente de trois mille livres, sur une somme de soixante mille livres, est allouée à une *Fondation en faveur des pauvres sujets de Lorraine et Barrois affligés de maladies endémiques, de la grêle ou des incendies.* La même année, il accorde une rente de trois mille sept cents livres sur un capital de soixante-douze mille livres à la *Fondation de bouillons en faveur des pauvres malades des lieux où le roi a des bâtiments,* où les indi-gents malades reçoivent une sorte de soupe populaire, mais aussi du linge, des couvertures et du bois.

Cette charité se limite géographiquement à Nancy, Heillecourt, Vandœuvre, Jarville, Lunéville, Chante-heux, Huviller dit Jolivet, Einville et Commercy. Elle concerne les malades exclus des hôpitaux : « Les pauvres femmes en couches, jusqu'au temps où elles pourront entrer dans les hôpitaux ; les incurables ; les pauvres honteux, connus tels par les curés et directeurs[22], et les pauvres attaqués de maladies contagieuses. [...] Toutes les distributions de bouillon, aliments et autres se feront sur les billets des directeurs et curés, conformé-ment aux règlements qui seront faits dans les bureaux de charité[23]. »

Une réforme de la charité

Bien vite, Stanislas s'aperçoit cependant que, pour secourir les pauvres, c'est tout l'univers hospitalier qui doit être revu. Aussi fait-il agrandir la maison de charité de Lunéville, fondée par le duc Léopold ; avec l'assenti-ment de la congrégation de Saint-Lazare alors en place, il passe un accord destiné à l'établissement de Filles de la charité « pour le service des pauvres malades de la ville et des faubourgs et l'instruction des jeunes filles ».

À Nancy, en 1748, les secours sont dispensés par une association de trente dames de la charité qui, sous la tutelle des curés, tentent de soulager les malades indigents. Sortes d'assistantes sociales avant la lettre, ces dames alertent le médecin de la ville et avertissent les sœurs de l'hôpital Saint-Charles, chargées de fournir bouillons et médicaments à tous les pauvres de Nancy, le linge et le bois étant du ressort de l'association.

À cette œuvre qui se limitait initialement à la Ville Neuve de Nancy, Stanislas ajoute de nouvelles fondations dont, en 1750, celle de l'ordre de Saint-Jean-de-Dieu destinée au « soulagement des pauvres de la campagne attaqués de maladies populaires ». Pendant les douze missions annuelles effectuées par les jésuites, la présence d'un religieux s'impose « pour y voir, panser et soulager sans aucune rétribution les pauvres malades qui se trouveront dans les lieux ». Le religieux ne doit jamais quitter ses patients, même en cas d'épidémie. Les frères sont aussi tenus de visiter « les prisonniers malades dans toutes les prisons de Nancy, et leur donneront gratuitement tous les secours dont ils auront besoin, sans néanmoins être attenus de leur fournir des remèdes, et ceux qu'ils pourront fournir leur seront payés comme ils l'ont été jusqu'alors[24] ». Installée par le roi dans un superbe bâtiment neuf de l'actuelle rue Sainte-Catherine à Nancy, la communauté de l'ordre de Saint-Jean-de-Dieu verra passer ses effectifs de cinq frères à dix vers 1763.

Alors qu'il multiplie les fondations dans ses duchés, s'intéressant tour à tour à différentes catégories sociales comme les curés et vicaires infirmes[25], Stanislas écrit, au printemps de 1754, une sorte de préambule à l'arrêt du Conseil d'État du roi de Pologne du 28 juin 1754. Il rappelle que toute fondation et institution en faveur des pauvres demeureront unies aux deniers de l'Aumône publique, pour être régies par les directeurs des bureaux des pauvres de chaque ville. Ce texte exemplaire, qui donnera naissance, en 1756, à une *Fondation en faveur des pauvres honteux des villes de Lorraine et Barrois*[26], peut être considéré comme une profession de charité du roi de Pologne : « Pour attirer la bénédiction divine sur le pays, je crois que rien ne serait plus agréable à Dieu que de supprimer la mendicité en faisant subsister l'aumône par les moyens que les fidèles en aient tout le mérite et les véritables pauvres le secours. [...] Quant au moyen de remplir suffisamment la caisse des aumônes, il faut bien faire entendre dans l'édit que ce n'est ni ordonnance pour qu'on soit obligé d'y obéir rigoureusement, ni imposition, mais que ce n'est purement qu'une méthode qu'on propose à tous les fidèles obligés par la loi supérieure de Dieu à donner l'aumône pour soulager les pauvres. Cette loi établie par la religion, le roi, sans employer son autorité, laisse au bon plaisir de chacun de se taxer volontairement selon les mouvements de sa charité[27]. » Avec ce texte, le roi de Pologne acquiert sa vraie dimension : le prince social prend définitivement le pas sur le dévot.

CHAPITRE XIII

Tout pour la Lorraine
De l'éducation à la médecine

Au fil des années, les Lorrains ont appris à connaître Stanislas et à l'apprécier. Ses multiples efforts en faveur des populations et des cultes ont porté leurs fruits. Son image n'est plus celle d'un pion du roi de France, d'un fêtard panier percé et chasseur invétéré. Il est maintenant leur duc ! Ils ont même oublié qu'il monta sur le trône de Pologne avant de s'installer à Lunéville... Certes, ses pouvoirs sont limités, mais il sait les mettre au service de ses sujets lorrains. Et, à mi-parcours du XVIIIᵉ siècle, il déborde encore de projets. D'autant que, depuis la mort de la reine Catherine, il sent le poids de l'âge et cherche à créer des œuvres durables.

Le Dauphin, confident privilégié

Il s'ouvre fréquemment à Louis, le dauphin de France, qui le harcèle de questions à chacun de ses séjours versaillais. Les relations sont excellentes entre le grand-père et son petit-fils qui pourtant passe pour orgueilleux et désagréable.

À la demande de Louis XV, le Dauphin prend part aux Conseils depuis 1750 (il a vingt et un ans), mais il souffre de se sentir inemployé. Il se console en partageant ses journées entre l'étude, la musique, la dévotion et la charité. À Versailles, il assiste au ballet des ministres faits et défaits par la marquise de Pompadour, qu'il déteste cordialement ; il enrage d'apprendre les revers des généraux empêtrés dans la guerre de Sept Ans, alors qu'il brûle de faire ses preuves sur un champ de bataille, et il supporte sans enthousiasme de figurer parmi les chefs de file du parti dévot, hostile à la favorite. À cela s'ajoute une maladresse paralysante dans ses rapports avec son père ; il ne comprend pas la froideur de Louis XV, qui masque une grande timidité.

Depuis que l'héritier du royaume a failli mourir de la petite vérole, en 1752, Stanislas ne refuse rien à ce garçon dont il devine le besoin d'affection. Et le Dauphin adore ce grand-père dont il imite jusqu'à l'embonpoint... Quand ils ne passent pas des heures à converser tout en fumant la pipe à Trianon ou à Versailles, Stanislas et Louis s'écrivent. La politique, la guerre, la religion, la misère publique sont leurs centres d'intérêt. Parfois, ils se demandent des faveurs, un office, une pension, pour aider à la conclusion d'un mariage ou à l'établissement d'un de leurs protégés. C'est tellement plus facile que d'affronter les silences de Louis XV... Point d'étiquette entre eux, mais une complicité qui enchante l'ancien roi de Pologne. Peut-être imagine-t-il en Louis le souverain qu'il n'a pas pu être... De son côté, Louis admire ce prince que les épreuves n'ont pas aigri.

Le Dauphin a eu deux épouses successives, Marie-Thérèse d'Espagne, brutalement disparue, puis Marie-Josèphe de Saxe, qui l'ont aidé à mûrir. Malgré de brèves incartades qui désolent la reine sa mère et lui valent quelques bâtards, c'est un bon père de famille.

Vient le temps où l'éducation du duc de Bourgogne, son fils aîné, doit être confiée aux hommes. Le choix des précepteurs est délicat. Louis se prend à rêver : et si le grand-père qui se plaît tant à élaborer des méthodes d'éducation venait le seconder dans sa tâche ?

« Monsieur mon frère et très cher grand-père,

« Me voici enfin arrivé au terme où il faut que je m'occupe sérieusement de l'éducation de mes enfants. J'ai toujours senti l'importance de ce devoir ; mais je m'en sens comme accablé depuis que le roi m'a laissé maître absolu à cet égard. La seule idée qui me soulage, c'est de songer que mes enfants sont aussi les vôtres. Vous avez élevé la reine, je me fais gloire d'être moi-même votre élève par tous les sages conseils que vous m'avez donnés et les grands exemples que vous avez mis sous les yeux ; mais votre tâche, permettez-moi de vous le dire, n'est point encore remplie ; et comme patriarche de la famille, vous vous devez aussi à vos arrière-petits-enfants. Le nombre[1] en est déjà grand et pourrait bien augmenter encore ; c'est ce qui me ferait regarder comme indispensable que vous vinssiez vous fixer auprès de moi[2]. » Le mot est lâché, mais le Dauphin se reprend aussitôt : « Mais, en attendant votre arrivée, je vous prie, je vous conjure de me communiquer tous vos secrets d'éducation, afin que nous vous préparions les sujets[3]. »

Le Dauphin a touché la corde sensible du vieux monarque, qui se met aussitôt à l'œuvre avec son fidèle Solignac. Le chevalier n'a-t-il pas écrit des *Quatrains ou maximes sur l'éducation des jeunes gens*, publiés à Hambourg en 1728 ? Stanislas répond au Dauphin par une trentaine de pages d'une grande sagesse, destinées à forger un prince au caractère bien trempé : « Qu'on laisse au tempérament le temps de se développer et de se fortifier. Que l'on corrige, que l'on dompte même les inclinations vicieuses, plus physiques encore que morales, qui se manifestent dès le berceau ; mais contentons-nous de la négation du mal moral dans un enfant de six ans : ne lui demandons ni saillies d'esprit ni vertus proprement dites. Laissons au temps le soin de faire éclore sa raison, et qu'une main indiscrète ne casse point l'œuf sous la poule qui le couve[4]. »

Dans ce texte savoureux où fusent des sentences (« Petits docteurs à sept ans, grands sots à dix-huit[5] ») et des remarques justes en dépit de leur ironie, on a peine à imaginer le rôle de Solignac tant les phrases colorées s'adaptent à l'esprit facétieux du roi de Pologne. Il prône ainsi la danse comme exercice physique pour donner du maintien : « Elle sert à lui élever la tête et le menton, mais nullement l'esprit ; et je ne sache pas que l'on cite beaucoup d'enfants qui aient saisi l'esprit au son du violon[6]. » Il recommande une recette qu'il a bien connue : « Vous ririez sans doute si je vous proposais sérieusement de faire coucher vos enfants sur la paillasse ou le sommier[7]. »

En un mot, Stanislas prêche pour une vie saine et rude où l'air pur, l'eau et des aliments simples entretiennent le corps tandis que l'esprit s'affine aux rudiments du latin, s'initie à la générosité, à l'économie et à la justice. Si la religion a sa part dans l'éducation des princes, l'histoire occupe elle aussi une place privilégiée. Mais cette histoire, le roi aimerait qu'une « bonne plume de France » la raconte gaiement avec simplicité : « J'approuverais beaucoup la méthode de leur faire apprendre l'histoire à rebours, en commençant par le règne actuel. Cet ordre serait plus propre à les fixer[8]. »

Fidèle à ses principes, Stanislas émet aussi quelques réserves sur l'enseignement de la guerre, bannit tout dénigrement des peuples, quels qu'ils soient, et regrette que l'on n'enseigne pas aux jeunes princes à « s'humaniser avec les peuples », alors que l'art le plus nécessaire est de savoir se faire aimer. En un mot : « Je vous avouerai ingénument que la seule éducation de prince qui me paraisse pouvoir servir de modèle parmi vous, c'est celle de votre aïeul. Louis XIV n'eut pour précepteur que son bon esprit. Son fils lui était bien inférieur, et il avait été élevé par Bossuet. Je ne sais si Bossuet, qui se montra si sublime avec les hommes, savait assez se rapetisser avec les enfants. Ce fut le grand talent de Fénelon[9]. »

Les centres d'éducation se multiplient en Lorraine

Sur l'éducation, Stanislas se montre ainsi intarissable. Le Dauphin, qui regrettera toujours de ne pouvoir accompagner ses sœurs aux eaux de Plombières pour découvrir les fondations de son grand-père, suit de loin ses innovations. La liste de celles-ci s'accroît au fil des ans et s'attache avec un égal bonheur à l'éducation des filles et à celle des garçons : trois établissements des frères des Écoles chrétiennes ouvrent à Nancy entre 1749 et 1751 grâce au soutien financier du roi. Chacune s'organise en trois classes de niveaux différents qui reçoivent gratuitement tous les enfants pauvres jusqu'à saturation des locaux. Les places vacantes peuvent être provisoirement accordées à des enfants aisés qui devront les céder si de nouveaux enfants pauvres se présentent. Simple mais efficace, l'enseignement se résume ainsi : les enfants apprennent « à lire, écrire, chiffrer, l'ortho-graphe, les quatre premières règles de l'arithmétique et la religion, selon le catéchisme du diocèse[10] ».

Satisfait du système éducatif des frères, Stanislas leur confie aussi la maison de correction de Maréville, près de Nancy. Un noviciat y est établi tandis que les frères seront « tenus de recevoir, garder et entretenir dans la maison tous les sujets qu'il plaira à S. M. de leur adres-ser par lettres de cachet... » Ils accueillent aussi « les enfants des familles dont les mœurs demandaient à être corrigées[11] ».

Devant le succès de ces expériences nancéiennes, Sta-nislas les étend successivement à Lunéville, Bar et Commercy. En réalité, les frères des Écoles chrétiennes auraient dû être pour lui des découvreurs de talents et d'intelligences destinés à un enseignement plus poussé. Mais ce projet restera lettre morte.

La noblesse lorraine fait aussi l'objet de sa sollicitude. En 1748, il choisit douze places dans le collège des jésuites de Pont-à-Mousson. Elles sont destinées à douze gentilshommes pauvres, lorrains ou barisiens, qui y étudieront pendant quatre ans. Comme cette fondation ne doit fonctionner qu'après sa mort, Stanislas a imaginé, en 1751, de faire profiter la jeunesse lorraine de l'enseignement de la toute nouvelle école militaire que Louis XV vient d'ouvrir au Champ-de-Mars à Paris. Sur les cinq cents places dévolues à des gentilshommes du royaume de France, douze sont réservées à des Lorrains. Parallèlement, douze autres sont admis à poursuivre gratuitement leurs études au collège Saint-Louis à Metz pendant six ou neuf ans. Les candidats, qui doivent justifier de « quatre générations de noblesse de père », sont nommés pour moitié par Stanislas et Louis XV, mais « il ne sera fait aucune différence entre les élèves gentilshommes et les autres pensionnaires de la maison, quant à la nourriture, l'habillement et l'instruction [12] ».

Les filles ne sont pas oubliées. Huit d'entre elles reçoivent, leur vie durant, une pension annuelle de six cents livres à dater de leur mariage, et quatre autres se voient gratifiées d'une pension de trois cents livres à leur entrée dans les ordres. Au couvent des bénédictines du Saint-Sacrement de Nancy, Stanislas fonde encore, le 1er juillet 1754, douze bourses pour des jeunes filles nées en Lorraine ou Barrois « qui seront hors d'état d'être élevées par leurs parents » et justifieront de quatre degrés de noblesse : « On instruira ces jeunes demoiselles de leur religion et des devoirs de leur état. On leur apprendra à lire, à écrire et l'arithmétique, à faire des ouvrages convenables à leur sexe, comme la couture, le tricotage, la broderie, la tapisserie et le dessin, lesquels ouvrages seront employés à leur entretien[13]. »

Une université à Nancy

Depuis 1572, l'université de Pont-à-Mousson, comme ses voisines d'outre-Rhin, était sous la houlette des jésuites. Elle avait connu son heure de gloire juste avant la guerre de Trente Ans, avant de traverser une période délicate causée par l'essor du jansénisme en Lorraine. L'arrivée du roi Stanislas lui donne un second souffle. Littérature, droit, sciences et médecine drainent l'élite intellectuelle des duchés. Et, sous la protection du roi de Pologne, l'université a fait peau neuve tout en se dotant d'une magnifique bibliothèque. Stanislas visite ce haut lieu du savoir en 1744. Cependant, en dépit de ses atouts, cette université ne se porte pas aussi bien qu'elle le devrait, car elle est menacée par une hémorragie endémique d'étudiants qui lui préfèrent des universités renommées, aux diplômes plus convoités. De plus, elle entre en compétition avec le collège des jésuites de Nancy. Sous la pression de Chaumont de La Galaizière, Stanislas finit par se rendre à l'évidence : il faut doter Nancy, la capitale de ses États, d'une université dynamique.

Il décide donc, en 1760 et 1761, de transférer de Pont-à-Mousson à Nancy les cours de philosophie, de mathématiques et d'histoire qu'il y a fondés. Cette décision vient s'ajouter à la création, le 15 mai 1752, du Collège royal de médecine, agrégé l'année suivante à l'université. Parallèlement, il fonde encore une école de peinture où enseignent ses deux artistes officiels, Joly et Girardet, qui, malheureusement, ne fonctionnera pas très longtemps.

Stanislas, qui a toujours rêvé de doter la Pologne d'une école militaire, a trouvé à son arrivée dans les duchés une « académie d'exercice » instituée par Léopold pour former au métier des armes les jeunes nobles lorrains fortunés, ainsi qu'une compagnie de cinquante cadets. Le roi de Pologne fusionne les deux institutions en une École de cadets gentilshommes installée à Lunéville, près du château ducal. Elle accueille quarante-huit jeunes gentilshommes, âgés de quinze à vingt ans et justifiant de quatre quartiers de noblesse. Lorrains et Barisiens se partagent la moitié des places, le reste étant réservé à des Polonais et à des Lituaniens.

Sept maîtres dispensent un enseignement réparti sur trois années : aux professeurs d'histoire, de mathématique et de langues s'adjoignent ceux qui enseignent les armes et la danse, et aussi les deux écuyers chargés de l'équitation. Une discipline de fer régente les cadets, qui doivent éviter cabarets, billards et salles de jeux. Les duels sont interdits et tout manquement au service sévèrement réprimé par un ou deux mois de prison... quand ce n'est pas par l'éviction de la compagnie.

Stanislas est très fier de ses cadets, qui l'accompagnent dans ses déplacements, où ils assurent sa protection et forment les haies d'honneur. Mais si les effectifs varient selon les années, la présence des jeunes Polonais devient chaque fois plus hypothétique. Entre 1755 et 1766, ils n'ont jamais été plus de quatorze. À Versailles, on parle d'échec, et la rumeur fustige le roi de Pologne. Les railleurs ignorent le succès de la réplique polonaise de l'école de Lunéville, l'École des cadets fondée à Varsovie en octobre 1765 par Stanislas-Auguste et dont le règlement et l'enseignement ont calqué le concept développé par Stanislas et Konarski.

En réalité, si les Polonais boudent l'école de Lunéville alors qu'ils n'hésitent pas à expédier leurs fils à travers l'Europe, c'est surtout parce qu'elle se situe aux antipodes de la politique versaillaise à l'égard de la Pologne. Sans s'y opposer officiellement, Louis XV a bel et bien torpillé l'institution philanthropique de son beau-père...

Les problèmes du quotidien

En marge de l'éducation, le roi de Pologne se préoccupe des autres problèmes qui minent la vie quotidienne. Et notamment du pire fléau de l'époque, ces disettes qui secouent souvent l'Europe. Pour mettre la Lorraine à l'abri, il ne voit qu'un seul remède : acheter des grains pendant les années d'abondance et les stocker pour les périodes difficiles. C'est ainsi qu'à partir de 1750 il fait construire à Nancy, Bar, Épinal et Étain des magasins à blé qui, dès 1754, seront aussi érigés à Lunéville, Saint-Mihiel, Pont-à-Mousson, Dieuze, Sarreguemines, Saint-Dié, Boulay, Mirecourt et Neufchâteau.

L'établissement de cette fondation donne l'occasion au roi de réfléchir sur la question de la liberté du commerce des grains, une question qui agite beaucoup les esprits éclairés. Il n'en est pas partisan, redoutant le rôle néfaste des accapareurs ; il suggère plutôt d'établir une carte des marchés du blé établis dans les villes qui auront le monopole de ce négoce sur leur territoire. À chacune d'elles de fixer les cours sur une moyenne entre les prix élevés et le cours le plus bas. Pour favoriser l'agriculture, Stanislas crée également une sorte d'assurance avant la lettre en réservant cent mille livres pour dédommager les cultivateurs des pertes dues à la grêle, aux incendies et aux maladies.

Bien qu'il soit plus méfiant à l'égard du commerce, il ordonne en 1749 l'établissement d'une bourse pour le corps des marchands de Nancy, d'un montant de cent mille livres. Des prêts de trois à dix mille livres seront accordés pour une durée de trois ans aux négociants en difficulté. Il installe aussi une chambre de consultation gratuite pour aider les plus démunis dans les affaires de justice.

Et en 1765, il accorde une somme de cent mille livres de France, exempte de tous droits, à la ville de Nancy. Ses intérêts annuels, qui se montent à cinq mille livres, doivent servir à soulager ses habitants, bourgeois, nobles, ouvriers ou artisans des deux sexes, « qui par quelques revers de fortune, perte de biens, ou tous autres accidents, se trouveront dans la nécessité d'une assistance passagère [14] ».

L'esprit de tolérance est chez Stanislas un trait de nature qui se manifeste par une grande bienveillance à l'égard de toute personne humaine. Au catholicisme intransigeant des Lorrains, qui supportent mal la présence d'une petite communauté juive au commerce florissant, légalement autorisée par le duc Léopold, il oppose l'indulgence. En cela, il reste fidèle à l'attitude protectrice de ses ancêtres en Pologne pour la communauté juive, facteur de prospérité économique. Non seulement il confirme le statut des cent quatre-vingts familles admises par la duchesse douairière Élisabeth-Charlotte, mais il ferme les yeux sur les entrées clandestines de nouveaux marchands juifs. Parfois la cour souveraine tente de le rappeler à l'ordre : en 1762, un arrêt ordonne l'expulsion des Juifs en infraction avec la loi. Stanislas, lui, autorise la communauté israélite à avoir un rabbin – mais à la condition qu'il réside en dehors des duchés.

Stanislas et la médecine

À l'aube des années 1750, Nancy souffre de ne pas avoir de faculté de médecine. Depuis plusieurs années, on pousse Stanislas à en ouvrir une, mais il demeure réticent car il craint de nuire à la faculté de médecine de Pont-à-Mousson.

Le médecin Charles Bagard[15] est l'un des plus pressants. Il aura finalement gain de cause avec la création du collège de médecine de Nancy, le 15 mai 1752. Fils d'Antoine Bagard, qui a été premier médecin du duc Léopold, Charles s'est distingué à la tête des hôpitaux nancéiens et par la publication, dans *Pratique médicale,* d'une vaste enquête clinique où il décrit les maladies et préconise des remèdes. Ami du médecin personnel de Stanislas, le docteur Rönnow, il est souvent reçu à la cour de Lunéville ; c'est lui qui suggère au roi de créer un collège de médecine qui soit à la fois une corporation, une académie et une école.

Cette nouvelle institution, qui rassemble tous les médecins exerçant à Nancy – ils sont dix-huit –, fonctionne comme une académie. Elle tient des séances au cours desquelles ses membres échangent leurs idées et présentent des communications originales. Mais d'autres missions sont dévolues au collège : il vérifie l'authenticité des titres des praticiens et surveille leur comportement dans l'exercice de leur art ; il dispense un enseignement (cours d'anatomie, botanique, chimie) et assure une mission de bienfaisance.

Tous les trois ans, cinq agrégés sont désignés pour donner chaque semaine des consultations gratuites aux pauvres dans les locaux du collège. Ceux-ci sont luxueusement installés dans l'un des pavillons de la place Royale, qui abrite aujourd'hui le musée des Beaux-Arts. Parmi ses pouvoirs, le collège a un droit de regard sur le corps des chirurgiens et des apothicaires de Nancy, dont il contrôle l'admission des nouveaux membres ainsi que la qualité et le prix des drogues mises en vente. Cette prééminence du collège des médecins sur deux corps qui réclament leur indépendance ne va pas sans heurts. Stanislas s'étonne même de cette vieille pratique : « Si on doit convenir qu'il n'y a point de maladie qui n'ait besoin du secours du médecin et du chirurgien, il est étonnant que l'usage ait séparé ces deux sciences comme si elles étaient incompatibles, quoiqu'il est probablement visible que ces deux sciences, réunies dans un même sujet, le rendraient plus habile dans l'une comme dans l'autre par la connaissance de toutes les deux : on aurait pas besoin d'écoles séparées[16]. »

Souhaitant assainir le recrutement du corps professoral de la faculté de médecine de Pont-à-Mousson, il refuse de rentrer dans les disputes des médecins et de soutenir Bagard, par exemple, lorsque celui-ci défend la candidature d'un ami. Avec le philanthrope Claude-Humbert Piarron de Chamousset[17], dont il a apprécié le rapport sur la situation de l'Hôtel-Dieu à Paris et les projets d'assurance-maladie, il partage l'idée de recourir au concours pour recruter le corps médical, qu'il soit enseignant ou praticien. Le 13 mars 1758, il annonce qu'un jury doit se réunir dans la grande salle du collège royal à Nancy. Il décidera de la « supériorité de science de celui des candidats qui sera le plus digne d'obtenir la chaire vacante[18] ». Stanislas propose des réunions communes entre chirurgiens et médecins ; il tente même de les rassembler sous la bannière de l'anatomie. En vain.

Quant aux relations avec la faculté de médecine de Pont-à-Mousson, elles s'aplanissent avec l'autorité croissante que prend le collège. D'ailleurs, un arrêt du Conseil d'État du roi, rendu le 4 mars 1753, associe le collège à la faculté dans le but de « remédier efficacement aux abus qui règnent dans la profession médicale ». C'est aussi l'amorce du transfert de la faculté à Nancy.

Enfin, l'ordonnance du 27 avril 1759 reconnaît au collège le droit de nommer des médecins « stipendiés[19] » des différentes villes de Lorraine, ce qui revient à lui accorder la haute main sur la médecine dans les duchés. À ce titre, elle doit traiter aussi bien de la valeur thérapeutique des eaux de Contrexéville, revélées par Bagard, que du problème de l'inoculation, qui consiste à introduire sous la peau du patient, afin de le vacciner, le virus variolique recueilli sur une pustule.

Stanislas charge Bagard d'examiner le bien-fondé de cette pratique avec deux membres associés de l'Académie, La Condamine et Maupertuis. Leur rapport conclut positivement sur la valeur de l'inoculation. Aussitôt, le collège décide à l'unanimité de l'appliquer aux enfants chaque fois que les parents le réclameront.

Malheureusement, cette initiative se heurte à l'opposition du clergé et des magistrats, qui jugent cette pratique contraire aux principes de la morale et de la religion. Soutenu par le roi de Pologne, Bagard passe outre et inocule dans le plus grand secret les enfants des hôpitaux. Hélas, l'expérience, pratiquée en cachette, ne porte pas ses fruits. Elle ne peut enrayer l'épidémie qui s'abat sur la Lorraine en 1759-1760, provoquant une forte mortalité infantile. Si Bagard enrage d'avoir perdu un combat, Stanislas se contente de murmurer : « Ce que nous plantons dans nos idées porte rarement le fruit que nous en espérons[20]. »

CHAPITRE XIV

Couronnement littéraire : une académie à Nancy

À Chambord déjà, Stanislas caressait le rêve de créer une sorte d'académie de lettrés dont le foyer serait une bibliothèque encyclopédique. Sitôt installé en Lorraine, le roi de Pologne confia son grand dessein à Chaumont de La Galaizière. Au lieu de trouver une oreille complaisante et enthousiaste, il se heurta à l'opposition du chancelier qui craignait que cette institution ne devienne un pôle d'agitation incontrôlable et la tribune des partisans de l'indépendance lorraine. Tenu d'imposer l'autorité du roi de France et de préparer les duchés à leur intégration au royaume, le chancelier ne pouvait approuver une idée exaltant la culture lorraine. Déçu, Stanislas n'avait pas insisté, remettant ce projet à des jours meilleurs, tout en l'évoquant souvent avec le chevalier de Solignac, fidèle compagnon depuis Dantzig auquel il avait accordé la charge de secrétaire du cabinet et des commandements.

L'arrivée du comte de Tressan[1] en 1749 va redonner espoir à Stanislas. Louis-Élisabeth de La Vergne n'est pas un inconnu pour le roi puisqu'il faisait partie de la suite du duc d'Orléans venu à Strasbourg épouser, au nom du roi de France, la princesse Marie Leszczynska. Malgré ses habitudes libertines, il est devenu un familier de la reine, qui le qualifie affectueusement de « plus aimable des vauriens ». Ami de Fontenelle et du président Hénault, il a combattu pendant la guerre de Succession d'Autriche ; devenu lieutenant général, il vient de recevoir le commandement du Toulois. Comme sa fille, Stanislas s'entiche de Tressan, qu'il nommera plus tard grand maréchal de sa cour. Dans l'intimité du roi, le comte et le chevalier font bon ménage et partagent les vues du roi sur la création d'une académie à Nancy. Mieux : Tressan, qui vient d'être élu à l'Académie des sciences, suggère à Stanislas de consulter ses amis et confrères Réaumur et La Condamine sur la forme à donner à cette institution.

Le roi de Pologne décide d'envoyer le chevalier de Solignac à Paris pour interroger les deux hommes, mais aussi deux membres de l'Académie des inscriptions et belles-lettres : La Curne de Sainte-Palaye et Tercier, tous deux vieux amis du roi de Pologne ; le premier depuis Wissembourg, le second depuis la fuite à Dantzig. Emprisonné par les Russes, Tercier est revenu en France physiquement diminué. Toujours attaché aux affaires étrangères, il a été reçu à l'Académie des inscriptions grâce à la démarche de Stanislas auprès de La Curne de Sainte-Palaye. Non content d'honorer l'érudit, le roi l'a anobli le 2 juin 1749, pour les « services qu'il lui avait rendus en Pologne » et pour le « zèle qu'il lui avait témoigné en toutes occasions ».

Muni d'une instruction du roi de Pologne, Solignac accomplit sa tournée des académiciens dans la plus grande discrétion.

Le plan machiavélique de Tressan

Leurs réponses ne sont pas enthousiastes, mais les détails n'en sont pas connus, à l'exception d'un texte où Sainte-Palaye repousse l'idée de la création d'une académie, faute de pouvoir trouver un nombre suffisant de candidats. Le véritable motif de cette remarque pessimiste, c'est l'opposition marquée de La Galaizière.

Stanislas se confie à Tressan, qui, auréolé de son appartenance à de multiples académies, va l'aider à sortir de l'impasse. Dans une lettre qu'il adresse à un membre de la Société royale de Montpellier le 16 décembre 1750, Tressan dévoile les étapes à franchir : « Je vais à Lunéville pour un grand projet que le roi de Pologne veut exécuter. Ce prince, après avoir créé les établissements les plus utiles pour l'éducation et le bonheur de ses sujets, veut couronner l'ouvrage en établissant une bibliothèque publique et une société littéraire ; il sent bien que les sciences, les belles-lettres sont presque dans leur berceau en Lorraine et que ce serait compromettre l'honneur d'une académie naissante, et même du fondateur, que de prétendre l'élever tout d'un coup au ton des anciennes académies ; il va donc commencer par fonder une bibliothèque, des prix et quelques pensionnaires qui n'auront d'abord que le nom de censeurs. Les gens qui leur sont attachés travailleront de leur côté à former une société et des conférences qui, à mesure qu'elles deviendront plus fortes et plus complètes, pourront se joindre au premier établissement et alors la totalité pourra prétendre au nom d'académie ou de société royale[2]. »

Tout se déroule comme annoncé. Stanislas prend simplement le temps de demander à son fidèle Hulin de s'enquérir auprès des académies parisiennes de l'étiquette et des préséances au sein de leurs compagnies. Sitôt muni de ces renseignements, Hulin est prié de venir passer quelques jours à Nancy.

Le 28 décembre 1750, Stanislas signe l'édit de fondation d'une bibliothèque publique qui sera sous la direction d'un bibliothécaire et d'un sous-bibliothécaire nommés par le roi. L'article III précise qu'« elle sera ouverte tous les jours, depuis huit heures du matin jusqu'à onze, et depuis une heure après-midi jusqu'à quatre, excepté les jours de dimanche et de fêtes, la quinzaine de Pâques et la huitaine de Noël[3] ». On prévoit une petite pièce pour le garde et « cinq ou six loges – dans les embrasures des fenêtres – pour ceux qui voudront venir y travailler », et le prêt à domicile sera envisagé. Chaque année, trois mille livres de France seront allouées à l'augmentation du fonds ; deux prix, de six cents livres chacun, seront décernés, l'un pour un ouvrage scientifique, l'autre de littérature ou arts. Pour examiner les ouvrages en lice, quatre censeurs royaux sont institués à perpétuité, aux gages de quatre cents livres chacun. Avec le bibliothécaire, ils seront chargés de juger les œuvres et de décerner des prix. Comme il s'agit d'un jury littéraire, Chaumont de La Galaizière donne sa bénédiction...

Solignac en est le secrétaire, et les censeurs sont bien vite choisis : le père de Menoux, le père Gautier, chanoine régulier de la congrégation du Saint-Sauveur et professeur de mathématiques et d'histoire à l'École des cadets de Lunéville, l'abbé de Tervenus, chanoine de la primatiale, François-Timothée Thibault de Montbois, lieutenant général au bailliage de Nancy et auteur dramatique. Quatre censeurs honoraires viennent les seconder au début de 1751 : le comte de Tressan, le prédicateur Mathieu Poncet de La Rivière, évêque de Troyes et aumônier de Stanislas, Antoine-Clériadus de Choiseul-Beaupré, primat de Lorraine, et l'ancien gouverneur de l'île de Bourbon[4], d'Héguerty, qui s'est retiré en Lorraine. Bibliothécaires et censeurs sont convoqués le 16 janvier 1751 à La Malgrange, où Stanislas les invite à prendre connaissance d'une *Instruction particulière*.

Le texte précise que les censeurs doivent se réunir chaque jeudi dans une salle contiguë à la bibliothèque et tenir des séances publiques deux fois l'an, le 8 mai, jour de la Saint-Stanislas, et le 20 octobre, anniversaire de la naissance du roi de Pologne. Ce règlement, élaboré en présence de Hulin, a de fortes ressemblances avec celui de l'Académie française...

Montesquieu postulant et reçu

L'inauguration est fixée à Nancy au 3 février 1751. La journée débute par une messe chantée à la primatiale avec un prône du père de Menoux sur l'établissement de la bibliothèque publique. À quinze heures, dans la salle des Cerfs de l'ancien palais ducal, toute la cour de Lunéville s'est donné rendez-vous pour assister à la première séance solennelle et publique de cette société. Si Stanislas brille par son absence, La Galaizière est bien là, tout comme le duc Ossolinski, la marquise de Boufflers et sa famille, sans oublier tout ce qu'il y a de gens de lettres et de robe à Nancy.

Solignac est le premier à prendre la parole pour évoquer les bienfaits que l'on attend de cette nouvelle institution. Le censeur Thibault de Montbois brosse un panégyrique impressionnant de l'œuvre sociale du roi Stanislas, qu'il surnomme au terme de son envolée lyrique *le Bienfaisant*. La France a le Bien-Aimé, la Lorraine aura le Bienfaisant... Puis Tressan prend le relais en brossant un long tableau des progrès de la connaissance dans les domaines les plus divers, puis en exposant le but de la nouvelle institution. Enfin, Poncet de La Rivière clôt la séance par un discours fort applaudi sur « le goût dans les ouvrages de l'esprit ».

Le 11 février, les censeurs tiennent leur première séance, au cours de laquelle ils choisissent le primat de Lorraine pour directeur. Quatre jours plus tard, la petite compagnie est reçue à Lunéville par le roi de Pologne qui reconnaît l'existence d'une « société littéraire ». De nouveaux censeurs honoraires rejoignent les premiers. Parmi eux, le marquis de Caraman et son père, le comte de Caraman [5], lieutenant général des armées du roi, et même Saint-Lambert [6]. Parallèlement, les candidatures affluent chez Solignac, dont celle, prestigieuse, de Montesquieu, qui lui écrit le 4 avril en lui adressant son *Lysimaque* : « Je crois ne pouvoir mieux faire mes remerciements à la société littéraire qu'en payant le tribut que je lui dois, avant même qu'elle me le demande, et en faisant mon devoir d'académicien au moment de ma nomination ; et comme je fais parler un monarque que des grandes qualités élevèrent au trône de l'Asie, et à qui ces mêmes qualités firent éprouver de grands revers ; que je le peins comme le père de la patrie, l'amour et les délices de ses sujets, j'ai cru que cet ouvrage convenait mieux à votre société qu'à toute autre. Je vous supplie d'ailleurs de vouloir bien lui marquer mon extrême reconnaissance [7]. »

Dans la séance publique du 8 mai qui se tient à l'hôtel de Craon, à Nancy, devant un aréopage distingué, Solignac lit le *Lysimaque* de Montesquieu, dont la candidature a été acceptée en même temps que celles de son fils, M. de Secondat, et du président Hénault.

Une véritable académie

À la séance du 20 octobre 1751, la compagnie se compose de vingt-cinq membres, dont La Curne de Sainte-Palaye, Tercier et surtout Fontenelle, sollicité vraisemblablement par son ami Tressan. Grâce à ces candidatures prestigieuses, Stanislas obtient la caution qui lui permet d'ériger, dès le 27 décembre 1751, son institution en Société royale des sciences et belles-lettres. Outre ses cinq pensionnaires, elle se compose désormais de douze membres honoraires, quinze associés titulaires résidant à Nancy et huit associés étrangers. En tout, quarante immortels, dirigés par un secrétaire perpétuel assisté d'un directeur et d'un sous-directeur élus pour l'année.

Discrètement, cette compagnie destinée à promouvoir les belles lettres en Lorraine utilise dans ses statuts le mot d'*académiciens*, et, à l'article XXVIII, on ose même écrire le mot *académie*. Tressan a ainsi déjoué les interdits de La Galaizière, qui n'a pas vu venir le danger. L'académie existe bel et bien, même si elle n'en porte pas le nom. Stanislas l'assure de sa protection et l'Europe frappe à sa porte.

Installée à l'origine dans la salle des Cerfs du palais ducal, elle est transférée à l'hôtel de ville en 1763. Stanislas règne sur elle avec un plaisir évident, utilisant la voix du père de Menoux pour divulguer des œuvres de sa composition. Au fil des ans, de nouvelles célébrités rejoignent la compagnie : La Condamine, Daubenton, Buffon et Maupertuis, sans oublier les fidèles de la première heure. C'est le cas du moraliste Paradis de Moncrif, membre de l'Académie française. Vieille connaissance lui aussi, puisque, en mai 1724, alors qu'il était secrétaire ordinaire du duc d'Orléans et accompagnait le comte d'Argenson au retour d'une mission à Rastadt, ils avaient fait étape à Wissembourg. Et c'est Moncrif qui avait révélé à Versailles les qualités de la princesse de Pologne. Depuis, il était devenu le lecteur de la reine ; ce qui éclaire les paroles de Tressan lors de la séance du 10 janvier 1752 : « C'est aux pieds du trône de la reine que notre heureux confrère passe des jours dont rien ne peut troubler le calme et le bonheur ; c'est là qu'il est appelé dans ces heures que la reine donne à des études qu'elle s'efforce en vain de cacher. La modestie donne de la grâce aux Muses, mais quelquefois elle nous dérobe les trésors qu'elles rassemblent et les fleurs qu'elles font naître. M. de Moncrif s'occupe du soin charmant de les recueillir[8]. »

Si l'on observe la liste de membres de cette honorable compagnie, il faut se rendre à l'évidence : ils ne peuvent tous porter ombrage à la couronne de France. Outre les ecclésiastiques – fort nombreux, du primat de Lorraine, Choiseul-Beaupré, à l'évêque de Toul, Claude Drouas de Boussey, en passant par Poncet de La Rivière, les pères de Menoux, Leslie et Husson, principal des Cordeliers, les chanoines Gautier et Tervenus, et le prédicateur Clément –, la société compte bon nombre d'avocats et de magistrats. Les écrivains locaux ou étrangers sont soit des érudits, seconds couteaux de la république des lettres, soit tout bonnement des rimailleurs serviles, à l'image de l'abbé Porquet ou du marquis de Saint-Lambert. Par leur passé ou leur fonction, la plupart sont inféodés à Versailles, et certains devront plus tard leur fauteuil à l'Académie française à la reconnaissance de Marie Leszczynska. Ce sera le cas de La Curne de Sainte-Palaye.

L'absence de Réaumur surprend, lui qui a été consulté par Solignac et qui est un cousin du président Hénault. Est-ce à cause de son âge – soixante-huit ans en 1751 –, ou plutôt parce que, absorbé par ses travaux, il se défie des « philosophes » et des savants qui fréquentent les sociétés de pensée ? En revanche, La Condamine a répondu à l'appel ; il est vrai qu'il est un ami des Choiseul. Mais Stanislas, qui est très soucieux de l'avenir de la Pologne, a-t-il lu le projet que La Condamine, membre de l'Académie de Berlin, a remis à Frédéric II ? Il y prône un partage de la Pologne, « proposé comme le seul remède, mais souverain, aux maux dont souffre l'Europe ». On voudrait glisser le ver dans le fruit qu'on ne s'y prendrait pas mieux...

Dans ces conditions, Montesquieu et Fontenelle ressemblent à des alibis. Le premier a cinquante-deux ans en 1751. C'est aussi l'année où *L'Esprit des lois* est mis à l'index après les attaques successives des jésuites et des jansénistes ; il mourra quatre ans plus tard. Le second fait figure de patriarche des lettres du haut de ses quatre-vingt-quatorze ans. Seul survivant du Grand Siècle, il règne sur tous les salons parisiens.

Voltaire absent et vexé

Et Voltaire, l'hôte de Lunéville ? C'est le grand absent de cette académie. Stanislas ne l'avait pas oublié, mais il avait dû obéir au diktat de Versailles, qui redoutait sa présence en Lorraine. Voltaire, alors à Potsdam auprès du Grand Frédéric, en fut profondément vexé, au point de s'en plaindre à Devaux qui le sollicitait pour un service : « Ainsi, à la cour de Lorraine, quand on a besoin d'un service, on n'hésite pas à recourir au crédit du philosophe, et cela au moment même où on le traite avec une désinvolture si blessante, un oubli si méprisant[9] ! » Quelques semaines plus tard, il s'épanche à nouveau dans une lettre à Panpan : « Je compte bien profiter des bontés du roi Stanislas et venir me mettre aux pieds de Mme de Boufflers au premier voyage que je ferai en France ; et assurément je postulerai fort et ferme une place dans votre académie. J'aurai le bonheur d'appartenir par quelque titre à un roi qu'on ne peut s'empêcher de prendre la liberté d'aimer de tout son cœur. Cette place, mon cher et ancien ami, me serait encore plus précieuse si je comptais au nombre de vos confrères[10]. » Dépité, Voltaire aura encore l'occasion de fulminer contre cette compagnie en apprenant que le critique Fréron [11], son pire ennemi, a été accepté, parrainé par le président Hénault et par le père de Menoux, trop heureux d'agacer ce diable de Voltaire. Plus tard, le philosophe de Ferney écrira à François Duvergé de Saint-Étienne : « Je félicite le roi de Pologne d'avoir toujours près de lui un gentilhomme qui pense comme vous. Cela fait presque pardonner la protection qu'il a prodiguée à un malheureux tel que Fréron. Ce monarque est comme le soleil qui luit également pour les colombes et pour les vipères [12]. »

Courants idéologiques divergents

Prolongement de la cour, la Société royale des sciences et belles-lettres, du vœu même de Stanislas, doit favoriser l'essor des Lumières et servir d'organe régulateur de la vie de l'esprit. Si la cour de Lunéville vit dans une atmosphère bon enfant, les clivages qu'elle a engendrés apparaissent exacerbés dans cette société savante où convergent et s'affrontent des courants idéologiques contraires. Ces conflits ne transparaissent pas à la lecture des mémoires, qui se cantonnent dans l'érudition pure, préférant éviter la politique et la religion. Il souffle pourtant une brise avant-gardiste qui méprise la tradition parce qu'elle croit au progrès continu de l'humanité.

Deux clans s'affrontent : d'un côté, celui des philosophes ou « parti lorrain », avec Solignac, le comte de Tressan, l'abbé Porquet, Panpan Devaux, Saint-Lambert, Tercier, mais aussi le président Hénault et La Condamine ; de l'autre, celui de la tradition, des dévots antiphilosophes, ou « parti français », conduit par le père de Menoux. Il comprend les chanoines Gautier et de Tervenus, les évêques de Troyes et de Toul, le lieutenant de police Thibault de Montbois et Fréron, auquel on peut adjoindre Charles Palissot [13], qui ne va pas tarder à défrayer la chronique de l'académie.

À l'occasion d'une séance, le comte de Tressan prononce un discours provocateur sur le « progrès des lettres, des sciences et des arts », dans lequel il salue le « passage de l'état théologique et métaphysique à l'état positif ». Une autre fois, alors qu'il est directeur en exercice, il intervient pour « venger la philosophie des calomnies du cagotisme ». Excédé, Menoux s'adresse à la reine Marie Leszczynska qui demande à son père de ramener Tressan à la raison. Stanislas balance entre les courants : il favorise parfois les dévots, parfois les philosophes ; il souffle le chaud et le froid en laissant élire Palissot, en appelant en vain Jean-Jacques Rousseau ou en accueillant le très « républicain » abbé Coyer [14], après la condamnation à Paris et à Versailles de son *Histoire de Jean Sobieski*. En fait, le roi de Pologne raffole de ces joutes qui éclairent sur le foisonnement des idées du XVIIIᵉ siècle, peut-être parce qu'à lui seul il constitue le trait d'union entre deux tendances qui ne cessent de s'affronter dans son esprit.

Les francs-maçons

Dans la société savante, les francs-maçons sont nombreux. Parmi eux : Tressan, Fréron, Paradis de Moncrif, d'Héguerty... Mais quel rôle la maçonnerie a-t-elle réellement joué en Lorraine ? La première mention de l'existence d'une loge remonte à un gazetin [15] du 23 septembre 1737 où il est précisé que, depuis l'arrivée du roi à Lunéville, « l'ordre s'est rendu très vif en Lorraine ». Il a pour grand maître le primat de Lorraine, François Vincent Marc de Beauvau-Craon [16], qui a suivi l'exemple de son souverain François III, initié à La Haye en 1731. Stanislas sera-t-il lui aussi initié ? Il est impossible de l'affirmer, mais il faut constater qu'il n'a pas rejeté la maçonnerie, lui laissant même organiser une fête à la cour de Lunéville le 12 février 1738, quoique sans y participer : « Les dames et les cavaliers apparurent uniquement costumés en travesti de taffetas blanc. Mais on leur avait interdit de porter le tablier de peau et ils n'étaient pas non plus autorisés à se servir après le dessert de truelles, de compas et d'autres instruments confectionnés en sucre. Ils pensaient que le roi Stanislas les honorerait de sa présence et avaient déjà disposé un fauteuil, mais cela n'a pas eu lieu [17]. » Mais un autre document révèle une attitude totalement opposée : « On m'a écrit de Lunéville que le pape, à la réquisition du roi Stanislas, avait excommunié les freemasons et ceux qui communiquaient avec eux [18]. »

Ces mots sèment le doute sans donner d'éclaircissements. Ils ont été écrits à Paris par le commissaire de police Dubuisson au marquis de Caumont, le 30 juin 1738. Plus de quatre mois après la fameuse fête maçonnique au château de Lunéville...

À l'écoute de l'Europe littéraire

Dès la création de la Société royale des sciences et belles-lettres, Stanislas entend profiter de la situation géographique de Nancy pour lui donner un destin européen, à l'image de l'Académie de Berlin que préside Maupertuis. Le roi veut être parfaitement informé de tout ce qui se passe dans le monde des lettres en Europe. Il lit beaucoup, et, s'il s'intéresse à tous les domaines, il marque une préférence pour l'histoire. Les récits de voyage se taillent la part du lion dans sa bibliothèque : *Voyage du sieur Paul Lucas fait en 1714 par ordre de Louis XIV dans la Turquie*; *Relation d'un voyage au mont Sinaï et Jérusalem*; *Voyage autour du monde...* Les biographies occupent une place de choix : *Vie de Cromwell*, *Histoire de Marguerite de Valois*, *Histoire de Machiavel...* Le *Dictionnaire historique et critique* de Pierre Bayle est aussi en bonne place, aux côtés de *La Vie et les bons mots* de Santeuil et de la *Méthode pour apprendre facilement la géographie* de Kobbe.

Beaucoup d'écrivains lui adressent leur prose, sans compter les ouvrages qu'il commande à la suite des articles qui leurs sont consacrés dans les gazettes. Friand d'informations de toutes sortes, il utilise, entre 1741 et 1747, les services du chevalier Charles de Mouhy[19], romancier prolifique et informateur de police qui se pique de regarder par le trou de la serrure pour alimenter ses nouvelles littéraires. Voltaire aura lui aussi recours à cet aventurier des lettres... avant que sa réputation scandaleuse ne lui impose quelques séjours à la Bastille. Ce qui n'empêchera pas son journal, *Papillon, ou Lettres parisiennes*, d'être lu jusqu'à la cour de Russie.

Parfois, Stanislas réagit à ses lectures au point de répondre à leurs auteurs. En souvenir de son séjour à Königsberg, Frédéric II lui a adressé l'*Anti-Machiavel*, qu'il lit entre le 4 et le 6 juillet 1749. Dans cet ouvrage, le roi de Prusse critique l'ingérence de Charles XII dans la politique de la Pologne et désapprouve l'usage de la violence qui a permis de couronner Stanislas, « ce roi de Pologne toujours élu et toujours détrôné[20] ». Il n'est guère plus tendre à l'égard de la Pologne : « Tonneau des Danaïdes [où l'on] trafique si grossièrement du trône qu'il semble que cet achat se fasse aux marchés publics[21]. » En réalité, Frédéric, qui réclame la présence de Voltaire auprès de lui, est jaloux de l'attrait exercé par la cour de Lunéville sur le philosophe. Celui-ci profite d'ailleurs de la situation pour se faire désirer ; dépité, le roi de Prusse écrit qu'un prince « sans peuple et sans couronne a eu sa préférence[22] ». Stanislas n'apprécie guère. Il apprécie encore moins le traitement infligé à la mémoire du roi Charles XII ! Il s'en ouvre à Voltaire, auquel il demande de négocier auprès de Frédéric II le retrait des phrases outrageantes. Et l'écrivain de se plaindre auprès de son royal correspondant de Potsdam : « Mais moi, qui ne suis qu'un pauvre diable, j'essuie tout l'orage ; et l'orage a été assez fort[23]. »

Deux mois plus tard, Voltaire revient à la charge : « Le roi de Pologne Stanislas est sensiblement affligé, et je vous conjure, Sire, de sa part et en son nom, de permettre une nouvelle édition de l'*Anti-Machiavel* où l'on adoucira ce que vous avez dit de Charles XII et de lui. Il vous en sera très obligé. C'est le meilleur des princes qui soit au monde, c'est le plus passionné de vos admirateurs et j'ose croire que Votre Majesté aura cette condescendance pour sa sensibilité qui est extrême[24]. »

Le témoin de Voltaire

En 1759, Voltaire achève une histoire de la Russie sous Pierre le Grand. Ses informateurs russes, Lomonosov, Miller et Taubert, qui attendent un portrait flatteur du tsar, lui suggèrent de réfuter son *Histoire de Charles XII*, la jugeant trop favorable au pire ennemi de Pierre Ier. Mais l'écrivain demeure sourd à la requête car il veut faire œuvre d'historien. Pour mettre un terme au différend, il adresse l'ouvrage au seul survivant de cette aventure, Stanislas Leszczynski. Il attend sa réaction, lui demandant de confirmer la véracité des faits racontés.

Stanislas est maintenant un vieillard. À quatre-vingt-deux ans, en mauvaise santé, il s'enfonce lentement dans une cécité irréversible. C'est donc Tressan et Panpan qui lui font la lecture de l'*Histoire de Charles XII*, en présence de Mme de Boufflers. Le roi ne cache pas son enthousiasme, mais il ne peut plus écrire lisiblement et confie à Tressan le soin de transmettre ses compliments à l'auteur : « Le roi de Pologne a été transporté de plaisir tant que la lecture de cette histoire a duré ; il en aime le style enchanteur, il admire les traits d'un grand maître qui caractérisent en peu de mots les vertus, les faibles, l'héroïsme d'un souverain ou le génie de différentes nations ; le prince enfin, dans l'enthousiasme où il était,

302

m'a fait l'honneur de me dire, en présence de la marquise de Boufflers et de plusieurs personnes de sa cour, ce que je vais rapporter dans mon certificat ci-joint[25]... » Un certificat accompagne bien la lettre. Au comble de la joie, Voltaire s'empresse de répondre à Stanislas par une épître chaleureuse, tandis qu'il publie en tête de son *Histoire de la Russie* la petite phrase du roi de Pologne précisant qu'il « a parlé sur la Pologne et sur tous les événements qui y sont arrivés comme s'il en eût été témoin oculaire[26] ».

Pendant ce temps, le monarque de Lunéville poursuit sa découverte de l'œuvre du reclus de Ferney. Après l'*Histoire universelle*, vient le tour de *Candide*. Dans ce roman philosophique, Stanislas découvre, à sa grande surprise, un passage sur les rois détrônés réunis dans une auberge de Venise : « Je suis le roi des Polaques ; j'ai perdu mon royaume deux fois ; mais la Providence m'a donné un autre État, dans lequel j'ai fait plus de bien que tous les rois des Sarmates ensemble n'en ont jamais pu faire sur les rives de la Vistule ; je me résigne aussi à la Providence, et je suis venu passer le carnaval à Venise[27]... »

Le roi déchu en sourit, mais, à la lecture de l'*Histoire de Pierre le Grand*, il fronce le sourcil, trouvant que l'image donnée du roi Charles XII est outrancièrement chargée. Cette fois, c'est Saint-Lambert qui doit écrire à Voltaire. Celui-ci réagit aussitôt dans une lettre destinée à Tressan : « Frère Saint-Lambert, qui est mon véritable frère (car Menoux n'est que faux frère), frère Saint-Lambert, dis-je, qui écrit en vers et en prose comme vous, m'a mandé que le roi Stanislas n'était pas trop content que je préférasse le législateur Pierre au grand soldat Charles ; j'ai fait réponse que je ne pouvais m'empêcher en conscience de préférer celui qui bâtit des villes à celui qui les détruit, et que ce n'est pas ma faute si Sa Majesté Polonaise elle-même a fait plus de bien à la Lorraine par sa bienfaisance que Charles XII n'a fait de mal à la Suède par son opiniâtreté[28]. »

Le philosophe rêve de revenir en Lorraine

Bien qu'ils ne partagent pas la même philosophie, Voltaire et Stanislas ont gardé de bonnes relations. Quelques années plus tôt, après sa brouille avec Frédéric II et son départ précipité de Prusse, l'écrivain ne savait où se rendre, Louis XV lui ayant interdit de revenir à Paris. En 1754, de son refuge provisoire de Colmar, il avait songé à Lunéville et alerté ses amis lorrains. Mais la manœuvre avait été rapidement déjouée par le père de Menoux et par le comte de Tressan, qui dissuadèrent Stanislas d'accepter.

Après bien des hésitations, le philosophe choisit la république de Genève, où il acheta une propriété qu'il nomma *Les Délices*. Tout se passa bien jusqu'au jour où il y organisa des représentations théâtrales, un type de spectacle impie alors strictement interdit à Genève ; de plus, l'article très critique qu'il venait de rédiger sur la république pour l'*Encyclopédie* commençait à lui attirer de nouveaux ennuis. Il envisagea donc à nouveau de se placer sous la protection du roi de Pologne. Il pensait même acquérir un vaste domaine dans les duchés. Une terre était à vendre à Champigneulles, une autre à Craon. Stanislas n'était pas hostile au retour de Voltaire. Mais, en dépit de démarches pressantes, les consignes de Versailles, portées par Lucé, s'étaient révélées sans la moindre équivoque : « Quant au projet de M. de Voltaire de former un établissement en Lorraine par l'achat d'une terre dans ce duché, vous direz au roi de Pologne que Sa Majesté, pour de bonnes raisons ayant refusé à l'auteur de *La Pucelle* la permission de revenir dans les États de sa domination et n'ayant point mis d'acceptation pour la

Lorraine, Elle serait très peinée qu'il trouvât les moyens d'éluder l'exécution de sa volonté en s'établissant dans ce pays sous la protection de son beau-père [29]. » Prudemment, Voltaire avait donc renoncé à son projet pour jeter son dévolu sur Ferney, une terre située en territoire français, mais à proximité de Genève.

Cet échec agacera longtemps le philosophe, comme il l'écrira, le 15 décembre 1764, à la marquise de Boufflers : « J'aurais préféré les Vosges aux Alpes, mais Dieu et les dévots n'ont pas voulu que je fusse votre voisin [30]. »

Un certain Jean-Jacques

En janvier 1751, Stanislas lit dans un numéro du *Mercure de France* des extraits d'un « Discours sur les sciences et les arts ». Il est signé d'un certain Jean-Jacques Rousseau, citoyen genevois de trente-neuf ans, ami de l'abbé Raynal et de Diderot, qui court en vain après la chance. Le sujet l'intéresse d'autant plus qu'il s'agit d'un discours couronné par l'académie de Dijon. Pour son concours de l'année 1750, celle-ci avait choisi de poser la question suivante : « Si le rétablissement des sciences et des arts a contribué à épurer les mœurs. »

Publié grâce à la diligence de Diderot, le texte apporte une célébrité immédiate à son auteur en déclenchant une dispute littéraire. Académiciens, théologiens, professeurs, philosophes, journalistes et deux têtes couronnées, Stanislas et Frédéric II, portent la contradiction à Rousseau qui dénonce la nocivité du progrès. Stanislas doute de sa sincérité, qualifie le discours de « roman ingénieux » et lui adresse une réponse anonyme par la voie du *Mercure de France* en septembre 1751 [31].

S'il a entrepris de clouer le bec à tous les chicaneurs qui l'attaquent, Jean-Jacques se montre plein de prévenances lorsqu'il répond au beau-père de Louis XV.

Mieux : les questions soulevées par Stanislas lui permettent de préciser sa pensée sur plusieurs points, parmi lesquels la source du mal. L'auteur de l'*Émile* s'explique sur cette réfutation dans les *Confessions* : « Le second fut le roi Stanislas lui-même, qui ne dédaigna pas d'entrer en lice avec moi. L'honneur qu'il me fit me força de changer de ton pour lui répondre ; j'en pris un plus grave mais non moins fort, et, sans manquer de respect à l'auteur, je réfutai pleinement l'ouvrage. Je savais qu'un jésuite, appelé le P. Menou [*sic*], y avait mis la main : je me fiai à mon tact pour démêler ce qui était du prince et ce qui était du moine ; et tombant sans ménagement sur toutes les phrases jésuitiques, je relevai, chemin faisant, un anachronisme que je crus ne pouvoir venir que du révérend. Cette pièce, qui, je ne sais pourquoi, a fait moins de bruit que mes autres écrits, est jusqu'à présent un ouvrage unique dans son espèce. J'y saisis l'occasion qui m'était offerte d'apprendre au public comment un particulier pouvait défendre la cause de la vérité contre un souverain même. Il est difficile de prendre en même temps un ton plus fier et plus respectueux que celui que je pris pour répondre. J'avais le bonheur d'avoir affaire à un adversaire pour lequel mon cœur plein d'estime pouvait, sans adulation, la lui témoigner ; c'est ce que je fis avec assez de succès, mais toujours de dignité. Mes amis, effrayés pour moi, croyaient déjà me voir à la Bastille. Je n'eus pas cette crainte un seul moment, et j'eus raison. Ce bon prince, après avoir vu ma réponse, dit : "J'ai mon compte, je ne m'y frotte plus." Depuis lors, je reçus de lui diverses marques d'estime et de bienveillance, dont j'aurai quelques-unes à citer ; et mon écrit courut tranquillement la France et l'Europe sans que personne y trouvât rien à blâmer [32]. »

Couronnement intellectuel

Pour Stanislas, la pseudo-académie de Nancy est un aboutissement. En accordant une place de choix aux écrivains dans ses États, il fait œuvre de précurseur, avant même Frédéric II et Catherine II de Russie, et il installe la Lorraine dans le mouvement des Lumières. Dans une lettre du 24 janvier 1754, Tressan précise les intentions royales à son ami Maupertuis : « Le roi Stanislas m'a forcé la main et a voulu que j'expose (à la société royale Z.M.) un extrait des découvertes et des ouvrages des savants non seulement pour intéresser les sociétés étrangères à l'établissement qu'il vient de faire, mais aussi pour inspirer de l'émulation aux Lorrains. Ils en ont grand besoin, et quoiqu'il y ait bien de l'esprit dans ce pays-ci, leurs anciens ducs, plus occupés de les enrichir que de les instruire, ont cruellement laissé languir les sciences, les lettres et les arts, qui y sont encore dans leur berceau [33]. »

La passion du roi-duc pour la Société royale des sciences et belles-lettres de Nancy est telle qu'il lui arrive d'intervenir directement dans l'attribution des prix comme dans la nomination des académiciens. Tout lui semble bon pour encourager les hommes de lettres lorrains à publier et à débattre avec leurs confrères des plus grandes académies. Au risque de se voir reprocher ses ingérences dans l'institution dont il a défini les règles, il s'octroie le droit de jouer les animateurs selon son humeur...

Lui-même donne le ton en entrant dans l'académie Arcadia à Rome en profitant de presque trente années de règne plutôt paisible pour composer une œuvre littéraire engagée. Peu attiré par l'art de la guerre et par la stratégie politique, il cultive avec bonheur les plaisirs de l'esprit. Héritier d'une lignée d'intellectuels, il associe l'intelligence de ses ancêtres Leszczynski à la vivacité

307

d'esprit des Jablonowski. Il a repris le flambeau de la tradition familiale en publiant dès 1733, en langue polonaise, un essai de philosophie politique intitulé *Glos wolny* (La voix libre du citoyen)[34].

Ce texte ne s'inscrit pas dans la tradition des Lumières mais puise ses racines dans l'humanisme triomphant du Grand Siècle. Il s'agit d'un plaidoyer pour la suppression du *liberum veto*.

Avec prudence et ruse – car il connaît l'attachement de l'aristocratie pour ce privilège –, Stanislas développe ses arguments en faveur d'une amélioration du sort des Polonais. Il se livre à une remarquable analyse sociologique et historique de son pays, passant en revue le clergé, le roi, le gouvernement, les institutions mais aussi le peuple. Dénonçant les richesses excessives de l'Église, il s'interroge : « ... Mais pourquoi ne pouvons-nous pas dire de tous les prêtres en général : "Qu'ayant tout ils ne possèdent rien"? Quel exemple salutaire ne serait-ce pas pour nous qu'un trop grand attachement aux choses de ce monde n'éloigne que trop souvent des vertus chrétiennes, sans lesquelles nous ne pouvons rendre à Dieu la gloire qui lui est due, ni à la patrie les services que nous lui devons? [...] Opposons-nous de toutes nos forces à un abus qui traîne après soi de si funestes désordres. Mais comme aucune puissance ne peut contraindre le clergé à se dessaisir de ses richesses, persuadons-lui de s'assembler de son propre mouvement, de se faire des lois pour l'administration de ses revenus, et de répartir sagement ses revenus entre l'Église en général et les particuliers qui la desservent[35]. »

Une analyse sévère de la Pologne

Les pages consacrées aux paysans révèlent une situation intolérable qui impose une réforme urgente : « La

Pologne est le seul pays où la population soit comme déchue de tous les droits de l'humanité[36]. » Le droit de vie et de mort d'un noble sur ses paysans, le servage comme la corvée sont les principaux facteurs de la dépopulation. L'exode qui touche les campagnes ne peut avoir que des effets néfastes sur l'agriculture et par voie de conséquence sur la richesse du pays. Stanislas propose donc une réforme qui passe par la suppression de la corvée et par le partage de la réserve seigneuriale entre les exploitants. « Le fondement de notre État, c'est le peuple, insiste-t-il à plusieurs reprises. Si ce fondement n'est que de terre et de boue, l'État ne peut durer longtemps[37]. »

Le bon gouvernement repose sur quatre pivots : la justice, les finances, l'armée et la police.

Stanislas reprend cet idéal politique dans *Si le comble de la gloire...*, un document de travail manuscrit, écrit vraisemblablement après la paix d'Aix-la-Chapelle [38]. Et il préconise une limitation des pouvoirs du roi. En échange de ses biens transférés à l'État, il recevrait un traitement versé par le Trésor. Quant aux ministres, ils seraient élus par la Diète pour six ans. Ce qui doit être d'abord recherché, ce sont les conditions matérielles et morales de l'existence. « Je voudrais, écrit-il dans *Réflexions sur divers sujets de morale*, qu'il y eût moins de distance entre le peuple et les grands[39]. »

Si Stanislas place tous ses espoirs dans le rôle de la paysannerie, il se montre plus méfiant à l'égard du commerce, qu'il recommande de surveiller étroitement.

Certains historiens ont voulu le rapprocher des physiocrates. En réalité, il n'appartient à aucune école. Il ne prône pas la grande entreprise « capitaliste » comme les disciples de Quesnay, lui préférant la petite exploitation individuelle ; de plus, *Glos wolny* a vingt-cinq ans d'avance sur le *Tableau économique* de Quesnay. En revanche, il a pu être influencé par les écrits de Vauban et de Boisguillebert ou de l'économiste anglais Nicolas Barbon[40].

La plume facile du « philosophe bienfaisant »

Stanislas a la plume facile. On lui doit plusieurs autres ouvrages en polonais : la traduction en vers d'un livre de l'abbé Clément, les *Entretiens de l'âme avec Dieu, tirés des paroles de saint Augustin dans ses Méditations, ses Soliloques et son Manuel* en 1745 ; en 1761, une autre traduction de l'*Histoire de l'Ancien et du Nouveau Testament. Interprétation édifiante tirée des saints Pères pour l'instruction morale de toutes les conditions.* Au total trente-trois mille vers ! Un travail de titan pour un résultat médiocre qui n'a pas eu l'audience espérée en Pologne.

Stanislas a eu plus de satisfaction avec ses textes écrits directement en français. Avec la sérénité acquise en Lorraine après ses équipées polonaises, il a pu donner libre cours à sa passion de l'écriture, sans balancer un seul instant entre le français et le polonais. Le français est la langue des cours, et il est le beau-père du Roi Très-Chrétien ; il écrira donc en français des traités à finalité religieuse, morale ou civique, rassemblés pour la plupart dans les *Œuvres du philosophe bienfaisant.*

La période la plus féconde correspond à la fin des années 1740, avec la grande agitation des parlements qui menace les fondements de la royauté française et la publication de l'*Encyclopédie. Le Philosophe chrétien, Le Combat de la volonté et de la raison, La Réponse d'Ariste aux conseils de l'amitié* (imprimé à Lyon en 1747), *Réflexions sur divers sujets de morale, Entretien d'un Européen avec un insulaire du royaume de Dumocala* et *L'Incrédulité combattue par le simple bon sens, essai philosophique par un roi*, participent au mouvement réformiste qui anime les hommes des Lumières.

Par ses thèses placées sous le signe de la morale chrétienne, Stanislas est souvent classé parmi les penseurs des anti-Lumières. Cette classification hâtive et simpliste consiste à ranger sous la bannière de l'hostilité aux Lumières tous les auteurs qui ne relèvent pas de la mouvance des philosophes et qui sont restés fidèles au christianisme de leur temps. Or il ne rejette pas les idées des Lumières, mais les discute comme il discute les dogmes de la religion catholique. Il a compris qu'en un siècle tant épris de raisonnement il faut philosopher pour convaincre.

L'île idéale de Dumocala

Dans sa recherche du bonheur sur terre, et peut-être influencé par les discours sur la société bucolique dont Rousseau se veut le chantre, le roi de Pologne se livre même au plaisir du roman philosophique. Il emboîte le pas à la mode de l'utopie fondée sur l'exotisme littéraire initié par Thomas More. Il a annoté *La République* de Platon et étudié les textes de More et Campanella, qui figurent dans sa bibliothèque, mais il a lu d'autres œuvres en vogue comme *Les Aventures de Télémaque* de Fénelon, *Les Aventures de Jacques Sadeur dans la découverte et le voyage de la terre australe* de Gabriel de Foigny (1676), les *Voyages et avantures de Jacques Massé* de Simon Tyssot (vers 1715) ou *L'Histoire des Sevarambes, peuples qui habitent une partie du continent communément appelée la Terre australe*, publiée vers 1679 par Denis Vairasse.

Dans l'*Entretien d'un Européen avec un insulaire du royaume de Dumocala*, paru en 1752, Stanislas esquisse à son tour le tableau d'une cité idéale. Comme dans

L'Utopie de More ou la *Cité du Soleil* de Campanella, il utilise la formule du dialogue entre le voyageur et l'autochtone. Derrière cette aimable conversation se cache le programme politique et social d'un prince qui regrette de n'avoir pas été assez convaincant dans *La Voix libre du citoyen* et diffuse cette fois son message dans un style plus attrayant. Il a pris soin de dater le manuscrit de 1630, afin de se situer dans la continuité de More, Campanella et Bacon (*The New Atlantis,* 1627) tout en se plaçant avant ses inspirateurs directs, Foigny, Tyssot et Vairasse.

Un vaisseau européen en route pour les Indes est rejeté par la tempête sur des côtes inconnues où il s'éventre contre les rochers. L'unique survivant du naufrage parvient à gagner le rivage où il est recueilli par les autochtones, qui semblent voir un Européen pour la première fois de leur vie. Le naufragé est au pays de Dumocala, une terre généreuse dotée d'une nature clémente où les habitants vivent dans la joie et la sérénité. Les brachmanes ou prêtres instruisent les fidèles dans la religion de Dieu, créateur du Ciel et de la Terre. « C'est la raison, explique l'un d'eux, qui m'a fait comprendre que, l'univers n'ayant pu se former de lui-même, il n'y a qu'un Dieu qui l'ait pu tirer du néant et lui donner l'ordre et l'arrangement avec le mouvement et la vie. Créature de ce Dieu, je reconnais son empire, et j'étudie ses volontés ; sa Providence est une preuve de sa sagesse et sa sagesse un engagement à la sainteté [41]... »

Dumocala, c'est aussi le Rocher de Lunéville, matérialisation du grand rêve de Stanislas : « Le vrai bonheur consiste à faire des heureux. » On y retrouve la politique sociale qu'il a imaginée en Lorraine à travers l'hôpital public, l'école publique, le grenier collectif, l'aide aux plus démunis et l'urbanisme aéré... Derrière le visage heureux d'une cité idéale guidée par la vertu, Stanislas se livre à une sévère critique des institutions et dénonce la suspicion qui mène la politique : « Ce mal affreux qui s'est glissé dans vos sociétés, et que vous fomentez lors même que vous en déplorez les suites, je le vois répandu parmi vos souverains ; ils s'imaginent tous de devoir apprendre à dissimuler, pour savoir régner avec plus d'éclat et de gloire[42]. »

L'image du gouvernement idéal

Les lois, l'armée, le commerce, les finances, la justice et l'administration des provinces, bref, toute la politique qui préside aux destinées de Dumocala est érigée en exemple de gouvernement idéal. Face au naufragé qui tente d'expliquer que la politique de son pays n'est pas si différente, le brachmane réplique ainsi : « Pourquoi ne levez-vous des troupes que lorsque vous devez les mettre en campagne, et qu'au lieu de prévenir l'ennemi vous lui laissez prendre des avantages ?

« Pourquoi, dans l'exaction de vos impôts, arrachez-vous, pour ainsi parler, l'arbre avec les racines, et réduisez-vous à l'extrême misère des peuples dont vous prétendez tirer encore de nouveaux subsides pour les besoins de l'État ?

« Pourquoi les épuisez-vous dans l'attente d'un jugement que le bon droit réclame, et que vous ne rendez qu'en faveur de l'injustice ?

« Pourquoi votre police varie-t-elle selon le rang et la condition des sujets et poursuit-elle les colombes, tandis qu'elle épargne les vautours ?

« Pourquoi enfin tous ces voiles épais dont vous couvrez votre politique ? [...]

« Vous négligez des fondements qui s'écroulent, et vous vous contentez de réparer des murs qui vont manquer d'appui[43]. »

Stanislas pense à la Pologne, bien sûr, même si certaines critiques visent aussi bien la France de Louis XV. Dépourvu des qualités romanesques qui rendraient la leçon plus séduisante, l'*Entretien d'un Européen avec un insulaire...* occupe une place honorable dans l'anthologie des utopies politiques et sociales parce qu'il s'y dégage une sincérité et une conviction servies par la spontanéité et la sobriété de l'écriture. De plus, si les auteurs d'utopies sont des législateurs qui écrivent pour les rois, lui a l'avantage d'être prince et philosophe, roi et législateur. À leur différence, il a essayé son programme.

On a beaucoup glosé sur les écrits du roi Stanislas. Il était de bon ton, dans les couloirs de Versailles, d'en accorder la paternité à d'autres auteurs. Des doutes ont notamment plané sur l'origine des *Conseils d'un roi à sa fille* écrits à Strasbourg quelques jours avant le mariage de la princesse Marie, doutes renforcés pendant la période lorraine par le rôle qu'a joué le chevalier de Solignac à la cour de Lunéville.

La réalité est apparemment beaucoup plus simple. Le roi se souciait peu de la syntaxe d'une langue ; il rédigeait mal le français et avait donc besoin d'un collaborateur pour corriger et mettre en formes ses textes. C'était le rôle de Solignac. Collègue de Tercier à l'ambassade de France à Varsovie, celui-ci a occupé pendant vingt-neuf ans le poste de secrétaire du cabinet du roi de Pologne, auquel a été ajouté en 1751 le titre de secrétaire des commandements du gouvernement général de la Lorraine et du Barrois. Stanislas l'appelait affectueusement son « teinturier », le principal de sa tâche étant de *nettoyer* ses écrits pour les préparer à l'impression.

Pendant des années, les deux hommes vont respecter un rituel immuable. Chaque jour, vers midi, Solignac s'empare des feuillets griffonnés le matin par le roi de Pologne. Il corrige l'orthographe fantaisiste, traque les archaïsmes, redresse la syntaxe, ajoute les verbes lorsqu'ils sont absents, parfois reprend une phrase pour la rendre plus harmonieuse. Il doit avoir terminé son travail dans l'après-midi. Le plus souvent, Stanislas partage sa page en deux, se réservant la colonne de gauche pour l'écriture, tandis que celle de droite est destinée aux corrections de Solignac. À propos d'un texte sur la vérité, le roi de Pologne écrit ainsi dans la partie gauche : « La vérité est un privilège général autorisé par la loi de Dieu et celle de tous les gouvernements de ce monde ; c'est un sceau qu'on doit appliquer à toutes nos actions [44]. » En face, Solignac propose la version suivante : « La vérité est un don précieux, et l'heureux privilège qu'a bien voulu accorder généralement à tous les hommes l'être souverain qu'est la source éternelle de toute vérité et la vérité par essence. Elle doit aussi être la loi de tous les gouvernements de ce monde et la règle de chaque homme en particulier. »

En général, le sens donné par le roi est respecté, mais, quoique voulant clarifier un texte au style souvent abrupt, Solignac lui confère une forme ampoulée qui ne correspond pas toujours au caractère de Stanislas. L'auteur fait d'ailleurs parfois des modifications de fond sur la version corrigée. Inversement, il arrive qu'il abandonne totalement le texte à la plume de Solignac, voire à d'autres correcteurs comme Tressan, Menoux, Hulin, Tercier ou plus rarement Marin, plutôt chargé de veiller à l'édition des œuvres.

Même si l'on peut regretter la truculence de certaines tournures empruntées au polonais, les remaniements des secrétaires semblent ne pas altérer la pensée du roi. Bien qu'il ne partage pas toutes les vues de Stanislas, Solignac a toujours accompli sa tâche dans le but de mettre en valeur les écrits du monarque, avec sa totale confiance. À la fin de sa vie, Stanislas, devenu pratiquement aveugle, continuera de dicter ses textes à son fidèle chevalier.

CHAPITRE XV

Nancy, capitale

À la fin de l'été 1755, Stanislas Leszczynski ne cache pas son impatience. Les travaux commandés à Nancy accusent en effet un retard qui déjoue ses plans. Las d'attendre et de se plier au bon-vouloir des entrepreneurs et des artisans, le roi de Pologne prend alors la décision de fixer la cérémonie d'inauguration de la place Royale au 26 novembre. Il ne laisse à personne le soin d'en composer le programme :

« ... Je me rendrai à huit heures du matin pour entendre la grande messe et un sermon. À neuf heures, après le service, je me rendrai à l'hôtel de ville, où je dois trouver l'académie, M. Tressan portant la parole.

« À dix heures un héros à cheval ayant déjà devant lui six trompettes avec le timbalier fera le tour de la place en annonçant le jour destiné à l'élévation de la statue.

« À onze heures, on découvrira la statue au bruit du canon et toute la garnison rangée dans le milieu de la carrière faisant trois salves de la mousqueterie.

« À midi on donnera le repas selon l'arrangement particulier et bien réglé pour éviter toute confusion.

« À deux heures après midi, des fenêtres de chaque pavillon de la place, on jettera de l'argent au peuple.

« À quatre heures, après que l'illumination sera allumée, on ira à l'intendance pour voir le feu d'artifice.

« Au retour on commencera le bal qui terminera la fête[1]. »

Au jour dit, Stanislas arrivé en grand équipage par la porte Saint-Nicolas prend place au balcon de l'hôtel de ville, investi par un détachement de gardes lorrains. Parti de l'arc de triomphe, un héraut d'armes précédé de trompettes et de cymbales accomplit le tour de la place, marquant une pause devant chaque pavillon pour proclamer à haute voix : « Messieurs c'est aujourd'hui que le roi fait la dédicace du monument que Sa Majesté a fait ériger comme un gage de son amour pour le roi son gendre. Vive le roi[2] ! »

La journée se déroule selon le désir du monarque. Après les discours d'usage, les félicitations du roi et de la Cour, le voile qui masquait la statue est enfin ôté par les sculpteurs Guibal et Cyfflé, dévoilant aux invités – la foule nancéienne n'a pas été conviée – l'effigie en pied de Louis le Bien-Aimé. Un tonnerre de mousquets et de canons célèbre l'événement.

Immortalisé en souverain vêtu à la romaine, Louis dirige son regard vers la France. À ses pieds reposent le casque du chef des armées victorieuses, le globe de la souveraineté et les attributs des arts. Aux angles du piédestal, où figurent la Prudence, la Justice, la Force et la Clémence, l'assistance déchiffre les inscriptions : « À Louis XV, monument d'un cœur affectueux », et « Vis longtemps, Louis, les Lorrains demandent pour toi des siècles. »

La cérémonie revient de loin, car un banal incident a failli provoquer un drame. Pendant que le roi était dans la grande salle de l'hôtel de ville, quelques morceaux de plâtre se sont détachés d'une corniche du vestibule. Affolé, un garde du corps, pensant que la pièce où se trouvait Stanislas allait s'écrouler, donne l'alerte. Il s'ensuit une pagaille telle que le prince de Chimay tire son épée pour faire de la place. On crut un instant à un attentat et, sans le sang-froid de l'entourage du roi, on aurait plongé dans la catastrophe.

Pendant que la population est enfin autorisée à accéder à la place, la Cour a investi le théâtre pour entendre une création d'un jeune auteur lorrain de vingt-cinq ans, nouvelle recrue de l'Académie royale. Charles Palissot de Montenoy[3] a composé un prologue, mis en musique par son compatriote Surat, dans lequel Minerve et la Gloire exaltent les vertus incarnées par Titus, Trajan et Marc Aurèle, opposés aux conquérants Sésostris, Bélus et Alexandre. Les statues des conquérants disparaissent dans la profondeur des ténèbres pour faire place à celles de Louis XV et de Stanislas. Minerve les couronne et s'exclame :

Ah! Je les reconnais... Stanislas et Louis!
Je reconnais aussi la Gloire!
À ces autels nouveaux, à ces dieux bienfaiteurs,
Mortels, venez offrir un éternel hommage.
Que sur ces bronzes révérés,
Entre ceux des Titus, des Trajans, des Aurèles,
Leurs noms à l'Univers soient à jamais sacrés,
Et qu'aux rois à venir ils servent de modèles[4].

Les philosophes brocardés

Vient ensuite la création de Palissot intitulée *Le Cercle ou Les Originaux*[5]. La pièce, caricature d'une grande dame pleine d'esprit et de son entourage d'intellectuels ridicules, remporte un franc succès. Dans la scène VIII paraît le philosophe Blaise-Gille-Antoine le Cosmopolite, qui déclare crânement avoir écrit des préfaces dans lesquelles il s'est moqué du public, ajoutant que « ce que tous les hommes avaient estimé jusqu'à présent n'avait servi qu'à les rendre fripons, et que, tout calcul fait, il valait mieux parier pour la probité d'un sot que pour celle d'un homme d'esprit[6] ». La plupart des spectateurs ont reconnu Jean-Jacques Rousseau dans le philosophe brocardé.

Une pluie fine et glaciale oblige à remettre au lendemain l'illumination et le feu d'artifice, où quatre-vingt mille lampions et pots à feu vont faire scintiller d'étoiles les grilles de la place. Bon prince, Stanislas a cependant pensé au plaisir de ses sujets en faisant couler du vin des fontaines de la place Royale.

Cette inauguration qui glorifie le nouveau maître des duchés n'a pas reçu l'adhésion de tous les Lorrains : pendant le bal, alors que la marquise de Boufflers et sa sœur Mme de Bassompierre se livrent au jeu subtil de la séduction sous l'anonymat de leurs masques, un groupe d'inconditionnels des Habsbourg rend les honneurs à une statue du duc Léopold...

Quelques semaines plus tard, le roi Stanislas reçoit un mémoire du comte de Tressan qui réclame l'exclusion de Palissot de la Société royale des sciences et belles-lettres. Au nom de la solidarité encyclopédique, d'Alembert, qui a eu vent de la charge de Palissot et estime l'honneur des gens de lettres outragé, réclame justice pour cette « insulte grossière et scandaleuse ». Il s'en est ouvert à Tressan, son collègue à l'Académie des sciences.

Stanislas est dans l'embarras : la raillerie de Palissot ne l'a pas choqué, mais il ne souhaite pas non plus se fâcher avec les Encyclopédistes. Tressan croit l'avoir convaincu de châtier Palissot en l'excluant de la Société royale, mais le jeune homme plaide sa cause devant le roi de Pologne, arguant du fait que la pièce est passée sans encombre devant la censure, qu'elle a été jouée devant toute la Cour et n'a reçu aucune critique. Stanislas hésite à punir et tergiverse lorsque, coup de théâtre – si l'on peut dire –, Jean-Jacques Rousseau, informé par Tressan, préfère jouer les magnanimes. Le citoyen de

Genève raconte le dénouement de l'affaire dans les *Confessions :*

« M. le comte de Tressan écrivit, par l'ordre de ce prince[7], à d'Alembert et à moi pour m'informer que l'intention de Sa Majesté était que le sieur Palissot fût chassé de son académie. Ma réponse fut une vive prière à M. de Tressan d'intercéder auprès du roi de Pologne pour obtenir la grâce du sieur Palissot. La grâce fut accordée, et M. de Tressan, en me le marquant au nom du roi, ajouta que ce fait serait inscrit sur les registres de l'académie. Je répliquai que c'était moins accorder une grâce que perpétuer un châtiment. Enfin, j'obtins, à force d'insistances, qu'il ne serait fait mention de rien dans les registres et qu'il ne resterait aucune trace publique de cette affaire. Tout cela fut accompagné, tant de la part du roi que de celle de M. de Tressan, de témoignages d'estime et de considérations dont je fus extrêmement flatté[8]... »

Stanislas se sent mal récompensé des efforts tentés pour faire briller les arts et les lettres lorraines. Son académie est le théâtre de guerres intestines alimentées par la rivalité des clans. Tressan jalouse toujours le père de Menoux, qui ne fait rien pour apaiser les esprits. Ses embellissements de Nancy sont mal perçus, les uns y voyant la manifestation du centralisme des Bourbons, les autres, des velléités de nationalisme lorrain.

Un roi urbaniste

Mais Stanislas est têtu, il l'a montré en maintes occasions. Cette fois, il s'est fixé pour objectif de rendre à son gendre des duchés plus beaux et plus riches qu'il ne les a trouvés en 1737. Fidèle à ses conceptions philosophiques qui associent l'Église et l'État, il a voulu qu'ils soient intimement liés sur les frontons des monuments.

Jusqu'à présent, il a fait réaménager les châteaux de Lunéville et de Commercy, construire des lieux de plaisirs et des résidences d'été, ériger Notre-Dame-de-Bon-Secours, mais il ne s'est pas encore attaqué à l'urbanisme d'une ville.

Nancy se composait alors de deux villes distinctes, la Ville Vieille, d'origine médiévale, séparée par un rempart de la Ville Neuve au plan géométrique, bâtie sous le règne du duc Charles III. Stanislas rêve de réunir ces deux villes en implantant à leur jonction un bel ensemble architectural. Léopold Ier a déjà caressé un tel projet, vite abandonné parce qu'il aurait fallu démolir une partie des fortifications. Le roi de Pologne décide de contourner l'obstacle en conservant l'appareil défensif tout en ouvrant une brèche dans la courtine du rempart.

En 1751, il instruit de son idée le maréchal de Belle-Isle, qui a autorité pour toutes les questions militaires aussi bien dans les Trois-Évêchés que dans les duchés. Mais le maréchal s'oppose à la destruction des bastions d'Haussonville et de Vaudémont. Stanislas bat en retraite, le temps de remanier le projet et d'adresser une requête à d'Argenson, secrétaire d'État à la Guerre. Que de soirées il a passées enfermé dans sa chambre avec son architecte Héré, à crayonner, raturer, surcharger ! Il imaginait, l'homme de l'art ergotait et calculait. De leurs conciliabules nocturnes est né le plan de la place Royale, trait d'union entre les deux Nancy.

D'ailleurs, d'Argenson et Belle-Isle ont rendu les armes. Le 24 janvier 1752, le maréchal approuve le dernier projet, qui a l'avantage de ne toucher ni aux bastions, ni aux fossés, ni aux remparts. Stanislas jubile, car il voit dans cette réalisation un acte politique subtil qui unit matériellement la Lorraine à la France. Et, fort de l'autorisation difficilement acquise, il engage Héré à commencer les travaux sitôt l'expropriation des hôtels environnants achevée. L'architecte délimite un quadrilatère de cent vingt-quatre mètres sur cent six qui sera bordé, sur trois côtés seulement, de bâtiments à deux étages. Le duc Ossolinski pose la première pierre le 11 mars 1752.

La face méridionale est réservée au nouvel hôtel de ville, grande bâtisse aux avant-corps légèrement en saillie pour éviter toute monotonie. L'édifice est entouré à l'est du pavillon Alliot, qui a été la propriété de l'intendant aulique du roi de Pologne avant de loger le comte de Stainville, commandant militaire de la Lorraine – il abrite de nos jours le Grand Hôtel.

À côté, l'hôtel des Fermes, concédé au fermier général Jean-François de La Borde, sera transformé en théâtre municipal en 1909. En face, à l'ouest, on trouve le premier bâtiment construit sur la place, le pavillon Jacquet, du nom du propriétaire des lieux. Le pavillon situé au nord-ouest doit accueillir le Collège royal de médecine et, en retrait, la Comédie (disparue dans un incendie en 1906). Aujourd'hui, le bâtiment sert d'écrin au musée des Beaux-Arts.

Enfin, au nord, face à l'hôtel de ville, la courtine est arasée et le fossé comblé pour permettre l'édification d'un arc de triomphe ; Stanislas poursuit son projet initial en faisant démolir une partie du bastion d'Haussonville. Alerté, Belle-Isle adresse un rapport à d'Argenson, mais le secrétaire d'État préfère abandonner la partie face à la détermination du roi de Pologne. Grâce à ce coup de force, ce dernier va donner à la place l'unité qui lui manquait en permettant la construction de « basses faces[9] ». Ces maisons sans étage masquent le rempart tout en dégageant la perspective sur les collines de Malzéville.

Un virtuose de la serrurerie

Pour réaliser son rêve de roi bâtisseur, Stanislas a eu la chance d'avoir auprès de lui des artistes talentueux. Outre son premier architecte, Emmanuel Héré, avec lequel il travaille depuis son arrivée en Lorraine, il a associé à ses projets le ferronnier Lamour, les sculpteurs Adam, Guibal et Cyfflé, et les peintres Girardet et Joly.

Fils d'un maître serrurier de Charleville et installé à Nancy depuis 1684, Jean-Baptiste Lamour[10] a appris son métier dans l'atelier paternel avant de se perfectionner à Metz et à Paris. Ses débuts de maître serrurier remontent vraisemblablement à la construction du château d'Haroué par Boffrand; mais sa première collaboration avec Héré a lieu sur le chantier de Notre-Dame-de-Bon-Secours. Depuis, pas une rampe, pas un balcon, pas une grille, pas une porte en Lorraine qui ne soient dessinés et réalisés par lui : hôtel des Missions royales, châteaux de Lunéville, Chanteheux, La Malgrange. Collectionneur et homme cultivé, il partage avec Stanislas la passion des livres et de la peinture. Il possède une belle bibliothèque et un cabinet de peintures riche de plus de quatre-vingts toiles. Le secret de Jean Lamour, c'est la virtuosité avec laquelle il adapte la tôle à ses dessins pour lui donner l'aspect du bronze ciselé. Il donne aux grilles de Nancy une légèreté, une souplesse de la forme et une grâce jusque-là inégalées.

Les grilles de la place Royale sont constituées de deux portiques à fontaine et de portes au dégagement des rues. Leurs motifs s'harmonisent avec ceux des hôtels qui bordent la place. Tout décor a une signification. En 1767, le maître serrurier écrit dans son *Recueil* :

« Il fallait orner et varier les accompagnements, et il fallait les enrichir pour distinguer à l'extérieur l'appartement que le roi s'était destiné[11]. »

L'ensemble en ferronnerie s'étend sur plus de vingt mètres et s'élève à onze mètres de haut. Près de deux cents ouvriers ont travaillé sur son chantier. La fontaine de Neptune comme celle d'Amphitrite – partiellement défigurée en 1763 [12] –, aux angles des « basses faces », puisent leur inspiration au plus pur baroque romain. Jean Lamour a construit un écrin de dentelle pour les sculptures de plomb de Guibal [13].

« Les tôles sont si exactement appliquées, écrit le maître serrurier, qu'elles ne semblent faire qu'un seul corps. Les saillies des corniches, les différents profils y sont observés avec une précision qui fait douter que ce soit du fer forgé [14]. »

Coquilles, feuillages, cartouches, fleurons et trophées expriment l'exubérance rocaille de l'époque ; pourtant, cette transparence du fer forgé, où le chiffre de Louis XV est omniprésent, s'harmonise à la majesté classique de l'ensemble architectural.

Tous les hôtels de la place sont bâtis selon le même principe : un rez-de-chaussée avec arcades en plein cintre fermées par des clefs où alternent des masques d'hommes et de femmes ; deux étages reposant sur une fine corniche et rythmés par des pilastres couronnés de chapiteaux corinthiens. De hautes fenêtres à arc surbaissé pour le second. Au sommet courent des balustrades jalonnées de pots à feu, de vases, d'étranges palmiers, de trophées d'armes et de groupes d'enfants nus. Plus vaste, l'hôtel de ville s'orne d'un fronton central qui domine l'ensemble, interrompant l'exubérance baroque pour satisfaire au rituel pompeux des attributs de la magistrature municipale flanqués d'une horloge. Au-dessous, les armoiries du roi de Pologne surmontent les armes de Nancy, le chardon et les trois alérions de Lorraine. Les balcons noir et or de Jean Lamour apportent la touche finale à cet ensemble majestueux.

À l'intérieur, un vestibule coupé de deux rangées de colonnes s'ouvre sur un escalier à double volée orné d'une rampe à décor rocaille exécutée par Lamour. Là encore, s'exprime en toute liberté la virtuosité de l'artiste, qui fait un peu oublier la perspective architecturale [15] peinte en trompe l'œil par André Joly [16] pour la cage d'escalier.

Au premier étage, le Salon carré s'orne de fresques de Jean Girardet [17] qui célèbrent sur le mode allégorique la « bienfaisance » du roi de Pologne ; elles offrent l'originalité d'être peintes « à l'italienne », directement sur le mortier frais. Là aussi, le trompe-l'œil triomphe avec le faux marbre des pilastres corinthiens, des trophées et des cariatides qui portent corniche et fenêtres simulées.

Seul ce décor permet d'évoquer ce que furent les intérieurs des palais du roi de Pologne. Stanislas n'habita jamais l'appartement qu'il s'était réservé. Sous le second Empire, il sera transformé en grand salon de réception.

Une parure royale

La place Royale trouve son prolongement dans la Carrière, la place des tournois créée au milieu du XVIᵉ siècle sous le régence de Chrétienne de Danemark. Pour en marquer l'accès, Héré a érigé un arc de triomphe inspiré de celui de Septime Sévère ; mais les inscriptions « *Principi victori* » et « *Principio pacifico* » évoquent à la fois les combats glorieux de Fontenoy et le triomphe pacifique du souverain qui, en 1748, lors de la paix d'Aix-la-Chapelle, n'a réclamé aucune conquête, préférant « traiter en roi et non en marchand ». Stanislas met ici en exergue l'idée de bonheur dans la paix générale. N'a-t-il pas écrit à propos de l'attitude de Louis XV : « Il fait voir que le vrai héroïsme consiste dans le repos d'un règne pacifique [18]. »

La Carrière, immortalisée par une gravure de Jacques Callot, offre une trouée rectiligne au flanc du vieux Nancy et de ses rues étroites. Stanislas demande à Héré et Lamour de la fondre dans l'ensemble architectural. Les façades des maisons sont refaites aux frais du roi de Pologne pour donner son unité au site, tandis que Lamour l'enjolive par des grilles « garnies de vases de fleurs et de bras de lanternes ». À l'entrée vers la place Royale, l'hôtel de Craon, construit par Boffrand, a été racheté par le roi en 1751. Il l'a fait transformer pour y loger les juridictions de Lorraine (cour souveraine, bailliage...). En face, Héré construit en 1753 une réplique symétrique destinée à accueillir les juges consuls et la bourse des marchands. À l'opposé, deux hôtels sont encore édifiés – l'un sera la demeure de Héré, l'autre, celle de M. de Morvillers.

À l'autre bout de la place, le duc Léopold avait commandé à Boffrand un palais destiné à remplacer le vieux palais ducal. Le projet de ce « nouveau Louvre », fort ambitieux, ne fut jamais mené à son terme. En 1745, la construction inachevée est abattue. C'est là que Héré imagine de bâtir la Nouvelle Intendance avec la complicité de Lamour, de Guibal et de Girardet. Différent de l'hôtel de ville, le bâtiment comprend trois avant-corps en trois ordres superposés tandis que la colonnade du rez-de-chaussée supporte un balcon à balustrade de pierre.

Le projet initial subit quelques transformations au cours de sa construction, surveillée par Richard Mique [19], qui lui succédera en 1763 auprès du roi Stanislas. En 1755, Chaumont de La Galaizière prend possession du palais de l'Intendance [20], qu'il cède à son fils en 1758, lorsque celui-ci est nommé intendant. Le palais fait corps avec la place par le truchement d'une élégante colonnade en hémicycle. Deux portiques surmontés d'esclaves enchaînés et de trophées guerriers permettent d'accéder à la Ville Vieille et à la Pépinière, vaste plantation qui sera aménagée à la demande du roi en octobre 1765.

La statue de Louis XV érigée sur la place Royale est le joyau de cette parure que Stanislas a voulu offrir à Nancy. Guibal et Cyfflé[21] ont uni leurs efforts pour l'ériger malgré les difficultés. En effet, le 12 mai 1755, dans le jardin de Guibal à Lunéville, la coulée de la statue échoue à cause de briques de mauvaise qualité qui se sont vitrifiées en cours de cuisson. Heureusement, le moule n'a pas été endommagé et les artistes renouvellent l'opération le 15 juillet avec des matériaux plus résistants. La statue est coulée en trois minutes. Prévenu de la bonne nouvelle dès le lendemain, Stanislas, qui séjourne alors à Commercy, fait tirer un feu d'artifice en signe de réjouissance. Pour acheminer la statue jusqu'à Nancy, il faut utiliser un immense char tiré par trente-deux chevaux, tandis que le pont Saint-Nicolas a été renforcé par des madriers. Finalement, le 18 novembre, la statue trône fièrement sur son piédestal. Elle y demeurera jusqu'à la Révolution. En 1792, la place sera dépouillée de tous ses attributs royaux, statue et bas-reliefs partiront à la fonte, armoiries, fleurs de lis et chiffres royaux seront arrachés des grilles de Jean Lamour[22].

Pour l'heure, la statue achevée provoque un différend entre Guibal et Cyfflé, qui en revendiquent chacun la paternité. Stanislas pense arbitrer raisonnablement en proposant pour signature : *Guibal fecit, cooperante Cyfflé*. Vexé, Cyfflé fait gratter la seconde partie de l'inscription, laissant pour unique mention : *Guibal fecit*.

Un an et demi plus tard, en 1757, lorsque Guibal meurt en laissant sept enfants mineurs – sans compter une fille posthume qui survivra vingt et un mois –, c'est Cyfflé qui est officiellement nommé curateur, « ami à défaut de parents sur les lieux, résidant à Lunéville ». Ce qui prouve qu'en dépit de cette querelle d'artistes les deux sculpteurs étaient restés bons amis.

« Une sorte de mélancolie janséniste »

Pendant ce temps, le roi bâtisseur poursuit son œuvre nancéienne. Non loin de la place Royale se trouvait un ancien jardin potager aménagé sous le règne de Léopold Ier. Le roi de Pologne décide d'y construire une place dédiée à son saint patron. Héré en dresse les plans. Sur ces entrefaites, le 1er mai 1756, la France et l'Autriche signent le traité de Versailles au château de Rouillé, à Jouy-en-Josas, mettant un terme à la vieille opposition entre la maison de Bourbon et celle des Habsbourg. Si ce spectaculaire renversement des alliances consterne les Français, il réjouit les Lorrains, qui voient là un rapprochement entre Louis XV et l'héritier de l'ancienne maison ducale, François III, devenu l'empereur François Ier.

Stanislas aussi est favorable à cette alliance franco-autrichienne, gage selon lui de la paix en Europe. En même temps, il fait preuve d'une grande générosité à l'égard de l'Autriche, qui n'est pourtant pas pour rien dans son éviction du trône de Pologne. La place Saint-Stanislas disparaît alors au profit de la place d'Alliance. Afin de préserver l'unité architecturale des hôtels qui doivent la border, Stanislas utilise le même procédé que lors de la construction de la Carrière et de la place Royale : toutes les façades sont bâties à ses frais, les autres murs et les aménagements intérieurs restant à la charge des particuliers. Parmi les heureux concessionnaires de ces terrains figurent notamment le peintre du roi de Pologne Léopold Roxin[23], l'architecte Joseph Murlot, Claude Mique – le frère de Richard –, lui aussi architecte, ainsi qu'Emmanuel Héré. Ce dernier vend la maison qu'il a bâtie à M. de Marainville et échange la seconde contre la terre de Corny, près de Metz : une fois anobli, en 1751, il pourra se faire appeler Héré de Corny, voire baron de Corny.

Cette place harmonieuse et sobre où Maurice Barrès ressentira plus tard « une sorte de mélancolie janséniste » s'orne d'une fontaine prévue à l'origine pour le centre de l'hémicycle de la Carrière. Son décor devait célébrer les victoires de Louis XV. Cyfflé avait donc dessiné une fontaine baroque : un obélisque, surmonté par un génie de la Renommée, dominait un groupe de trois vieillards barbus ; tels les génies des trois fleuves, ils tiennent une urne d'où jaillit l'eau de la fontaine. Seule modification dans l'ornementation, les inscriptions : sur la face des deux mains unies, on lit désormais *Publicam spondent salutem*[24] ; sur une autre, où deux mains brandissent un faisceau de flèches : *Optato vincta discordia nexu*[25] ; et sur la troisième, où un écu unit fleurs de lis et croix de Lorraine : *Prisca recensque fides votum conspirat in unum*[26]. Enfin, sur le bouclier tenu par le génie de la Renommée : *Perenne concordia foedus, anno 1756*[27].

À quelques encablures de la place se situe la primatiale[28] érigée par Boffrand pour le duc Léopold. Stanislas a veillé à son achèvement. Bien que la première messe y ait été célébrée le 1er novembre 1742, les travaux se sont poursuivis à l'intérieur avec Jean Lamour, les peintres Girardet et Charles, et surtout les frères Joseph et Nicolas Dupont, qui ont construit en 1757 les grandes orgues (de soixante-quatre jeux et quatre mille cent soixante-quatre tuyaux), achevées par Vauthrin, l'un de leurs élèves.

Pour le bonheur des Nancéiens

En moins de dix ans, Stanislas a bouleversé l'image de Nancy, lui donnant des allures de capitale. Aucune ville d'Europe de son importance – elle compte à l'époque vingt-cinq mille habitants – n'a été embellie et dotée d'autant d'édifices publics : hôtel de ville, hôtel de justice, hôtel consulaire, hôtel des fermes, palais de l'intendance, collège de médecine et jardin botanique, bibliothèque et académie, théâtre, jardin public, voire enfée et restaurants au cœur même de la cité. Sans compter les nouvelles rues aménagées, les portes Sainte-Catherine et Saint-Stanislas, les hôpitaux, l'hôtel des missions, les églises et les casernes.

Stanislas a tenu à laisser dans la pierre le souvenir d'une période cruciale pour la Lorraine : son entrée inéluctable dans le giron du royaume de France. Et il y est parvenu avec sa modeste pension. Frédéric II de Prusse l'a bien compris lorsqu'il le remercie de l'envoi des plans de la place Royale : « Les grandes choses qu'Elle [Votre Majesté] exécute avec peu de moyens en Lorraine doivent faire regretter à jamais à tous les bons Polonais la perte d'un prince qui aurait fait leur bonheur. Votre Majesté donne en Lorraine l'exemple à tous les rois de ce qu'ils devraient faire. Elle rend les Lorrains heureux, et c'est là le seul métier des souverains[29]... »

Lunéville et Saint-Dié

S'il a privilégié Nancy, le roi bâtisseur n'a pourtant pas oublié Lunéville ; il a pris à cœur de faire achever l'église de l'abbaye de Saint-Remy, non loin du château[30]. Commencé par Romain en 1730 sur les plans de Boffrand, cet édifice de grès rose des Vosges rassemble les canons de l'architecture baroque lorraine. C'est Emmanuel Héré qui, en achevant l'œuvre de ses prédécesseurs, lui a donné cette exubérance et cette mise en scène qui rappellent au roi les monuments de sa Pologne natale.

Consacrée à saint Remy en présence du roi Stanislas et de la Cour, l'église est achevée deux ans plus tard par

Héré avec la complicité de Guibal. Ce dernier a sculpté les statues de saint Michel et de saint Jean Népomucène qui, à la demande du roi, ornent le sommet des tours. Quant à la tribune d'orgues, l'architecte, associé aux frères Nicolas et Joseph Dupont, de Malzéville, a conçu une décoration théâtrale qui permet aux tuyaux des quarante-quatre jeux de se dissimuler dans les fûts des colonnes corinthiennes. Enfin, au-dessous de l'imposant baldaquin chantourné, André Joly a peint une fresque en trompe l'œil qui révèle toute la science illusionniste de l'artiste.

Alors que s'achèvent les embellissements de Nancy, Stanislas apprend que, le 27 juillet 1757, vers deux heures de l'après-midi, un incendie a ravagé le cœur de la petite ville de Saint-Dié, nichée dans les Vosges. Le feu a pris dans le quartier des artisans aux maisons de bois coiffées de bardeaux. C'était l'un des fléaux les plus redoutés de la population. Ce jour-là l'incendie s'est déclaré dans la maison d'un fondeur de cuivre; de toit en toit, les flammes ont propagé le feu à plus de cent seize maisons, privant de logis près de deux cent quatre-vingt-dix-huit ménages. En quelques instants la rue Royale s'est transformée en une voûte de flamme alors que l'explosion d'un tonneau de poudre a achevé de répandre l'épouvante parmi les sinistrés, provoquant ainsi l'écroulement des maisons voisines.

Sitôt alerté, Stanislas envoie des secours; puis une délégation des victimes s'est rendue à Commercy pour solliciter d'aide du roi. Le 6 septembre, un second incendie va ruiner définitivement la cité vosgienne. Chaumont de La Galaizière, accompagné de son frère, le comte de Lucé, visite les quartiers dévastés de Saint-Dié pour « porter du secours et de la consolation de la part du roi de Pologne ».

Le plan de reconstruction est confié à l'ingénieur en chef Jean-Jacques Baligand. Trois mois plus tard, le

27 octobre, il le soumet à Stanislas qui l'accepte malgré les règles contraignantes pour les Déodatiens : les maisons seront implantées selon un alignement strict auquel il ne sera pas dérogé ; elles auront un seul étage pourvu de hautes fenêtres, des corniches continues d'immeuble en immeuble et des toits de tuile ou d'ardoise.

Stanislas affecte aux travaux une somme de cent mille livres de France répartie sur trois ans. Sa réalisation est confiée dès 1758 à l'architecte Jean-Michel Carbonnar, secondé par le sous-ingénieur des ponts et chaussées Jean-François de Malbert.

Cette zone rebâtie, qui s'organise autour de deux rues principales disposées en T, la rue Royale et la rue Saint-Stanislas, modifie sensiblement la physionomie de la ville au point de bouleverser la répartition des groupes sociaux. Certains y ont vu une intention politique car le quartier des chanoines qui jusqu'à présent dominait la vie de la ville passe alors au second plan, éclipsé par les bourgeois de la ville neuve... Quant aux artisans, ils ont dû quitter le cœur de la cité pour se replier au-delà des portes vers des quartiers moins prestigieux, comme celui de Saint-Éloi.

CHAPITRE XVI

Père des arts et mécène comblé

Depuis sa plus tendre enfance, Stanislas a un bon coup de crayon. À dix ans, il s'amusait à croquer des scènes religieuses *(Descente de croix, Ecce Homo)* s'inspirant des peintures accrochées dans les salons des châteaux paternels. Il griffonnait aussi de multiples portraits des membres de sa famille. De nombreux professeurs ont ensuite essayé de développer ce talent. C'est vraisemblablement l'artiste suédois Gustaf Lundberg qui lui a enseigné les techniques de la miniature et du pastel. Au fil des ans, et en dépit des errances, le roi a conservé cette passion pour les arts graphiques et la peinture. Il a toujours cherché à améliorer sa maîtrise, parlant souvent technique avec les artistes qu'il rencontrait. Ainsi, dans une lettre à Hulin, demande-t-il à son ministre à la cour d'obtenir d'Antoine-Joseph Loriot[1] son secret pour fixer le pastel : « Comme, en lui parlant à Versailles, il m'a paru très disposé à me confier sous le secret inviolable, disant seulement qu'il faudrait qu'il soit présent pour m'apprendre à m'en servir[2]... »

Peintre du dimanche...

À Lunéville, le peintre amateur continue de travailler. Tous les ans, la veille de Pâques, il offre l'un de ses pastels à sa chère Marie, qui, elle aussi, s'adonne avec plus ou moins de bonheur à la peinture. Un jour, elle reçoit une *Vierge à l'enfant* inspirée de Van Dyck ; une autre fois, c'est le portrait d'un saint vénéré des Polonais. En 1741, Stanislas offre à Notre-Dame-de-Bon-Secours deux de ses œuvres : *Le Martyre de saint Stanislas* et *Sainte Catherine.*

Comme par le passé, il peint également ses proches : son aumônier, le père Agalangeli, la reine Catherine, ses anciennes maîtresses, la duchesse Ossolinska et la princesse de Talmont, et même le nain Bébé. Il réserve toute son inspiration pour imaginer *Marie Leszczynska en vestale*[3]. Malgré les exclamations admiratives des courtisans devant ses œuvres, Stanislas reste toutefois ce que l'on appellera plus tard un « peintre du dimanche ». Et bien souvent Girardet, Joly ou Roxin doivent ajouter l'indispensable touche finale pour rendre l'œuvre présentable.

Curieux de tout, le roi n'a de cesse de connaître le secret de Roxin, qui, peu de temps avant l'arrivée de Stanislas à Lunéville, a inventé un procédé de transposition de la peinture. En 1753, poussé par le monarque, Roxin accepte de concourir au prix de la Société royale, mais, sur le point d'être couronné, il refuse d'être lauréat et de recevoir les six cents livres de récompense, pour ne pas avoir à dévoiler son invention.

Un collectionneur boulimique et un mécène heureux

Collectionneur, Stanislas cède à une boulimie qui le pousse à entasser dans ses multiples résidences portraits, scènes de genre, sujets religieux et paysages. Albert Jacquot, qui a publié l'inventaire du mobilier des résidences du roi de Pologne, a recensé plus de six cents tableaux, anonymes pour la plupart. À côté d'une *Sainte Geneviève gardant les moutons* et d'un *Paysage* dus à Marie Leszczynska, de quatre dessus de porte de Roxin et de deux cartes représentant un combat naval gravées par Callot, on ne trouve pas la moindre toile de Girardet alors que ce peintre a été un proche du roi. Peu de souvenirs de la Pologne, à part les portraits de ses aïeux maternels, de ses parents, et une œuvre un peu sombre représentant Stanislas bambin à Lvov et qui date de 1678. En revanche, Louis XV, Marie Leszczynska et le Dauphin figurent bien entendu dans toutes les pièces importantes : salle du trône, chambre de parade et chambre à coucher du roi de Pologne.

Les paysages se taillent la part du lion dans cette collection éparpillée au gré des résidences ; beaucoup de « vues » qui montrent aux courtisans l'œuvre architecturale de Stanislas. Sensible à la mode des « portraits » de châteaux et de jardins, le roi de Pologne a imité dans son petit château d'Einville-au-Jard la grande galerie de Trianon où Jean-Baptiste Martin et Jean Cotelle ont peint pour Louis XIV les vues de ses châteaux avec leurs parcs. En 1740, Héré a ajouté une galerie d'une cinquantaine de mètres terminée par deux salons aux extrémités. Quatorze grands tableaux montrent sous tous leurs aspects La Malgrange, Lunéville, Chanteheux, Einville et Nancy.

Stanislas a la chance de trouver dès son arrivée en Lorraine un groupe d'artistes de valeur pour exercer avec bonheur son rôle de mécène. Cette situation exceptionnelle, il la doit à Léopold Ier, grand amateur d'art qui avait une haute idée de sa fonction et du décorum qui devait l'entourer. En fondant en 1702 l'Académie royale de sculpture et de peinture de Nancy, à l'exemple de celles de Rome et de Paris, le duc s'était donné les moyens de former les peintres et les sculpteurs indispensables à la politique de prestige qu'il entendait mener.

L'académie avait une fonction d'enseignement puisque la plupart de ses membres étaient chargés d'enseigner toutes les disciplines, peinture et sculpture. Les cours, ouverts à tous, étaient payants, mais Léopold s'était réservé la possibilité d'accorder des pensions à des étudiants d'origine modeste tout comme il en accordait aux jeunes artistes désireux d'accomplir l'indispensable voyage en Italie. L'entrée à l'académie était une étape obligatoire pour accéder au titre convoité de peintre de la Cour ou, mieux, de peintre ordinaire de S.A.R. Malheureusement, l'académie de Nancy cessa de fonctionner vers 1732 quand le duc François III, abandonnant les duchés aux mains de sa mère Élisabeth-Charlotte, opta pour l'Autriche. Il emporta les collections du musée de l'académie et ses archives.

Stanislas a recueilli l'héritage de la défunte académie et découvert une cohorte de bons peintres comme Girardet, André Joly, Jean-François Foisse dit Brabant, Dominique Pergaut, Léopold Roxin et bien d'autres qui seront tous nommés un jour ou l'autre « peintre du roi de Pologne » – privilège accordant l'exclusivité des commandes de la Cour. Stanislas confère aussi des brevets de « premier peintre » qui ne seraient qu'une distinction *honoris causa*. Parmi les titulaires, on retrouve Girardet, Joly et Foisse.

En tant que capitale ducale, Nancy possède aussi une charge de « peintre de la ville ». L'artiste nommé doit exécuter les décorations, les arcs de triomphe et les colonnades éphémères qui célèbrent les événements, et aussi immortaliser pour la postérité les visages des magistrats nancéiens. Il a encore un rôle d'expert : c'est lui qui décide de la réception des œuvres picturales commandées par la ville, qu'elles viennent d'un artiste

338

de renom ou pas. Après Claude Charles, nommé en 1701, l'office sera repris par François Sénemont[4] en 1756 et par Léopold Roxin deux ans plus tard.

À l'inverse de ce qui s'était passé au temps de Léopold, peu de peintres étrangers travaillèrent dans les duchés sous Stanislas, hormis le miniaturiste Casten Rönnow – encore était-il avant tout le médecin personnel du roi. Il y eut aussi le peintre bavarois Maximilien de Groff, qui vécut un peu plus de trois ans à Lunéville où il mourut en 1744. Quelques Français vinrent tenter leur chance, notamment Jean-Baptiste Piolet, membre de l'académie de Saint-Luc, et son gendre, Joseph Billieux ; tous deux travaillèrent pour la Cour. Il y avait suffisamment d'artistes lorrains réputés pour exécuter les commandes de Stanislas ; ils ont réalisé les fantaisies royales, ce que n'auraient peut-être pas fait des peintres parisiens.

La tradition, en Lorraine, veut que les peintres de la Cour soient issus, pour la plupart, de familles ayant de près ou de loin servi la Couronne : Provençal était fils d'un maître sellier, Girardet, celui d'un lingier du duc Léopold, et Roxin, du doyen des huissiers de la chambre. En marge de la Cour, ils constituent avec leur entourage une grande famille attentive aux sollicitations de l'aristocratie. On ne compte pas les parrainages du duc Ossolinski, du baron de Meszek, du duc de Belle-Isle, voire de Stanislas lui-même, accordés à la progéniture des artistes. Même si ces parrains se faisaient souvent représenter, cette marque constituait un brevet d'honorabilité indispensable pour gravir les échelons d'une société fortement hiérarchisée. Enfin, à l'inverse du duc Léopold, qui octroyait aisément la noblesse, Stanislas, surveillé par le chancelier de La Galaizière, a été plus réservé et n'a pas anobli de peintres.

Longtemps il a caressé le projet de relancer l'académie de Nancy. Il a même soutenu Joly et Girardet lorsqu'ils ont ouvert, le 15 novembre 1752, au château de Lunéville, une classe de dessin, de peinture et de sculpture. Mais c'était compter sans les pouvoirs du chancelier. Comme il avait déjà essayé de torpiller le projet de la Société royale des sciences et belles-lettres de Nancy, il prit soin de tuer dans l'œuf une institution porteuse, selon lui, de germes subversifs de patriotisme lorrain.

Faute d'académie, l'enseignement des beaux-arts s'est donc poursuivi au sein des ateliers. Le plus convoité a été celui de Girardet à Lunéville puis à Nancy, où il aurait eu plus de cent quarante élèves. Parmi eux, certains ont fait carrière, comme Dominique Pergaut[5], futur directeur de la manufacture de Saint-Clément, François Dumont[6], plus tard miniaturiste de Marie-Antoinette, ou un autre célèbre miniaturiste, Jean-Baptiste Isabey[7].

Stanislas a joué le rôle du parfait mécène, sachant à bon escient diversifier la production artistique, passant du portrait à la fresque religieuse, de la peinture d'histoire aux sujets profanes. S'il a influencé les artistes en leur transmettant son goût du rococo et de l'exotisme pour le décor de ses résidences, il a su les laisser s'exprimer dans la peinture religieuse, permettant ainsi à la Lorraine d'écrire une page importante de l'histoire de l'art baroque. En cela, le roi de Pologne a été un grand mécène, n'en déplaise à la duchesse douairière qui persiflait de dépit dans son château de Commercy : « Le roi Stanislas n'est maître qu'en peinture[8] ! » Il a pourtant donné à celle-ci un second souffle en la mêlant intimement au théâtre. La place Royale, Chanteheux, la Cascade comme le Kiosque de Lunéville ne ressemblent-ils pas aux somptueux décors que Joly réalisait pour les pièces jouées à la Cour ou à Nancy ? C'est une tendance bien slave que celle de transposer les ors, les paillettes et les rêves du spectacle dans le théâtre de la vie... Et Stanislas savait en jouer avec finesse. Il se révéla à la fois spectateur fervent, remarquable organisateur et fin inspirateur.

Le théâtre

Le roi aime la fête et le théâtre. Pas un événement – anniversaires royaux, visites diverses, mariages, carnavals – qui ne soit célébré par un spectacle. Son installation solennelle au château de Lunéville est prétexte, le 17 juin 1737, à une représentation de *L'École des femmes* de Molière. Le lendemain, il y a concert chez la reine. Deux ans plus tard, le 26 août 1739, pour le mariage de Louise-Élisabeth avec l'infant d'Espagne, Stanislas inaugure dans les Bosquets de Lunéville le théâtre de verdure construit par Héré. La *Gazette d'Amsterdam* ne manque pas de signaler « un des plus beaux morceaux qu'on puisse voir de ce genre, tant par le goût d'architecture qui y règne que par la variété et singularité de jeu des eaux qui l'environnent[9] ».

À son retour d'exil, le duc Léopold avait fait construire la Comédie de Lunéville et surtout l'Opéra de Nancy, chef-d'œuvre de l'architecte italien Francesco Galli Bibiena. Malheureusement, cette salle, orgueil du duc – qui ne manquait pas de la montrer à ses hôtes illustres –, fut déclassée sous François III. Pis, il emporta en Toscane des fragments du décor, tout comme il le fit pour les décors de la Comédie de Lunéville. Voilà pourquoi Stanislas, préférant sauver les restes de l'œuvre de Bibiena, n'hésita pas à retirer les derniers décors de Nancy pour les installer à Lunéville.

Malgré tout, la ville transforme la salle en Comédie en 1749[10]. Et c'est là que, le 26 janvier 1751, les Nancéiens applaudissent *Cénie,* la pièce de Mme de Graffigny plébiscitée par les Parisiens. Stanislas, lui, fait construire un nouveau théâtre derrière le Collège de médecine lors de l'édification de la place Royale. Sur cette scène, inaugurée le même jour que la place, la pièce de Palissot provoque un scandale qui manque d'ébranler la Société royale.

Sitôt installé à Lunéville, le duc prend sous sa protection la troupe qui a égayé la fin du règne de Léopold. Dirigée par Claude-André Maizière, elle se compose notamment de deux familles de comédiens, les Lebrun et les Camasse[11]. Parmi eux, Claire-Claude-Louise Lebrun est surnommée Clairon, ce qui crée une confusion avec son homonyme de douze ans plus jeune qu'elle, la Clairon, grande actrice parisienne qui n'a jamais joué en Lorraine. En revanche, Lolotte Camasse sera plus tard applaudie au Théâtre-Français, sa sœur cadette deviendra Mme de Forbach par une faveur de Louis XV afin d'épouser Christian IV, duc de Deux-Ponts et grand ami du Bien-Aimé, tandis que le danseur Léopold Gardel sera maître de ballet à l'Opéra de Paris. Marie-Justine-Benoîte Cabaret du Ronceray va avoir un autre destin : fille d'un ancien musicien de la chapelle de Louis XV passé au service du roi de Pologne, elle devient première danseuse du roi Stanislas avant de rencontrer Charles-Simon Favart. Le futur créateur de l'Opéra-Comique l'épouse en 1744 et la lance sur la scène parisienne l'année suivante sous le pseudonyme de la Chantilly. Elle deviendra brièvement la maîtresse du maréchal de Saxe lorsque Favart prendra la direction du théâtre de l'armée française à Bruxelles.

La troupe joue souvent pour les réjouissances, les fêtes et les distractions royales. Parallèlement, le théâtre de société est en plein essor, au point que toutes les dames de la Cour se piquent de comédie, jusqu'aux visiteurs illustres qui montent sur les planches. Le plus à l'aise, c'est bien sûr Voltaire, qui joue le rôle de l'assesseur dans *L'Étourderie* de Fagan, même s'il avoue à Mme Denis avoir tenu « un rôle ridicule à manteau[12] ».

Émilie du Châtelet et la délicieuse princesse de Lut-
zelbourg chantent trois fois *Issé,* une pastorale de La
Motte. L'égérie de Voltaire et de Saint-Lambert est de
tous les spectacles : elle joue *La Fausse Agnès,* de Destouches ; avec ses deux amants, elle interprète *Le Double
Veuvage,* une comédie de Dufresny, *L'Oracle de
Delphes,* écrit par Paradis de Moncrif. Elle danse aussi le
ballet des *Éléments* de Roy et chante l'opéra *Zélindor,*
encore de Moncrif, sur une musique de Rebel et Francœur. Elle apprend *Ragonde,* une pastorale de Destouches qu'elle délaisse aussitôt pour étudier *Les Veuves
turques,* comédie en un acte et en prose de Saint-Foix.
Émilie s'étourdit dans les rôles qu'elle mémorise au
rythme d'une professionnelle. Elle promet même au roi
Les Provinciales « pour ce soir [13] ». La marquise de
Boufflers et les autres dames de la Cour ont du mal à
suivre le char de la fête emballé sous la conduite de la
belle Émilie et de Voltaire. Parfois la troupe du roi prend
le relais avec *Le Glorieux* de Destouches et, délicatesse
souhaitée par le roi de Pologne, des œuvres de son hôte :
Mérope et *Zaïre.*

Dans cette atmosphère où la poésie, la musique et le
théâtre font oublier la dépression agricole et l'aggrava-
tion de la pression fiscale française qui appauvrissent les
Lorrains, Voltaire, d'humeur badine, écrit spécialement
pour le théâtre de Commercy *La femme qui a raison.* La
pièce, jouée par Émilie dans le rôle principal, attendra
longtemps avant d'être reprise à Paris.

La petite cour de Lunéville permet aussi à l'écrivain
de mettre ses œuvres à l'épreuve ; ainsi lit-il *Nanine*
après l'avoir remanié, tout en mettant la dernière main à
Adélaïde du Guesclin rebaptisée en *Duc de Foix.* Après
la mort d'Émilie et le départ de Voltaire, Mme de Boufflers et ses amis tentent de reprendre le flambeau. Sous
sa direction, on joue encore Voltaire – *Nanine, La femme*

qui a raison et *Le Double Veuvage* –, mais le cœur n'y
est plus. La passion s'est envolée.

La place accordée aux spectacles par Stanislas peut se
juger à l'aune des cinq armoires qui renferment « les
effets de la comédie [14] » : au total plus de cent cinquante
habits de scène, sans compter une profusion d'acces-
soires, de pierreries et de meubles. À cela s'ajoutent les
livrets, les partitions et les instruments de musique qui
révèlent le goût du roi de Pologne pour la musique religieuse, la musique de chambre et l'opéra.

La musique

Pour le duc, la musique fait en effet partie de la vie
quotidienne depuis la période heureuse de son séjour à
Deux-Ponts. Il l'a toujours pratiquée, attentif aux leçons
données à sa fille Marie à Wissembourg et poussé par
Mme d'Andlau, qui y voyait un excellent remède aux
tourments de la vie. Issue du petit groupe de musiciens
qu'il avait à Chambord, la famille Framboisier l'a suivi
en Lorraine, ainsi que Louis-Maurice de La Pierre, qu'il
a nommé maître de la musique. Certains autres ne font
qu'un bref passage, rêvant de gloire à Paris. C'est le cas
de l'organiste Charles-Alexandre Jollage, qui préfère
vivoter comme professeur à Paris en attendant d'être
nommé titulaire de Notre-Dame.

En 1737, l'orchestre du roi se compose de trente-neuf
musiciens ; ils seront soixante-sept à la fin de son règne.
Leur tâche est d'autant plus difficile qu'ils doivent se
montrer à la hauteur de leurs prédécesseurs qui, sous la
baguette du génial Henry Desmarest (récemment redé-
couvert) [15], avaient transformé la cour de Léopold en un
foyer musical rayonnant ; Desmarest y avait fait régner la
musique versaillaise caractérisée par le grand motet [16] et
l'opéra lullyste. Louis-Maurice de La Pierre, connu pour

ses *Cantates françaises* créées à Chambord, compose à Lunéville des œuvres de circonstance pour la scène : *Pastorale pour le jour de la fête de la reine de Pologne, Divertissement pour la fête du roi de Pologne*, et en 1752 un motet, *Veni Creator*. À sa mort (1er janvier 1753), Stanislas le remplace par un dénommé Piton qui sombrera dans l'oubli.

Le roi de Pologne reste fidèle à la musique entendue lors de son premier séjour à Versailles sous le règne de Louis XIV : Lully est abondamment joué, tout comme Marc-Antoine Charpentier et Michel-Richard Delalande pour son œuvre religieuse. Ses goûts s'apparentent à ceux de sa fille Marie Leszczynska, qui n'est pas une grande virtuose mais qui partage sa passion pour la musique. Elle joue médiocrement du clavecin, un peu de la guitare et de la vielle.

Beaucoup plus doués, les enfants de la reine vivent pour la musique. Le Dauphin excelle aussi bien au violon et au clavecin qu'à l'orgue ; il pratique le violoncelle et la contrebasse, joue de la guitare, de la musette et même du cromorne ; enfin il a une superbe voix de basse. Madame Henriette joue de la basse de viole, Madame Adélaïde, du violon, et Madame Victoire, de la guitare. Et c'est Beaumarchais qui a été leur professeur de harpe. Combien de fois, dans les appartements de la reine, Stanislas a-t-il été le spectateur privilégié des concerts intimes de la famille royale ! Parfois il se joint à eux avec sa flûte. Ils aiment la musique italienne et apprécient autant que leur royal grand-père les concertos d'Albinoni et les sonates de Sammartini.

L'arrivée à Versailles de la nouvelle dauphine, Marie-Josèphe de Saxe, bouleverse un peu la vie musicale de la reine et de Mesdames. Elle introduit la musique de Hasse, le musicien qui triomphait à Dresde lorsqu'elle y vivait. Mieux, en 1750, Hasse et son épouse, la célèbre chanteuse Faustina, sont reçus à Versailles. Stanislas, à qui on ne peut rien cacher, fait aussi jouer Hasse à Lunéville.

Les « concerts de la reine », inspirés des concerts d'appartement du Roi-Soleil, rassemblent chaque semaine, parfois plus souvent, une foule de courtisans dans le salon de la Paix. Stanislas y assiste chaque fois qu'il est de passage. Le répertoire, plus conservateur que dans les concerts intimes, est souvent repris à la cour de Lunéville. Louis XIV n'y serait pas dépaysé... Mais on joue aussi des œuvres de compositeurs de la Cour en service à la chambre du roi. Voilà pourquoi des œuvres de Dauvergne, Le Clair et Exaudet seront jouées en Lorraine.

Le roi de Pologne, qui a toujours un œil sur les duchés d'outre-Rhin, ne dédaigne pas non plus les œuvres de Stamitz et de ses disciples de l'école de Mannheim : Toeschi, Richter, Filtz et Jommelli. Il lui arrive même de débaucher dans les cours voisines quelque maître de chapelle ou un virtuose de renom, tel le violoniste Jean-Jacques Anet, surnommé « Baptiste » pour le distinguer de son père violoniste de Louis XIV et du Régent.

Stanislas révèle aussi un fort penchant pour les novateurs que sont les Italiens Corelli, Tessarini, Geminiani et Locatelli, mais il ne dédaigne pas Haydn et Haendel, lui-même admirateur de Corelli. Enfin, il applaudit avec plaisir *Le Devin du village* de Jean-Jacques Rousseau.

Son orchestre, l'un des plus importants d'Europe, pouvait tout interpréter : les musiques religieuses comme les concertos italiens, le répertoire lyrique comme les œuvres polonaises et les créations françaises. S'il a reçu à Lunéville et à Nancy la visite d'interprètes de renom – l'histoire a retenu en avril 1755 celle de Jelyotte, le plus grand chanteur français de l'époque –, il est étonnant que lui qui était toujours à l'affût de création n'ait pas attiré à sa cour un second Desmarest ou un émule de Stamitz pour écrire une nouvelle page de l'histoire de la musique en Lorraine.

Faïenceries : l'essor de Lunéville

Au début du XVIIIe siècle, les manufactures lorraines de faïence étaient déjà prospères. On en comptait quatre : Champigneulles (que Voltaire envisagea d'acquérir pour se fixer en Lorraine), Lunéville, Badonviller et Pexonne. Et c'est grâce au soutien de la duchesse douairière Élisabeth-Charlotte que Jacques Chambrette a pu installer en 1731 sa manufacture à Lunéville, reprise à sa mort par son fils Jacques II. Elle produisait une faïence de grand feu au décor de camaïeu bleu.

En 1748, Stanislas assiste, en compagnie de Voltaire et de Mme du Châtelet, aux premiers essais de cuisson de pièces « en terre de pipe », ainsi appelée parce qu'on utilise une matière à peu près semblable pour fabriquer les pipes. Cette technique, originaire d'Angleterre, permettait de fabriquer une faïence de luxe, dite semi-porcelaine ou porcelaine opaque. Fort de son succès, Jacques II Chambrette reçoit en 1757 de Chaumont de La Galaizière l'autorisation d'installer un second atelier à Saint-Clément. Dans la foulée, ses fabriques reçoivent le titre de manufacture royale. Elles occupent deux cents ouvriers et commercialisent leurs pièces jusqu'en Pologne et en Italie. Lunéville forge sa renommée grâce aux décors au chinois tant prisés par Stanislas. Mais les taxes, élevées, pénalisent l'entreprise. Chambrette établit alors une autre manufacture dans un village tout proche de Saint-Clément qui a l'avantage de dépendre de l'évêché de Metz : le prélèvement passe de trente à trois livres par quintal.

C'est l'âge d'or des faïenceries lorraines, dont le nombre dépasse la cinquantaine, parce qu'elles ont su s'adapter à la mode germanique des figurines et des statuettes. Parmi les plus dynamiques, la manufacture de Niderviller, fondée en 1735 par Mathias Lesprit et reprise par Beyerlé en 1748, concurrence Lunéville. Stanislas lui commande une série de vases pour équiper l'apothicairerie de l'hôpital royal qu'il a fondé à Nancy pour les frères de la charité de l'ordre de Saint-Jean-de-Dieu. Beyerlé n'hésite pas à débaucher des ouvriers strasbourgeois de chez Hannong pour affiner la couleur rose qui fera le succès de ses faïences.

Jacques II Chambrette meurt en 1758, année où Lefrançois, attiré lui aussi par la fiscalité avantageuse des Trois-Évêchés, crée la manufacture de Toul-Bellevue. Alors que la mésentente s'installe entre les héritiers Gabriel Chambrette et son beau-frère Charles Loyal, Stanislas autorise le marchand Vautrin et le peintre Dominique Pergaut à fonder une nouvelle manufacture au faubourg de La Madeleine à Épinal. La concurrence est rude pour Lunéville, qui perd des marchés. Le dénouement a lieu le 5 février 1763 lorsque Charles Loyal, l'architecte Richard Mique et le sculpteur Paul-Louis Cyfflé rachètent l'affaire. Mais finalement Mique poursuit l'aventure seul, tandis que son compère Cyfflé, qui obtient un large succès avec ses figurines en biscuit, emporte ses moules et installe, aux premiers jours de 1766, sa propre manufacture dans une maison du quartier de Viller à Lunéville. La mode aidant, ses statuettes en « terre de Lorraine[17] », digne inspiration des biscuits de Sèvres, vont faire le tour du monde.

Les sciences et la mécanique

À côté des beaux-arts, Stanislas a un autre centre d'intérêt qui aurait dû le rapprocher de son gendre Louis XV : une passion immodérée pour les sciences et la mécanique. Les deux souverains, qui apprécient la conversation avec les savants, n'hésitent pas à mettre la main à la pâte. Il y a d'ailleurs de fortes chances pour que le magnifique microscope réalisé par l'opticien Alexis de Magny[18] en 1751, qui fait aujourd'hui l'orgueil du Musée historique lorrain de Nancy, ait été offert à Stanislas par Louis XV. Les centaines d'hectares qui entourent les châteaux de Stanislas servent de terrains d'expérimentation scientifique : on y acclimate de nouvelles espèces animales et végétales comme la poule sarmate, l'ananas ou le grenadier; on cherche aussi à améliorer les rendements agricoles. Les potagers – il y en a deux dans tous ses domaines – font l'objet de soins attentifs et le roi veille jalousement à ce qu'on y produise des primeurs. Ce souci de la flore le conduit même à commander à un membre de la Société royale un inventaire des essences royales.

Doué d'un sens de l'observation développé, le roi de Pologne laisse vagabonder son imagination au cours des nuits sans sommeil. Au début des années 1750, il s'offusque de voir gaspiller du froment pour poudrer cheveux et perruques. Il suggère à son entourage de lui trouver un succédané : les uns imaginent d'utiliser la racine de l'*arifarum,* plante qui pousse sur les sols pierreux et dans les haies, d'autres, la fécule de pomme de terre... Héré, lui, propose la fécule de marron d'Inde. Enthousiasmé, Stanislas lui accorde, en 1754, le monopole de son invention durant quinze ans – mais l'aventure fera long feu.

Toujours dans les années 1750, las d'être ballotté dans des carrosses mal suspendus, il imagine une voiture montée sur cardans : les roues peuvent verser dans le fossé, la caisse reste en équilibre. Affirmant avoir testé l'engin près de Lunéville, il affine son projet au bout du troisième prototype. Il s'agit d'une voiture à trois roues, la roue unique, à l'avant, « donnant plus de commodité et permettant d'éviter les dangers » ; de plus, un subtil jeu de courroies et de ressorts maintient en suspension le fauteuil du passager dont les pieds reposent sur un marchepied lui aussi monté sur ressorts. L'inventeur semble satisfait de sa création et précise que la voiture a fait plusieurs voyages à Paris. Ce qu'il ne dit pas, c'est que son expérience a tourné court dans un fossé entre Saint-Dizier et Bar-le-Duc... et que son escorte a eu un mal fou à l'en extraire, en raison de son embonpoint ! Seul son chien Griffon avait accepté de partager l'aventure...

Vraisemblablement influencé par le projet de Maurice de Saxe – permettre aux bateaux de remonter la Seine sans l'aide de chevaux –, Stanislas tente en 1752 une expérience avec deux types de bateaux à roues dans le canal de Lunéville. Il offrira un navire semblable à son ami le banquier Pâris de Montmartel pour qu'il l'essaie sur la Seine, au pied de son pavillon de Bercy. On lui attribue aussi l'invention d'une charrue qu'un homme peut manœuvrer seul avec seulement deux chevaux, même dans les terrains les plus lourds. Le prototype a été testé avec bonheur sur ses terres de Jolivet, de même que la technique d'utilisation du purin pour avoir une récolte abondante : il suffit de laisser le grain destiné à la semence macérer dans ce liquide pendant vingt-quatre heures ; une fois égoutté, il est aussitôt semé. Deux champs d'orge démontrent que le résultat dépasse toutes les espérances.

Dès qu'il estime qu'une invention peut être utile aux hommes, Stanislas paie de sa personne pour la faire connaître. Ne se contentant pas d'envoyer une communication à l'Académie des sciences à Paris par le truchement de Tressan, il va de l'avant, entraînant dans l'aventure ses courtisans qui n'osent se dérober, même si parfois les membres de la Société royale qui examinent les candidats aux prix scientifiques opposent une vive résistance à l'intervention de leur royal protecteur, lorsque la mise en pratique d'une découverte peut se révéler dangereuse.

Hélas pour sa mémoire : en dépit de ses efforts, les trouvailles mécaniques de Stanislas ont laissé moins de traces que ses merveilles artistiques. Au crépuscule du règne de leur mécène, les arts en Lorraine brillent de mille feux. Le roi de Pologne y a constitué un formidable rassemblement de talents que toute l'Europe convoitera après sa mort. Sans oublier de lui conférer le titre mérité de « père des arts ».

CHAPITRE XVII

Le sage de l'Europe

En cette matinée brumeuse de novembre 1759, des chariots escortés par la garde du roi de Pologne quittent Lunéville encore endormi. Ils transportent 459 kilos de vaisselle d'argent à la Monnaie de Metz. Le 12 du même mois, Stanislas écrit à son gendre Louis XV :

« Comme je voudrais avoir à tout moment des occasions fréquentes de vous marquer mon tendre attachement, j'ai saisi avec empressement celle qui s'est présentée pour satisfaire mon penchant naturel à vous prouver, quoique faiblement, la part que je prends à tout ce qui concourt au besoin de l'État, me mettant en parallèle avec vos plus fidèles sujets[1]. »

Ce geste fait des émules : le chancelier Chaumont de La Galaizière et son fils l'intendant, tout comme le comte de Choiseul-Stainville, commandant en Lorraine, se défont à leur tour de leur vaisselle. Versailles s'empresse d'exploiter cette attitude de solidarité de la Lorraine envers sa future mère patrie. Et la lettre qu'adresse le Dauphin à son grand-père, quelques semaines plus tard, fait écho aux sentiments de la Cour :

« Monsieur mon frère et très cher grand-père,

« La France reçoit tous les jours de nouvelles marques d'affection que vous lui portez. Vous venez de lui en donner encore une bien sensible dans cette triste circonstance. Je ne puis exprimer à Votre Majesté combien j'en ai été touché. Puisse tout le monde suivre en tout vos exemples et vos leçons[2]. »

Qu'il le veuille ou non, Stanislas est arrimé au char de la France pour le meilleur et pour le pire. Et s'il n'approuve pas toujours la politique de son gendre, il a l'élégance de ne pas le crier sur les toits. Il est pourtant bien difficile de s'y retrouver dans les méthodes utilisées par le Bien-Aimé pour gouverner. Le renversement des alliances, royalement célébré en Lorraine par Stanislas, a entraîné la France dans la guerre de Sept Ans aux côtés cette fois de l'Autriche contre la Prusse ; sans oublier les combats maritimes et coloniaux que les sujets du roi de France livrent contre l'Angleterre. Louis XV était convaincu que Frédéric II ne pourrait pas résister longtemps à une coalition aussi importante qui, derrière l'Autriche et la France, réunissait la Russie, la Saxe, la Pologne et la Suède – la « coalition des cotillons », ironise Frédéric II dont les victoires renforcent chaque jour l'arrogance. Pour l'heure, cette guerre où les armées françaises ne brillent pas par leurs actions d'éclat et où les généraux s'épuisent en querelles intestines réclame toujours plus de soldats et d'argent.

Les caisses sont vides. L'opinion ne comprend pas cette alliance contre nature avec l'Autriche, qui vaut de nouveaux impôts et la levée de nouvelles troupes ; elle voue une grande admiration au roi de Prusse. Louis XV est toujours en conflit avec les parlements, et la trop rapide rotation de ses ministres affaiblit son gouvernement.

Dans le calme de son cabinet, Stanislas observe le ballet qui se joue en Europe, inquiet du peu de cas que l'on fait de la Pologne. Il ignore pourtant que Louis XV entretient depuis plus de treize ans un service parallèle à celui des Affaires étrangères pour veiller sur les destinées de la république nobiliaire : c'est le « Secret du roi. » À l'insu de ses ministres, il donne des ordres pour que les hommes de l'ombre appliquent une politique que ses propres ministres désapprouveraient. Louis XV a choisi de favoriser la candidature du prince de Conti au trône de Pologne, alors que son ministre des Affaires étrangères soutient celle de Xavier de Saxe, fils d'Auguste III. Pis, Stanislas ne sait même pas qu'outre Charles de Broglie, nommé ambassadeur auprès du roi Auguste III le 11 mars 1752, c'est son ami Tercier qui fait office de plaque tournante du Secret... Il éprouve une véritable passion pour les questions internationales et Tercier connaît ses théories ; à chaque rencontre, le roi de Pologne lui donne à lire un nouveau texte né de ses récentes observations.

Une vieille tradition « sarmate »

L'idée de paix et de bonheur occupe l'essentiel de la pensée de Stanislas. Mais, en dépit de trente années passées au contact de la France, il réagit toujours en Polonais. En cela, il partage avec la *szlachta* dont il est issu l'hostilité viscérale à l'armée. C'est une vieille tradition alimentée à la source du « sarmatisme » auquel il demeure très attaché.

Au xvie siècle, la noblesse souscrit aux thèses de l'historien Maciej Miechowita[3] qui faisait remonter leurs origines à l'antique et belliqueuse tribu des Sarmates, ce peuple originaire d'Iran qui a envahi la région occupée par les Scythes, entre le Don et la Caspienne, au iiie siècle avant notre ère. Il a ensuite poursuivi sa route vers l'Europe centrale, permettant aux chroniqueurs anciens d'en faire la souche des Slaves. Dès lors, tout ce qui est tenu pour typiquement polonais est « sarmate » ; en réalité, la culture « sarmate » est une synthèse spécifiquement polonaise des influences orientales et du baroque...

Les « Sarmates », donc, sont opposés à l'entretien d'une armée régulière, instrument du despotisme royal. Un prince trop conquérant risquerait de mettre en péril l'équilibre délicat des libertés de la république nobiliaire. Toute guerre d'expansion est donc inutile, coûteuse et dangereuse pour une Pologne immense qui ne souhaite pas s'étendre. En cas de danger, le seul moyen de défense réside dans l'institution de « l'arrière-ban nobiliaire », c'est-à-dire la levée en masse de toute la noblesse pour faire face à l'envahisseur ou pour déposer le roi s'il se comporte en tyran. C'est imprégné de cette tradition « sarmate » que Stanislas aborde le thème de la paix.

Le roi de Pologne qui a beaucoup lu n'ignore pas qu'avant lui des projets de paix perpétuelle ont été échafaudés : le grand dessein prêté par Sully à Henri IV d'établir une « république très chrétienne », le *De jure belli ac pacis* de Grotius ou le *Projet pour rendre la paix perpétuelle en Europe* publié en 1713 par l'abbé de Saint-Pierre. Stanislas a longuement étudié ce plan qui envisage la création d'un « corps européen », sorte de fédération composée des « dix-neuf plus puissants souverains de l'Europe » et chargée d'arbitrer les conflits entre les États en empêchant la guerre. Mais il ne partage ni sa méthode ni ses conclusions. Il lui paraît irréalisable, car il impliquerait que les souverains acceptent d'abandonner leur autorité au profit d'une sorte de république internationale.

Alors il procède différemment. Il a d'abord enquêté, mettant à contribution Hulin, Tercier mais aussi des informateurs de tous bords comme le comte Goëry Sublet d'Heudicourt, capitaine au régiment de Lenoncourt-Cavalerie qui a été en garnison à Wissembourg pendant son séjour en Alsace. Pour Stanislas, le comte jouait le rôle d'ambassadeur officieux à la cour d'Espagne. À cette source s'ajoutent le dépouillement des gazettes, la lecture de toute la littérature politique de l'époque mais aussi l'étude de l'histoire des différents pays concernés. Stanislas a ainsi élaboré une sociologie politique avant la lettre, tempérée par sa morale chrétienne, qui est omniprésente dans ses écrits. Il s'est rendu compte que l'Europe se partage en deux sortes de gouvernement : monarchique, comme la France, l'Espagne ou la Russie ; républicain, telles la Pologne, la Suède, Genève, Venise, la Hollande et même l'Angleterre. Il est vrai que, pour lui, le mot « république » s'entend à la polonaise : là où il y a une assemblée élue. C'est un système qu'il apprécie, même si, dans *Glos wolny*, il propose une régénération des institutions. Il estime que ces républiques n'ont pas de velléités de conquêtes et qu'elles aspirent à jouir de leur liberté.

Le mal vient de Russie

L'essentiel de la réflexion politique de Stanislas réside dans une vision exacerbée du danger que la Russie fait peser sur la paix de l'Europe. C'est une idée qu'il a développée depuis qu'il a succédé à son père, en 1703, comme palatin de Posnanie. Il avait alors vingt-six ans et enrageait qu'Auguste II fût incapable de se maintenir au pouvoir sans l'appui des Russes. En revanche, s'ils partageaient les mêmes idées sur la souveraineté de la Pologne, Charles XII et Stanislas Ier n'avaient pas le même regard politique. Le premier voulait d'abord anéantir Auguste II, usurpateur du trône de Pologne, avant de combattre la Russie ; le second pensait qu'il fallait abattre la Russie pour avoir raison d'Auguste II ; de plus, il voulait absolument empêcher la russification de l'Ukraine. En juillet 1709, l'échec suédois à Poltava a démontré que Charles XII avait sous-estimé l'armée tsariste alors que Stanislas avait vu juste. Dès lors, le roi de

Pologne n'aura de cesse de mettre en garde contre la menace russe sur l'équilibre européen. Dans un premier texte intitulé *Coup d'œil sur la Russie,* mûri pendant son exil forcé chez le roi de Prusse, il écrit : « Bientôt la Russie sera, si elle ne l'est déjà, en état de se faire craindre du reste de l'Europe, et si l'on ne prévient pas de bonne heure les inconvénients qui pourraient en résulter, que deviendra l'équilibre tant vanté ? Si on laisse la Russie se mêler trop avant dans les affaires générales, ce sera bientôt à elle à donner des lois qu'elle se sentira en état de faire respecter. Il est donc de l'intérêt de tous les souverains de veiller sur les démarches et sur les entreprises d'une nation dont le pouvoir peut devenir facilement si dangereux et qui porte si loin ses prétentions [4]. »

Mais, pour s'opposer au géant russe, Stanislas hésite entre deux systèmes : la ligne du nord ou l'axe franco-autrichien. Le premier [5], élaboré à Lunéville au cours de l'été 1740, s'articule autour d'une alliance rassemblant la France, la Suède et la Turquie. Le choix de ces trois pays s'explique aisément : la France de Louis XV et de Fleury a atteint le sommet de son prestige international au lendemain du traité de Vienne qui a installé Stanislas en Lorraine ; si la Suède a perdu de sa puissance après la mort de Charles XII, elle fait toujours figure – à tort – de gardienne de la Baltique, et le roi de Pologne sait le rôle prépondérant qu'elle a joué dans les préliminaires de la paix de Westphalie en 1648 ; quant à la Turquie, c'est la puissance orientale qui peut le mieux menacer la Russie et avec laquelle la France entretient de bonnes relations diplomatiques. Stanislas envisage de renforcer l'alliance en y associant le Danemark et les Tatars de Crimée, mais il reste muet sur le rôle de l'Autriche. Il est vrai que les Habsbourg ont contribué à son éviction et que la blessure de son échec est toujours douloureuse...

Sept ans plus tard, l'ancien roi de Pologne change d'orientation et conçoit un second projet sous la forme d'un entretien imaginaire entre trois personnages, intitulé *Lettre d'un Suisse à son correspondant en Hollande*[6]. C'est la dernière année de la guerre de Succession d'Autriche, période d'inquiétude pour Stanislas qui craint de se voir chasser de Lorraine. Alors que se déroulent les conférences de Breda (1746-1747) préparatoires de la paix d'Aix-la-Chapelle (1748), il se livre à un long plaidoyer pour l'établissement d'une paix durable selon un axe Paris-Vienne. Pour cela, il rappelle le rôle modérateur et conciliant de la France, qui « travaille à éteindre le feu en Europe ». Au passage, il tord le cou à la politique des trocs et des marchandages, érigeant en règle le droit des peuples à disposer d'eux-mêmes. Enfin, il appelle l'Angleterre et la Hollande à la raison :

« Il faut que les deux puissances maritimes ôtent de la tête ce faux système qui ne subsiste plus et cette idée que le salut de l'Europe consiste dans le maintien de la puissance de la maison d'Autriche. [...] Il faut enfin profiter tandis qu'il est encore temps du généreux désintéressement de la France, afin qu'elle se contente pour son partage et dédommagement d'avoir contribué à la solide tranquillité de l'Europe et à la sûreté de ses États, sans quoi tout plan ne fera jamais qu'une paix plâtrée. »

Stanislas sera exaucé puisque la paix d'Aix-la-Chapelle est signée le 11 octobre 1748. C'est pour le roi de Pologne l'événement du siècle, moins par ses clauses que par son esprit : la restitution par la France des territoires conquis, notamment aux Pays-Bas, lui paraît un acte d'une grande sagesse. Il loue Louis XV d'avoir donné la paix à l'Europe en renonçant à l'esprit de conquête de Louis XIV par un « désintéressement héroïque » mal jugé par l'opinion française, qui ironisait – « bête comme la paix »... Pour une fois, Stanislas partage les vues de son gendre qui a voulu traiter « non en marchand, mais en roi ». Dans *De l'affermissement de la paix générale*[7], il célèbre le rôle de la France qui n'a « à cœur que le bonheur commun de la chrétienté ». « Cet exemple, espère-t-il, apprendra toujours aux rois de France à venir à ne mettre leur gloire que dans la prospérité de leurs sujets, à être intrépides dans les revers de fortune [...] ; à être inflexibles dans le maintien des lois, fermes dans l'administration de la justice, judicieux dans les récompenses dues à la vertu, plus judicieux encore dans la punition des crimes ; indifférents à la flatterie, invincibles aux séductions ; attentifs à protéger les arts, à faire fleurir le commerce, à assurer leurs trésors par l'abondance qu'ils auront soin de procurer à leurs peuples. Ce sont là les vrais exploits, les seuls propres à immortaliser les grands princes [8]. »

La France arbitre

Pour le roi de Pologne, la paix générale n'est possible qu'en s'appuyant sur une puissance prépondérante, la France, qui en sera le catalyseur. Mais, pour jouer ce rôle d'arbitre, elle doit rester armée et se doter d'une puissante marine. Elle ne doit pas non plus renoncer aux alliances : « Qu'elle s'unisse à tous ceux qui voudront conserver cette paix », quand bien même ce serait avec ceux « qui, pour abaisser notre puissance, ont si souvent pris les armes contre nous ». Il songe à l'Autriche, qui, en raison de la dispersion de ses États, offre moins de dangers. Il a donc oublié sa vieille rancune à l'égard des Habsbourg ; peut-être parce que, après onze ans de présence en Lorraine, il mesure mieux l'importance des liens franco-autrichiens. En cela, il rejoint les sentiments de son gendre, qui avait envisagé de se rapprocher de Vienne dès 1736.

Dans ses grandes lignes, le plan de Stanislas ressemble beaucoup au projet de la « prépondérance française » imaginé par le cardinal de Richelieu. À une réserve près : si, pour le Cardinal, le Roi Très-Chrétien peut s'allier avec des puissances protestantes, le roi de Pologne entend préserver l'unité catholique par l'alliance de deux pays de même religion : la France et l'Autriche ; pour être viable, cette alliance doit cependant se conclure dans la tolérance et le respect des calvinistes et des luthériens.

Stanislas ne cessera d'améliorer son projet. Ici, il développe le rôle de la marine ; là, il insiste sur l'importance de la religion. Dans la *Lettre d'un Suisse à un ami*[9], écrite peu après la mise en application du traité d'Aix-la-Chapelle, il revient sur l'unique moyen à ses yeux de garantir la paix en Europe : la placer sous la protection de la France et de l'Empire. Toute mésintelligence « devrait cesser par le seul motif de la religion ». À cela vient s'ajouter un élément nouveau : « L'alliance du sang de l'empereur régnant avec la maison de France ne devrait-elle pas cimenter cette union salutaire ? »

Pour une conférence de la paix à Nancy

Huit ans plus tard, en 1756, les débuts de la guerre de Sept Ans, au cours de laquelle la France vole au secours de l'Autriche pour la première fois, donnent raison à Stanislas, qui célèbre le renversement des alliances par une place et un monument érigés au cœur de Nancy. Entre-temps (1752), le roi de Pologne a publié son *Entretien d'un Européen avec un insulaire du royaume de Dumocala* où il réaffirme ses positions pacifistes, lançant un avertissement sévère : « Le grand objet de la plupart de vos rois est d'écraser leurs sujets pour s'en faire de nouveaux au-delà de leur empire. Malheur aux princes voisins qu'ils connaissent moins fort qu'ils ne le sont eux-mêmes[10] ! »

En 1760, la Prusse semble épuisée par l'effort de guerre face à une armée autrichienne toujours puissante. La France, soumise aux assauts de l'Angleterre, est, selon son ministre Choiseul, sans argent, sans ressources, sans marine, sans soldats, sans généraux ni ministres... La situation inquiète Stanislas, qui se résout, après avoir pris l'avis de son gendre, à écrire à tous les souverains d'Europe afin de les inciter à venir faire la paix à Nancy. Il s'adresse ainsi au roi d'Angleterre George II, à Marie-Thérèse d'Autriche, à la tsarine Élisabeth, à son rival Auguste III, au roi de Suède Adolphe-Frédéric et à son vieil ami Frédéric II. « Dans l'espérance où je suis, écrit-il le 20 janvier 1760 au roi de Prusse, que les puissances belligérantes, touchées des malheurs d'une guerre qui se rallume de plus en plus, voudront bien concourir mutuellement à l'éteindre, je me donne la liberté d'offrir à Votre Majesté ma ville de Nancy comme une des villes la plus propre [sic] à la tenue d'un congrès, la plus capable de contenir un grand nombre de personnes, et, par sa situation, la plus à portée des puissances intéressées au grand ouvrage de la paix[11]. »

À part Élisabeth de Russie, tous répondent courtoisement mais jugent l'offre prématurée, ou bien estiment la situation de Nancy peu propice à une telle rencontre – c'est le cas de George II. Auguste III, lui, préférerait Leipzig. Marie-Thérèse, en revanche, répond : « Je ferai d'autant moins de difficulté sur le choix de la ville de Nancy, si elle peut convenir à toutes les parties intéressées, que cela me fournira l'agréable occasion de pouvoir témoigner à Votre Majesté l'envie que j'ai de lui plaire[12]. »

Frédéric II, qui avait pris l'initiative de l'offensive en envahissant la Saxe sans déclaration de guerre[13], a fait une réponse belliqueuse même s'il est favorable à la tenue d'un congrès de la paix à Nancy : « Mais Votre Majesté saura peut-être à présent que tout le monde n'a

362

pas des sentiments aussi pacifiques que les siens. Les cours de Vienne et de Russie ont refusé d'une manière inouïe d'entrer dans les mesures que le roi de Grande-Brotagno et moi nous leur avons proposées, et il y a apparence qu'ils entraîneront le roi de France à la continuation de la guerre, dont eux seuls se promettent tous les avantages [14]. »

Stanislas a échoué dans son dessein de faire de Nancy la capitale de la paix. Il faudra attendre le 31 décembre 1762 pour qu'un congrès s'assemble afin de mettre un terme à cette guerre. Il n'aura pas lieu à Nancy mais à Hubertsbourg [15], en Saxe.

Mais le vieux roi ne baisse pas la garde. Sans cesse il rappelle à qui veut l'entendre : « Prions Dieu que la guerre qui agite à présent toute l'Europe, écrit-il en 1762, se termine en faveur de la bonne cause, et fondons notre bonheur sur l'alliance de la France avec la maison de Lorraine, paisible héritière de tous les États de celle d'Autriche [16]. »

Alors que, trente ans plus tôt, il fondait la paix sur la modération des « républiques » auxquelles il associait la France, il ne voit le salut à présent qu'à travers l'amitié franco-autrichienne. Le Lorrain a pris le dessus sur le Sarmate, du moins c'est ce qu'il laisse imaginer...

Nouvelle tentation polonaise

« J'ai ici toute la Lorraine à l'occasion de la nouvelle année qui tous me disent qu'ils veulent me suivre en Pologne [17] », écrit Stanislas à Marie Leszczynska dans sa lettre de vœux du 1er janvier 1764. Son vieux rival Auguste III a rendu l'âme à Dresde le 5 octobre précédent et François Bielinski, l'émissaire de la république nobiliaire, est venu lui annoncer la nouvelle avant de poursuivre sa route jusqu'à Versailles, où il doit rappeler à Louis XV les espérances que fondent les Polonais sur le soutien de la France.

À quatre-vingt-sept ans, Stanislas se prend encore à rêver. Son cœur s'emballe à l'idée de ce trône de Pologne vacant qui, selon les informations parvenues de Varsovie et de Cracovie, risque bien d'être à nouveau le jouet de la Russie. Bien que l'héritier d'Auguste III, le prince Xavier de Saxe, fasse figure de prétendant, il va devoir affronter les candidatures du prince Czartoryski, du général Branicki, du jeune Stanislas-Auguste Poniatowski, fils de l'ancien compagnon du roi Stanislas et surtout ancien amant de la tsarine Catherine II[18].

Bien introduit dans l'Europe des Lumières, dont il a fréquenté les salons, et ardemment soutenu par la Russie, il a davantage d'atouts que le malheureux Xavier de Saxe, qui espère le soutien d'une France toujours déchirée entre sa diplomatie et les décisions secrètes de Louis XV, lequel, en réalité, soutient le grand général Branicki. Dans ce contexte, les flatteurs de la cour de Lunéville poussent Stanislas à se déclarer, et Solignac, qui lui voue une admiration sans bornes, prépare des manifestes dont il espère inonder la Pologne. Usé, malade et à demi aveugle, Stanislas se laisse bercer dans ce rêve impossible. Il sait bien qu'il a fait son temps et qu'il ne doit plus rien espérer, mais il ne décourage pas son entourage. Tercier, qui œuvre toujours dans la plus grande discrétion au Secret du roi, se garde bien de lui faire part des sentiments des ministres de Louis XV, qui voient les agissements de Solignac d'un mauvais œil. La Galaizière est prié de ramener Stanislas et son secrétaire à la raison.

Finalement, Stanislas-Auguste Poniatowski est élu le 7 septembre 1764 grâce au soutien des baïonnettes russes. Quand le jeune souverain annonce sa victoire à toutes les cours européennes, Stanislas tarde à répondre, attendant de connaître les sentiments de son gendre et les ordres de Versailles. Mais, son candidat ayant été écarté, Versailles traîne les pieds ; Stanislas II Auguste a beau déclarer qu'il ne peut réformer son pays qu'avec le soutien de la France, Louis XV attendra le 22 juin 1766 pour le complimenter.

Stanislas tire la leçon de cette élection polonaise dans un texte qu'il griffonne avant de le dicter pour finir à Solignac à la fin de l'année 1764. Cette *Réponse à un seigneur polonais* est une sorte de testament politique. Il justifie ses prétentions à la Couronne tout en exaltant le patriotisme polonais : « Vous m'apprenez que je suis généralement regretté : j'en ressens toute la douceur ; peut-être ne l'aurais-je pas mérité si, restant en place, l'expérience [avait] pu guérir une favorable prévention sur mon sujet[19]. » Il laisse percer ses regrets : « C'est de n'avoir pas pu me présenter sur le trône en qualité de véritable concitoyen[20] et régner par le sentiment du plus zélé compatriote ; ce n'est pas pour que vous ayez pu compter sur mes talents, mais sur la seule connexion de ma situation avec le véritable bien de la République. [...] J'eusse été assez heureux de rendre ma patrie respectable à toute l'Europe[21]. » Exaltant les grandeurs de la nation et du régime, il y associe une volonté de réforme avant d'achever sur une note nostalgique, preuve qu'il aurait bien tenté une troisième élection : « Quant à moi, dans l'âge avancé où je suis, je me réduis à faire des vœux pour voir encore ma patrie dans l'état aussi heureux que j'aurais désiré la mettre[22]. » Il savait certes son projet de paix ambitieux et en connaissait les limites, car, « si les guerres sont inévitables, cherchons du moins le moyen de ne les rendre fatales qu'à ceux qui ne craindront pas de les exciter[23] ».

Un Européen

Si beaucoup de ses lecteurs n'ont vu dans ces textes qu'un exercice de l'esprit et une nouvelle utopie, il faut quand même rendre justice à Stanislas. Dans le domaine diplomatique, il fait figure de précurseur, parce qu'il a pris conscience le premier de la notion d'Europe. Il a su en évaluer l'espace, les liens ancestraux et les solidarités à une époque où il n'était question que d'intérêts nationaux.

Il a également compris que la stabilité politique dépend non seulement de la nature des régimes mais aussi de la protection des libertés publiques, du rôle des tribunaux d'arbitrage et d'une morale internationale respectueuse des frontières. Enfin, il a érigé en règle le maintien de l'équilibre, jeu subtil qui deviendra la panacée des hommes d'État du XIXe siècle.

Pour la Pologne, Stanislas II Auguste reprendra quelques-uns de ses projets de réforme, mais les rêves de paix du sage de l'Europe sombreront dans l'oubli jusqu'en 1930. Cette année-là, le 2 février, à Genève, la Société des Nations célèbre le dixième anniversaire de sa fondation. Dans son discours, Auguste Zaleski, alors ministre des Affaires étrangères de Pologne, voit en Stanislas l'un des précurseurs de l'institution que l'on célèbre.

« Il a étudié, dans son écrit *De l'affermissement de la paix générale,* l'ensemble des problèmes que pose la formation d'un tel organisme international, et l'a fait d'une manière qui étonne par la clairvoyance dont il a fait preuve et par ses facultés remarquables qui lui permettaient de pénétrer dans le fond même des questions les plus compliquées [24]. »

CHAPITRE XVIII

La Lorraine perd son Bienfaisant

Stanislas a soixante-dix-huit ans en 1755. Il est toujours actif et le demeurera plusieurs années encore, mais sa santé commence à s'altérer. Depuis ses aventures polonaises, il souffre de maux que son incapacité à maîtriser sa gourmandise n'a pas arrangés. Outre les séquelles de ses hémorroïdes et ses difficultés rénales, il souffre constamment d'embarras gastriques et sa peau se couvre de dartres. Perclus de rhumatismes, il est frappé par des accès de goutte. Effet de sa gourmandise, son embonpoint est devenu un problème. Autrefois, il appréciait ces rondeurs qui apportaient une touche sympathique à sa prestance royale. À présent, l'obésité confine à la difformité et continue d'épuiser son organisme.

À ces maux s'ajoute une baisse, lente mais irrémédiable, de la vision. Stanislas feint de s'en accommoder en confiant la presque totalité de sa correspondance à ses secrétaires. Sauf pour la correspondance destinée à sa chère Marie : pour elle, il prend encore la plume, même s'il doit passer des heures à former des lettres qui finissent par se superposer... S'ajoutent à cela un début de surdité et la perte des dents qui l'empêche de jouer de la flûte.

Marie Leszczynska ne peut admettre ces infirmités : elle ne voit Stanislas qu'une fois par an, lors du traditionnel séjour à Trianon, mais doit constater que l'impulsif aux colères tonitruantes a fait place à un vieillard de plus en plus prisonnier de ses pensées, de plus en plus attiré par la solitude. La reine alerte ses amis pour s'enquérir d'un traitement qui pourrait améliorer la vue de son père. Ses lettres parlent des pharmacopées que l'on se passe dans les salons de Versailles, elles vantent les mérites d'un remède déniché pour lui au fin fond du royaume et qu'elle lui expédie, elles s'appuient aussi sur les prescriptions de Tronchin, le médecin à la mode.

Stanislas ronchonne, feint d'accepter le flacon miraculeux, réservant la décision finale à son fidèle Rönnow, chargé de régenter tous les désordres de sa vieille carcasse. Il en supporte beaucoup, sans rien perdre de l'ironie qui camoufle l'angoisse de la vieillesse – c'est sa manière de conjurer le sort. En 1756, Marie Leszczynska reçoit ainsi une lettre dont elle peut à peine déchiffrer quelques lignes tracées sur le papier : « À quoi ont servi tous vos chers soins pour mes yeux, puisque avec les plus clairvoyants, en vous perdant de vue, je ne vois pas l'objet de mes délices[1]. » Il a rangé au rayon des souvenirs ses longues promenades dans la campagne lorraine en compagnie de son chien Griffon, mais il n'a pas abandonné la chasse : il sillonne toujours les sentiers forestiers à bord d'un chariot à gradins...

Lunéville sombre dans la mélancolie

À l'image du roi vieillissant, la vie s'essouffle à la cour de Lunéville. Le 3 février 1763, avec Emmanuel Héré disparaît le meilleur metteur en scène des folies de l'ancien roi de Pologne. Le 9 juin de la même année, c'est Bébé qui rend l'âme après une longue agonie précédée d'une décrépitude qui a transformé ce petit bonhomme de vingt-deux ans en un vieillard prostré. Rönnow et le chirurgien Saucerotte s'emparent du corps pour l'autopsier (son squelette figure dans les collections du cabinet du roi).

La marquise de Boufflers s'absente fréquemment depuis qu'elle a été nommée dame de Mesdames en survivance et qu'elle est appelée à exercer ses fonctions à la suite d'une vacance de la charge : dame titulaire depuis 1757, elle doit assurer une présence régulière à Versailles. Stanislas se retrouve le plus souvent en compagnie du chevalier de Boufflers, le dernier rejeton de sa chère marquise, à qui il confie des ambassades. On le voit aussi avec Panpan Devaux et l'abbé Porquet, sans oublier Solignac qui met la dernière main à la publication des *Œuvres du philosophe bienfaisant*.

Le 6 septembre 1763, alors qu'elle séjourne en Lorraine, la princesse de Beauvau, épouse du grand maître de la maison du roi, meurt de la petite vérole, en dépit des soins prodigués par ses sœurs, Mme de Boufflers et Mme de Bassompierre – le prince se consolera rapidement en épousant sa maîtresse, veuve du comte de Clermont d'Amboise...

L'année suivante, le père de Menoux, qui règne toujours sur les missions royales, mais de moins en moins sur l'âme du roi de Pologne, harcèle celui-ci pour qu'il fasse supprimer l'Amphitrite dévêtue qui dévoile ses appas au sommet d'une fontaine de la place Royale, à Nancy. Mais Stanislas reste sourd aux injonctions du jésuite : pas question de toucher à l'œuvre de Guibal et Cyfflé. Vexé, Menoux quitte Nancy, ses missions et la Cour le 30 septembre. Il n'y remettra jamais les pieds. Stanislas n'est guère affecté par ce départ inopiné et remplace Menoux par le comte de Tressan, son ennemi juré. Déchargé par Versailles de l'obligation de résider à Bitche, dont il est gouverneur, Tressan met le cap sur Lunéville avec sa famille. Trop heureux de retrouver cet ami de longue date, Stanislas le confirme dans sa nomination de grand maréchal du palais.

Un rituel immuable

Stanislas méprise ses infirmités, mettant un point d'honneur à ne pas déroger au rituel quotidien : lever à cinq heures l'été (six, l'hiver), coucher à vingt-deux heures. Il attache toujours autant d'importance à sa correspondance et à ses écrits. Solignac le plus souvent, Tressan quelquefois rédigent ou prennent sous la dictée.

Les loisirs se limitent à la musique, qu'il peine à entendre, à quelques parties de trictrac, aux lapins qu'il tire appuyé sur un parapet des Bosquets, calé dans le fauteuil roulant capitonné de cuir offert par la reine de France. On raconte qu'il a pris goût à la pêche, activité où il excelle en dépit de sa vue défaillante. Mais la légende donne une version différente de ce talent tardif : chaque fois qu'il lance sa ligne dans la Vezouze, un nageur s'empresse d'accrocher un poisson à l'hameçon. Et Stanislas, complice, de s'émerveiller de cette pêche miraculeuse...

Le roi de Pologne n'a pas non plus modifié le rituel de sa table, avouant toujours un fort penchant pour le sucré. Au-dessus des plantureux gâteaux qui lui rappellent sa lointaine Pologne, il place les melons de ses melonnières. Il ne peut résister à la tentation de s'en gaver et son intestin ne les supporte pas. Il confie à Marie en mai 1764 : « Il m'a pris une petite indigestion que j'ai pu mériter en mangeant du melon. Mais de quoi je vous jure, par la foi du bon papa, que cela m'a fait du bien, ayant rendu tout ce que j'avais dans le corps[2]. »

Cette année-là, Stanislas a fixé son séjour à Versailles au mois de septembre. Comme chaque fois, il écrit à la reine à l'étape de Châlons pour prévenir de l'imminence de son arrivée et la supplier de ne pas lui envoyer ses équipages. Mais, sitôt prévenus, les enfants de France se disputent le privilège de se porter au-devant de leur grand-père. Cette fois, Madame Victoire s'efface pour laisser la place au Dauphin qui accompagne Madame Adélaïde. À Bondy, le 14 septembre, les retrouvailles sont chaleureuses ; les princes trouvent que leur Papinio a bien grossi et Stanislas n'ose risquer la moindre allusion à la maigreur du Dauphin. Il a hâte d'embrasser la reine et de découvrir Élisabeth[3], dernière-née du Dauphin.

Quel avenir pour Lunéville ?

Chaque fois qu'il reprend la route de la Lorraine – souvent en compagnie de La Galaizière –, Stanislas rend visite à des amis de longue date. Il s'accorde une halte au pavillon de Bercy où le banquier Pâris de Monmartel organise un grand dîner en son honneur, avant de s'en aller coucher à Germiny, chez l'évêque de Meaux. Souvent il rend aussi visite à Mme de Monconseil en son domaine de Bagatelle où l'attend un fête champêtre digne des réjouissances estivales de Commercy.

Mais, en cette année 1764, Stanislas rentre aussitôt à Lunéville. Soucieux, il sait son temps compté et s'inquiète du destin qui sera réservé à ses résidences. Voilà des années qu'il souhaite fixer le sort du château de Lunéville. Hélas, son gendre se dérobe et les ministres font le dos rond. Il espère pourtant que le « Versailles lorrain » aura sa place dans les domaines de la Couronne, ne serait-ce qu'en raison de sa situation. Dans le passé, il s'en est ouvert au ministre Maurepas, peu de temps avant la disgrâce qui l'a frappé pour avoir écrit des impertinences sur la marquise de Pompadour. Dans une lettre datée de mai 1746, il s'était livré à un ardent plaidoyer : « Je ne saurais vous déguiser la peine que cela me fait de penser que le château pourrait être abandonné, qui assurément, par les réparations que j'y ai [faites], mérite d'être mis au nombre des maisons royales, indépendamment même de la beauté du bâtiment, de sa situation [qui] le recommande dans un pays ou le roi pourra quelquefois venir soit pour voir ses troupes, soit les belles plaines et les belles frontières de son royaume. Par toutes ces considérations, je vous prie de prendre mon Lunéville sous votre protection et de faire connaître au roi le sensible plaisir que j'aurais d'être assuré de mon vivant que cette maison sera conservée après mon décès[4]. » Ce désir étant resté lettre morte, le roi de Pologne confie ses craintes à Marie durant ce séjour de 1764, et lui laisse imaginer tous les espoirs qu'il fonde sur son soutien.

Au printemps 1765, Lekain séjourne à Lunéville. L'illustre tragédien secoue la torpeur du vieux château en donnant *Alzire, Le Duc de Foix* puis *Iphigénie en Tauride, Mithridate*... Hormis la marquise de Boufflers, qui, n'appréciant pas le comédien, a préféré rester à La Malgrange[5], la Cour lui fait une ovation enthousiaste. Le 9 mai, la fête du roi de Pologne offre une nouvelle occasion de réjouissance ; la princesse Christine de Saxe[6] quitte son abbaye de Remiremont pour dîner à Chanteheux avec Stanislas. À Nancy, le traditionnel feu de joie, jugé trop dangereux pour les maisons de la place du Marché, est remplacé par un somptueux feu d'artifice sur la place Royale.

Trop âgé pour les bains de foule, Stanislas ne partage pas cette liesse populaire, mais il sait que les Nancéiens ont fini la nuit en dansant au pied d'un immense calicot fleuri ainsi libellé : « À Stanislas le bienfaisant ». Il est chaque jour un peu plus tributaire des valets qui le soutiennent lorsqu'il doit se déplacer. Sujet à des accès de somnolence, il lui arrive de s'affaisser subitement sans crier gare. Pourtant, malgré son impotence, il envisage d'accomplir son voyage à Versailles. Pas question de manquer ces quelques semaines de bonheur familial !

Retrouvailles à Commercy

Mise au courant des difficultés physiques de son père, Marie Leszczynska quitte Compiègne le 17 août pour la Lorraine. Stanislas et le Dauphin sont les deux êtres qu'elle chérit le plus au monde. Si elle accourt pour soulager la vieillesse du premier, c'est parce que le second traverse une période de rémission de la tuberculose qui le ronge. Deux jours plus tard, elle se jette dans les bras de son « cher papa » qui est venu l'attendre à Commercy afin de lui éviter l'accueil protocolaire de Nancy et de Lunéville.

La reine apporte l'affection de ses enfants pour leur grand-père. Madame Louise lui écrit par exemple : « Jamais on n'a tant regretté de n'avoir pas quelque rhumatisme qui, en me conduisant aux bains de Plombières [7], me procurerait le bonheur de vous faire la cour et de mettre à vos pieds, mon cher papa, les sentiments d'un cœur rempli pour vous de la tendresse la plus vive et du respect le plus profond [8]. » Pour sa part, le Dauphin répond à son grand-père qui lui a demandé, en badinant, un emploi dans ses Dragons-Dauphin : « C'est avec bien de la satisfaction que je vous accorde une sous-lieutenance réformée en attendant qu'il en vaque une en pied. Le régiment est en garnison à Thionville. Je vous prierais, ce qui ne vous détournera pas beaucoup, de me l'amener ici l'année prochaine, afin que je vous y reçoive vous-même. Mais savez-vous bien, avec toute votre bonne humeur, que je ne prétends point du tout plaisanter et que le regret de ne pouvoir partager avec la reine le plaisir de vous embrasser ne me donne nulle envie de rire ? » Tout en se faisant rassurant sur son propre état de santé, il exprime la tendresse qu'il éprouve pour son grand-père : « Je vous renouvelle encore mes regrets, qui partent de la plus tendre amitié avec laquelle je serai toute ma vie de Votre Majesté le très respectueux petit-fils [9]. »

Malgré ses quatre-vingt-huit ans et ses infirmités, Stanislas a gardé l'esprit enjoué ; sa gaieté, son entrain rendent le sourire à Marie, qui en oublie ses jérémiades sur ses maux d'estomac et ses vapeurs de femme sexagénaire. La même foi religieuse, la même générosité et la même passion pour les arts les unissent. Rien n'est assez beau pour la reine de France. Pour elle, Stanislas met en œuvre la féerie de Commercy avec ses jeux d'eaux et ses rivières de lumière, sans oublier les monstres marins jaillis des profondeurs pour guider la gondole royale entre deux rives ruisselant de fleurs.

Avec la musique, les parfums, les lumières qui clignotent sous l'effet de la brise, Marie songe aux douces heures de Tschifflik. Le père et la fille ont renoué avec leur complicité d'antan, que vient à peine troubler la mort subite de l'empereur François, survenue à Innsbruck le 18 août 1765. Les Lorrains, eux, sont frappés : certes, François avait renié la Lorraine pour épouser Marie-Thérèse, mais il demeurait le fils du défunt Léopold. Quelques semaines plus tôt, les foules joyeuses ont scandé le nom de Stanislas, elles se précipitent à présent dans les églises pour pleurer ce prince qui les a dédaignées. Ce jour-là Stanislas aurait pu murmurer l'une de ses maximes favorites : « Le public est un écho qui ne répond pas toujours fidèlement à notre voix [10]. »

Au bout de trois semaines, l'heure est à la séparation. Stanislas et Marie s'échangent mille promesses, mille recommandations. La larme à l'œil, le roi de Pologne se hisse péniblement dans le carrosse royal. Il a décidé d'accompagner sa fille jusqu'au village de Saint-Aubin. Silencieux, ils cheminent en ruminant des mots d'adieu qui ne viennent pas. Ils pleurent... « Pourquoi les heureux moments ne font pas la durée d'une année[11] ? » soupire Stanislas après la séparation, attendant fébrilement des nouvelles de Fontainebleau où la reine a rejoint la Cour.

La détresse d'un grand-père

À Fontainebleau, le Dauphin fait bonne figure malgré les crises de toux qui le laissent abattu. « Je vais à la messe dans une chapelle où il y a du feu, écrit-il, fermée de glace et de rideaux et dans laquelle j'entre en chaise à porteur, et en sors même, sans scandale[12]. » Pour sa part, Marie ne cache pas ses inquiétudes à Stanislas qui reçoit aussi les confidences de la dauphine : « Mon unique confiance est en Dieu : c'est de lui seul que j'attends la conservation de M. le Dauphin[13]. »

Stanislas se réfugie dans la prière. Le 19 décembre 1765, le chevalier de Boufflers, revenant de Fontainebleau, lui ôte toute espérance. Après une longue agonie, le Dauphin s'éteint en effet le lendemain, à l'âge de trente-six ans. Un courrier qui part aussitôt pour Dresde s'arrête le soir du 22 à Lunéville pour annoncer la nouvelle, confirmée quelques jours plus tard par les lettres de Marie Leszczynska. Stanislas est ébranlé. Mme de Boufflers craint pour sa santé et Rönnow ne le quitte plus. La peine est si profonde que le roi se sent incapable de supporter le cérémonial de la notification officielle. Chaumont de La Galaizière et Lucé décident alors de lui épargner la litanie des compliments et des lamentations. L'audience n'en est que plus poignante.

Ainsi, le 29 décembre, Lucé pénètre seul dans la chambre du roi auquel il remet la lettre de Louis XV. Mais le roi de Pologne ne peut la déchiffrer et demande au ministre de lui en donner lecture. Il s'enferme ensuite dans ses appartements. La cour de Lunéville elle aussi a pris le deuil et respecte le silence du royal vieillard. Le 11 janvier 1766, il écrit à Marie ce simple mot : « Je ne sais ce qu'il vous faut pour vous garantir du froid insupportable, pour moi je me grille toute la journée au coin de mon feu [14]. »

Reprenant le dessus, il décide pourtant qu'un service solennel sera célébré par son grand aumônier, le cardinal de Choiseul-Beaupré. Il arrête la date et le lieu : le 3 février à la primatiale de Nancy, drapée pour la circonstance de sept mille aunes de tentures noires d'où jaillira un grand envol d'anges...

Stanislas quitte Lunéville pour La Malgrange le 1er février, en compagnie de Mme de Boufflers. Il s'arrête en chemin pour prier à Notre-Dame-de-Bon-Secours. Fait inhabituel de sa part, il s'avance jusque dans le chœur pour s'agenouiller auprès de la dalle qui conduit à la crypte où reposent Catherine Opalinska et les Ossolinski. En sortant, il confie à la marquise : « Savez-vous ce qui m'a si longtemps retenu dans l'église ? Je pensais que, dans très peu de temps, je serai trois pieds plus bas [15]. » Il retourne à Bon-Secours le lendemain communier à la messe de la Purification de la Vierge, l'une des cinq fêtes mariales qu'il ne manque jamais.

Le 3 son fauteuil reste désespérément vide pendant la cérémonie à la primatiale, émaillée de querelles de préséance. Au dernier moment, il a renoncé à affronter cette épreuve. Dans l'après-midi du 4, il retourne à Lunéville pour recevoir à souper la fille de Robert Walpole, lady Mary Churchill, et son époux. Mme de Boufflers veille au bon déroulement de la soirée et Stanislas sait dissimuler sa peine sous une courtoisie affable qui charme ses hôtes.

Il tombe dans l'âtre de sa chambre

Le lendemain 5 février, sur le coup de six heures du matin, le roi se lève. Montauban, qui le sert depuis Wissembourg, l'aide à s'habiller ; sur ses vêtements, il enfile une robe de chambre en soie des Indes ouatée, présent de Marie Leszczynska. N'ayant pas coiffé sa perruque, il a gardé une sorte de bonnet de nuit noué sous le menton. Mautauban l'installe dans son fauteuil près de la cheminée de sa chambre. Comme à l'accoutumée, il souhaite être seul pour prier avant de se livrer au plaisir de tirer de longues bouffées de sa pipe allemande.

Que s'est-il réellement passé ensuite ? Les récits divergent, les rapports officiels sont laconiques. Qu'a-t-il voulu faire ? Se lever pour poser sa pipe sur le rebord de la cheminée ou se rapprocher de la chaleur du foyer ? Quoi qu'il en soit, le pan de sa robe de chambre, exposé au feu, a commencé à se consumer sans flamme. Il est presque aveugle et porte cette robe de chambre pour la première fois. Perdant ses repères, il s'affole et appelle au secours de sa voix perçante, bien connue de tous. Mais personne n'accourt : Montauban vaque ailleurs et le garde du corps n'est pas à son poste. Incapable de se débarrasser de cette robe de chambre que le feu dévore, il se débat, trébuche et tombe au pied du brasier, la paume de la main gauche effleurant presque le foyer.

Quelques minutes plus tard, les domestiques le trouvent inanimé devant l'âtre. S'empressant de le dévêtir, ils l'enveloppent dans des couvertures avant de le transporter sur son lit. Aussitôt alertés, Rönnow et le premier chirurgien Perret[16] dispensent les premiers soins. Les lésions les plus profondes frappent la main, le poignet, la cuisse gauche ainsi que le ventre. Toute la moitié gauche du visage est brûlée, des cheveux à la joue. Les brûlures sont spectaculaires mais celles du visage sont superficielles, et guériront au bout d'une dizaine de jours.

Revenu à lui, Stanislas plaisante sur son sort, tentant de minimiser l'accident et de rassurer Mme de Boufflers au bord de la défaillance. Les premiers jours, les praticiens – auxquels s'est joint un troisième larron, Nicolas Maillard[17], pansent les brûlures avec la « pommade de Saturne de M. Goulard et avec son eau végéto-minérale ». Le traitement s'étant révélé inefficace, ils lui substituent un mélange de baume d'arcaeus et de styrax, complété par de l'esprit-de-vin camphré et ammoniaqué. Pour hâter la cicatrisation, ils ont recours à un onguent. Pourtant, au quinzième jour, la fièvre apparaît, plongeant le roi dans un état de torpeur que les fortes doses de quinquina et de lilium, sans compter l'eau de Lucé qu'il respire, ont peine à chasser. Deux fois par jour, des courriers partent pour Versailles informer la reine de France. Stanislas confie à l'un d'eux un petit billet qu'il a dicté pour sa fille : « Vous m'aviez conseillé de me garder du froid. Vous auriez mieux fait de me dire de me préserver du chaud[18] ! » À Versailles, Marie Leszczynska et ses filles guettent les messagers sans trop savoir s'il faut croire ces nouvelles rassurantes. Elles se réfugient dans la prière, comme l'écrit Madame Adélaïde à son Papinio : « Je prie Dieu, mon cher papa, qu'il vous conserve pour le bonheur de tout le monde et pour le mien en particulier[19]. »

L'avenir de la Lorraine

La nouvelle de l'accident a plongé la population dans la stupeur et la crainte. Les églises accueillent chaque jour une foule silencieuse, adonnée à la prière pour le salut du souverain. Des quatre coins des duchés, villageois et paysans accourent à Lunéville dans l'espoir d'en savoir plus. Les auberges sont bondées. Malgré le froid glacial qui paralyse la région depuis deux mois, la foule a pris ses quartiers autour du château. Stanislas, informé de cette ferveur démonstrative, ordonne à Alliot de leur faire distribuer du pain et du vin. Il recommande que l'on donne aux plus pauvres de l'argent pour leur permettre de rentrer au pays. Il ajoute : « Tâchez aussi de leur faire entendre qu'ils ne doivent pas tant s'alarmer[20]. »

Il y a pourtant de quoi. Rönnow et Perret appellent en consultation le plus célèbre des médecins nancéiens, Bagard, et le chirurgien Dezoteux[21]. Le roi est abattu et ses souffrances s'accroissent, mais il supporte la douleur avec une impressionnante résignation. Il ne quitte plus son fauteuil, ne pouvant tolérer la chaleur du lit. Dans la nuit du 19 au 20, un grand frisson le laisse abattu. Il a beaucoup de peine à parler et sombre dans une sorte de léthargie tandis que les plaies s'infectent. La Galaizière, qui s'est installé dans les appartements royaux, signifie à Mme de Boufflers de se retirer, sa place n'étant plus auprès du roi Stanislas. Choquée, la marquise bat en retraite, soutenue par Panpan et par l'abbé Porquet.

Le 22, Choiseul-Beaupré administre les derniers sacrements au malade. Le même jour, Thibault de Montbois, intendant de police de Nancy, dépêche à l'intendant des finances de Paris, Moreau de Beaumont, un exprès qui ne laisse aucun espoir. L'administration de Versailles est en alerte : dans peu de temps, les duchés de Lorraine seront français... Pourtant, sous l'effet des toniques, Stanislas reprend conscience. Un troisième exprès part aussitôt pour Versailles prévenir la reine de ce léger mieux. Le lendemain, 23, le malade reçoit la visite du comte de Lojko, envoyé du roi Stanislas-Auguste Poniatowski, qui arrive de Varsovie porteur d'un message. Stanislas, conscient, prend la main de son interlocuteur. Ce sera son dernier effort.

À quatre heures de l'après-midi, Stanislas, roi de Pologne, duc de Lorraine et de Bar, rend le dernier soupir dans son fauteuil, sous les portraits de ses aïeux, de Marie et de feu son petit-fils, le Dauphin. Il était dans sa quatre-vingt-neuvième année.

Les duchés ont cessé d'exister

La dépouille royale est abandonnée aux chanoines réguliers de Lunéville qui la veillent jusqu'au lendemain. Ce jour-là, Chaumont de La Galaizière la confie à Perret et Rönnow afin de l'autopsier puis de l'embaumer. Lui-même se rend à Nancy où, muni de pouvoirs spéciaux, il réunit la cour souveraine et proclame solennellement la réunion des deux duchés à la France. Au même moment, les scellés sont apposés sur toutes les possessions du roi de Pologne.

Dans la salle des gardes du château de Lunéville, Perret procède à l'embaumement devant un aréopage de praticiens lorrains. Le cœur est déposé dans une boîte de plomb scellée. Même traitement pour les entrailles transportées en procession le soir même à l'église Saint-Jacques. Le corps est exposé à partir du 25 dans une chapelle ardente installée dans la chambre de parade. Des jours durant, une foule émue défile devant la dépouille du dernier duc de Lorraine.

Le 3 mars, dans l'obscurité et la boue, le convoi funèbre s'ébranle à six heures du soir, rythmé par le glas des églises. À chaque village traversé, une centaine de personnes se joignent au cortège. Celui-ci avance si lentement à la lumière des torches qu'il ne parvient pas à Notre-Dame-de-Bon-Secours avant une heure du matin.

Les prières des morts aussitôt dites, le cercueil est descendu dans la crypte. Plus tard, dans la matinée, le cardinal de Choiseul-Beaupré célèbre la messe en présence

380

des autorités. La Lorraine est en deuil de son roi bienfaisant. À la recommandation de la cour souveraine, les cloches de toutes les églises vont sonner une demi-heure trois fois par jour pendant quarante jours. Le temps pour les hommes de Louis XV de mettre au pas cette nouvelle province du royaume.

CHAPITRE XIX

Louis XV dilapide l'héritage

La mort de Stanislas marque aussi celle des duchés de Lorraine et de Bar. Leurs habitants vont devenir français et rendront allégeance à leur roi, Louis XV. La boucle se referme et le gendre de Stanislas peut récupérer son viager. Sans bruit ni heurt, Louis XV prend possession des duchés dès la fin de février par des lettres patentes en forme d'édits : « Nous prenons actuellement réellement possession du duché de Lorraine, terres, fiefs et seigneuries, droits et revenus qui en dépendent sans aucune exception, pour les posséder en toute souveraineté[1]. »

L'administration ne change pas

La structure administrative mise en place par Chaumont de La Galaizière ayant fait ses preuves depuis longtemps, il n'est pas question de changer quoi que ce soit. Les actes seront toujours pris au nom du roi, mais la nouvelle province sera placée sous l'autorité du secrétariat à la Guerre. Hasard de l'histoire, la circonstance veut que ce soit un Lorrain, le duc de Choiseul, qui en ait la charge. Le 5 mars 1766, le chancelier quitte Lunéville pour Versailles, où, quatre jours plus tard, il remet les sceaux des deux duchés à Louis XV. Il est ensuite investi du rôle d'exécuteur testamentaire du roi défunt, au même titre qu'Alliot.

Le 13, les deux hommes assistent à Versailles à un Conseil secret en présence de Louis XV. Il rassemble le duc de Choiseul, le contrôleur général L'Averdy et le prince de Beauvau. Sujet de la discussion : quel sort réserver aux biens du roi Stanislas ? Ils jugent que les châteaux, les folies, les parcs, les orangeries, les pièces d'eau seraient d'un entretien coûteux, ne serait-ce que par le caractère éphémère de l'architecture ; enfin ces témoignages de l'indépendance et de la grandeur d'un souverain n'ont plus de raison d'être dans une Lorraine ramenée au rang de simple province du royaume. Il faut aussi décourager toute velléité d'indépendance. À l'issue d'une nouvelle réunion, le 17 mars, Louis XV signe l'acte qui fixe le sort des châteaux. Seul Lunéville et son mobilier échapperont à la vente.

Trente années réduites à néant

La Galaizière et Alliot regagnent Lunéville. Des affiches placardées sur les murs de toutes les villes de Lorraine annoncent les prochaines ventes aux enchères. Quelques semaines suffiront pour disperser ce que le roi de Pologne avait mis trente ans à bâtir.

À Versailles, Madame Adélaïde fait le siège du roi pour sauver les Bosquets de la destruction à la suite d'un nouvel arrêt qui stipule que « les maisons, bâtiments, jardins, potagers, terrains, garennes et autres immeubles que le roi de Pologne possédait à son décès tant à Lunéville et Commercy qu'en autres lieux des duchés, et qui ne produisent actuellement aucuns revenus, devaient être acensés[2] ».

Avec l'indifférence et la méticulosité qui sied au parfait fonctionnaire royal, Alliot vend tout à Lunéville, à l'exception du château et des Bosquets. En vain Mique a-t-il suggéré de récupérer tous les ornements pour les jardins et palais de Louis XV... Le 23 avril, les meubles du Kiosque, du Trèfle et de la Cascade sont mis à l'encan, tout comme ceux de Jolivet, Chanteheux et Einville. Tout ce qui peut être récupéré doit être vendu : des parquets aux grilles en passant par les plombs, fers et cuivres des canalisations et des systèmes hydrauliques, que l'on arrache sans ménagement.

Beaucoup de meubles et d'objets sont achetés par les Lorrains, mais les princes rhénans ont aussi dépêché leurs rabatteurs. C'est le cas du Lunévillois Pigage, directeur des parterres de l'Électeur Palatin, qui paie au prix du plomb la fontaine d'Arion, œuvre de Guibal, et la volière du jardin des Goulottes de La Malgrange. Les nombreuses statues des parcs partent embellir les châteaux d'Haroué, de Buzancy dans les Ardennes, mais aussi de la Favorite en Autriche, résidence du margrave Sybille-Auguste de Lauenburg.

Au cri des priseurs succèdent les pioches des démolisseurs. Anéanti, le Kiosque construit par Richard Mique, détruit et pillé, le salon de Chanteheux, démolie, la Cascade d'Emmanuel Héré, démonté, l'inoubliable Rocher... Les bassins sont comblés, les quinconces et les labyrinthes, arrachés, les parterres, mis en friche. Alors que des ouvriers travaillent encore à la réfection de la galerie d'Einville, ils sont congédiés et leur travail voué à la destruction.

La mise en location épargne Jolivet. La Malgrange, tant convoitée par Christine de Saxe, échoit au comte de Stainville, commandant de la province et surtout frère de Choiseul. Le comte vandalise cette résidence à laquelle il attache peu d'intérêt : il transforme le parc en haras, supprime le petit couvent des capucins, déplace la croix de mission à Bon-Secours et finit par raser le château, ne conservant que l'aile nord du commun. En revanche, la marquise de Boufflers pourra jouir de la Ménagerie jusqu'à sa mort, le 1ᵉʳ juillet 1786.

Le château de Commercy, que Stanislas a légué à Marie Leszczynska, s'en tire en servant de casernement aux dragons d'Autichamp, mais le château d'eau, le kiosque, la colonnade hydraulique et la Fontaine royale sont démolis après adjudication, le 21 juin 1766. Quant à Lunéville, il sera le seul épargné, mais vidé de son contenu (beaucoup de tableaux sont envoyés à Versailles). Il ne tarde pas à héberger les Gendarmes rouges, au grand dam de Panpan Devaux, choqué d'apprendre que leur commandant a pris ses quartiers dans l'appartement privé de Stanislas. Madame Adélaïde est parvenue à sauver les Bosquets, devenus jardin public, mais elle ne peut empêcher la vente des Chartreuses. Au prix d'une bataille d'enchères, Panpan se rend acquéreur de celle de Mme de Boufflers qu'il rebaptise Montempé, restant ainsi l'ultime témoin d'un passé révolu.

Des proches de Stanislas, il ne reste plus grand monde. Dès sa mort, tout le monde a déserté Lunéville. Chaumont de La Galaizière a définitivement quitté la Lorraine le 13 mai 1766 ; Rönnow est rentré en Suède ; Tressan, l'abbé Porquet, la marquise de Lenoncourt et le maréchal de Bercheny sont partis vers des cieux plus avenants. Artistes, comédiens et musiciens servent d'autres mécènes ; parmi eux, Girardet, Joly, le portraitiste Dumont et Mique ont entamé une nouvelle carrière à Versailles.

Les fondations remises en question

À Nancy, en revanche, les embellissements vont survivre au vandalisme des fonctionnaires de Louis XV. Il est vrai que Stanislas a eu l'intelligence de dédier cet ensemble à son gendre... Mais ses fondations vont décliner ou changer rapidement d'esprit, surtout après la mort de Marie Leszczynska, qui s'éteint, minée par le chagrin, le 24 juin 1768[3].

La charité telle que la pratiquèrent Stanislas et sa fille n'avait jamais été du goût des rationalistes des Lumières. La Galaizière, qui avait contesté le bien-fondé de ces œuvres, ne cachait plus son opinion : « Il y a d'excellentes choses dans les fondations du roi de Pologne, mais beaucoup de manquées et d'autres qui exigent des changements pour remplir le but même qu'il s'était proposé[4]. » Quant aux jésuites de Lorraine, Louis XV les laissa en paix tant que Marie Leszczynska fut là pour veiller sur l'héritage spirituel de son père, mais ils furent chassés (juillet 1768) dès sa mort, les scellés étant apposés sur leurs biens.

En moins de deux ans, Louis XV avait achevé de disperser les acquis de son beau-père, apparemment sans regret ni douleur. Au lendemain de sa mort déjà, il s'était contenté d'ordonner des prières publiques et de commander au cardinal de Choiseul-Beaupré une grande cérémonie à la primatiale de Nancy, somptueusement décorée de sept mille cierges par Girardet. Elle s'était déroulée le 10 mai 1766 en présence de Chaumont de La Galaizière et de toutes les autorités des duchés. Paris avait également rendu hommage au roi Stanislas, le 12 juin 1766, au cours d'une cérémonie à Notre-Dame. Mais rien de plus...

Plus tard, Louis XV passa commande au sculpteur Claude-Louis Vassé du mausolée de Stanislas dans l'église de Bon-Secours. Achevé en 1776, l'édifice se caractérise par un académisme glacial qui s'oppose au magnifique monument funéraire de Catherine Opalinska. Vassé n'avait pas le talent de Nicolas-Sébastien Adam, et Louis XV n'éprouvait guère de sentiments filiaux...

La véritable succession de Stanislas

En 1768, on estime à Versailles que la Lorraine de Stanislas est définitivement enterrée. Sur le plan politique, la cour de Louis XV a raison : c'est maintenant une banale province du royaume, et Nancy n'est plus une capitale. Mais les changements radicaux orchestrés par Louis XV n'effacent pas le véritable héritage de Stanislas : un foyer culturel appelé à traverser les siècles.

Car la Lorraine n'était pas prête à oublier trente années d'autant plus passionnantes qu'elles étaient inattendues : comment pouvait-elle savoir que ce pion placé par hasard sur l'échiquier politique européen allait la rendre aux arts, aux lettres, à l'architecture, aux sciences, aux techniques, à l'urbanisme, sans jamais se désintéresser des hommes ? De son côté, la Lorraine a offert à Stanislas Leszczynski la vraie chance de sa vie. Elle a permis à un roi polonais déchu deux fois de renaître à soixante ans et de montrer à l'Europe qu'il n'était pas un héros sans triomphe.

CHAPITRE PREMIER

Député à vingt ans dans une Pologne déboussolée

1. Lvov, Lwow en polonais et Lemberg en allemand. Principal centre commercial de la Galicie orientale au xiiie siècle, la ville a été annexée à la Pologne en 1340 par Casimir III le Grand. Capitale de la Ruthénie rouge (Russie rouge) polonaise, siège d'un archevêché catholique depuis 1412, elle a été sans cesse assiégée par les Tatars, les Cosaques et les Turcs. Lors du premier partage de la Pologne, en 1772, elle échoie aux Autrichiens avant d'être reprise par les Polonais et de tomber aux mains des Soviétiques en 1938. Elle est aujourd'hui rattachée à l'Ukraine indépendante sous le nom de Lviv.

2. Abbé Proyart, *Histoire de Stanislas*, tome I, p. 50.

3. Proyart, *op. cit.*, p. 51-52.

4. Hubert Vautrin, *La Pologne du xviiie siècle vue par un précepteur français*, p. 245.

5. Casimir IV Jagellon a régné de 1447 à 1492. À sa mort, son fils Jan-Olbracht lui succède de 1492 à 1501.

6. Sigismond II Auguste : 1548-1572.

7. Abbé Proyart, *op. cit.*, tome I, p. 119.

8. *Skrupul bez skrupulu w Polsce*, vers 1730.

9. Ladislas IV, qui régna de 1632 à 1648, fut élu sans difficulté à la mort de son père Sigismond III. En 1637, il avait épousé Cécile-Renée de Habsbourg, fille de l'empereur Ferdinand II. À la mort de la reine, Ladislas IV, poussé par son chancelier Jerzy Ossolinski, changea de camp en convolant, en 1644, avec Louise-Marie de Gon-

zague; il pouvait s'assurer le soutien de la France dans sa lutte contre les Turcs.

CHAPITRE II

Le roi éphémère

1. Traité de Constantinople du 15 juillet 1700.
2. Proyart, *op. cit.*, p. 96.
3. *Cf.* Reinhard Wittrom, *Peter I, Czar und Kaiser. Zur Geschichte Peters des Grossen in seiner Zeit*, Göttingen, 1964, p. 242.
4. Proyart, *op. cit.*, p. 104.
5. Proyart, *op. cit.*, p. 112-113.
6. Proyart, *op. cit.*, p. 117-118.
7. Proyart, *op. cit.*, p. 119.
8. Voltaire, *Histoire de Charles XII*, p. 79.
9. Jacques Levron, *Madame Louis XV*, p. 12.
10. Voltaire, *op. cit.*, p. 84.
11. Voltaire, *op. cit.*, p. 98.
12. Mme de Saint-Ouen, *Œuvres choisies de Stanislas, roi de Pologne, duc de Lorraine et de Bar, précédées d'une notice historique*, Paris, 1825, p. 22.
13. Jean-Louis d'Usson, marquis de Bonnac, a été notamment ambassadeur en Espagne, en Pologne et surtout à Constantinople.
14. Archives AMAE. *Recueil des instructions données aux ambassadeurs*, 1707.
15. Madame Palatine, *Lettres françaises*, p. 335. Lettre à Étienne Polier du lundi 7 mars 1707. Le tabac avait été introduit en France par Jean Nicot, à l'époque de Catherine de Médicis, d'où son nom d'«herbe à la reine». Étienne Polier a été le surintendant de Madame à Heidelberg; il l'a suivie en France pour y devenir son confident jusqu'à sa mort, en juillet 1711.
16. *Observations sur le gouvernement de Pologne*, BMN, Ms. 1137 (360).
17. Ce livre paraîtra en polonais en 1729. Il s'est inspiré des travaux de l'humaniste et réformateur polonais Andrzej Modrzewski-Frycz (1503-1572), publiés à Cracovie entre 1551 et 1554 sous le titre *De republica emendanda*.
18. Léonard Chodzko, *Histoire de Pologne*, p. 95-96.
19. Héritier des princes de Transylvanie, élevé chez les jésuites de Bohême, il s'oppose à l'empereur-roi de Hongrie. Emprisonné, il s'échappe et se réfugie en Pologne (novembre 1701). En 1703, il

rentre pour reprendre la rébellion contre Vienne. Il va intéresser le tsar à son sort.

20. Chodzko, *op. cit.*, p. 100.

21. Bender est la capiale de la Moldavie, alors sous domination turquo.

22. Chodzko, *op. cit.*, p. 97-98.

23. Proyart, *op. cit.*, p. 183.

24. Voltaire, *op. cit.*, p. 190-191.

CHAPITRE III

Les routes de l'exil, de Zweibrücken à Wissembourg

1. Marc de Beauvau-Craon (1679-1754), conseiller à la cour souveraine de Lorraine en 1708, grand écuyer en 1711, conseiller d'État et marquis de Craon en 1712.

2. Guy Cabourdin, *Quand Stanislas régnait en Lorraine,* 1980, p. 21.

3. Étape sur la route de Francfort à Metz, le duché de Deux-Ponts était gouverné depuis le xve siècle par les ducs palatins de la maison des Wittelsbach. Le hasard a voulu que Charles, le prince régnant de la branche Deux-Ponts-Kleeburg, monte sur le trône de Suède en 1654. Voilà comment Charles XII a hérité à son tour de cette terre lointaine. Lors de la révocation de l'édit de Nantes, beaucoup de protestants français et lorrains se sont installés à Deux-Ponts, artisans, artistes, médecins, architectes, avocats, mais aussi des nobles qui sont entrés au service de la cour ducale. Aujourd'hui, Deux-Ponts est une petite sous-préfecture de Rhénanie-Palatinat.

4. Stéphane Gaber, *Stanislas Leszczynski en exil,* p. 14.

5. Gaber, *op. cit.*, p. 19.

6. Greiffencranz, chancelier du roi de Suède à Deux-Ponts depuis 1705, meurt en 1715.

7. Gaber, *op. cit.*, p. 22.

8. Gaber, *op. cit.*, p. 23.

9. La construction de Tschifflik a provoqué une polémique parmi les historiens allemands. En 1938, Carl Pohlman démontre que Stanislas a peut-être imaginé Tschifflik, mais que la résidence n'a été édifiée qu'après son départ de Deux-Ponts. Depuis, cette thèse a été abandonnée car, explique l'historien Stéphane Gaber, on a la certitude que la construction a débuté en 1715 et que les Leszczynski s'y sont installés vers 1716-1717. Si aujourd'hui le lieu Tschifflik existe toujours à Zweibrücken (Deux-Ponts), il ne reste plus que quelques pans de murs, quelques vasques et quelques pièces d'eau de ce

palais. Aujourd'hui, l'ensemble constitue un décor romantique, promenade privilégiée des Bipontins.

10. Né en 1678, formé à Uppsala, Sundahl érigera, plus tard, l'actuel palais ducal. La résidence de Stanislas a été sa première réalisation à Deux-Ponts. Il meurt en 1762.

11. Jules Favier restera au service de Stanislas jusqu'à la fin de l'exil à Deux-Ponts en 1719. Plus tard, il sera maître de ballet de l'électeur de Saxe à Dresde.

12. Ce spectacle dédié au général Poniatowski est un hommage au nouveau gouverneur général du duché, qui vient d'être nommé en remplacement de Strahlenheim, rappelé en Suède le 9 août 1718.

13. Stanislas avait fait ériger sur sa tombe un autel, qui disparaîtra au moment de la Révolution française. Selon Stéphane Gaber, il se pourrait que ce soit l'autel actuel de l'église de Medelsheim.

14. Gaber, *op. cit.*, p. 45.

15. ADMM et Gaber, *op. cit.*, p. 52. Cette reconnaissance de dette est datée du 13 février 1719 : « Je soussigné, reconnais par ce certificat écrit de ma main propre d'avoir reçu, par ordre de Son Altesse Royale, monseigneur le duc de Lorraine et des mains de Monseigneur Anthoine, son receveur général des finances, la somme de trente mille livres en argent contant du pays pour la remettre à Sa Majesté, le roi Stanislas de Pologne, mon maître, de la part duquel j'ai été envoyé pour la toucher. »

16. Gaber, *op. cit.*, p. 53.

17. BNF Fonds français, tome II, n° 12763, f° 260, et Gaber, *op. cit.*, p. 51.

18. Voltaire, *op. cit.*, p. 203.

19. Sise au cœur de Wissembourg, la maison Weber a été transformée au xxᵉ siècle en hôpital civil. Une plaque a été apposée en 1931.

20. L'abbé Labiszewski suivra Marie Leszczynska à Versailles, où il mourra en 1748.

21. Gaber, *op. cit.*, p. 62.

CHAPITRE IV

L'avenir de Marie Leszczynska

1. Léonor-Marie du Maine, comte du Bourg (1655-1739), s'est distingué au siège de Philippsbourg, à Neubourg, Friedlingen et Höchstaedt. Gouverneur de Belfort, investi du commandement dans les Trois-Évêchés puis en Alsace, il sera fait maréchal le 2 février 1724. Il est un ami très proche de Stanislas.

2. Louis-Charles-César Le Tellier, comte puis duc d'Estrées (1695-1771), fils de Michel François Le Tellier, marquis de Courtanvaux, et de Marie-Anne-Catherine d'Estrées, est le petit-fils de Louvois et le neveu du maréchal Victor-Marie d'Estrées. Chevalier de Louvois, marquis de Courtanvaux, il prendra le nom de d'Estrées en 1739 après la mort sans postérité de son oncle. Il sera fait maréchal le 24 février 1757, ministre d'État en 1758 et gouverneur des Trois-Évêchés; il sera duc en 1763.

3. Françoise-Sybille-Auguste de Saxe-Lawemburg, veuve du prince de Bade, avait songé un instant à marier son fils Louis-Georges-Simpert à Marie Leszczynska. Le projet n'aboutit pas et le prince épousa en 1721 la fille du prince de Schwarzenberg. Enfin, Marie aurait été promise au troisième fils de la margrave, Auguste-Georges-Simpert. Ce projet échoua lui aussi.

4. Louis-Henry de Bourbon-Condé, duc de Bourbon, dit Monsieur le Duc, était petit-fils naturel de Louis XIV et arrière-petit-fils du Grand Condé. Marié en 1713 à Marie-Anne de Bourbon-Conti, fille du prince de Conti qui avait été élu roi de Pologne en 1697, il devient veuf en 1720. À la mort du Régent, il deviendra le principal ministre de Louis XV, du 2 décembre 1723 jusqu'à sa disgrâce, le 11 juin 1726. En 1728, il épousera la fille du landgrave de Hesse-Rheinfels-Rotenbourg.

5. Charles-François Noirot, plus connu sous le nom de chevalier de Vauchoux, est franc-comtois. Il avait servi en Pologne lors du règne éphémère de Stanislas, comme lieutenant-colonel au Royal-Roussillon. C'est en suivant les affectations de son régiment qu'il a retrouvé le roi de Pologne exilé à Wissembourg et qu'il lui a offert ses services.

6. Âgée de vingt-cinq ans, Agnès de Prie est la fille d'Étienne Berthelot de Pléneuf, un premier commis de la guerre « qui s'était enrichi aux dépens des vivres et des hôpitaux des armées ». Son époux, le marquis de Prie, de quinze ans son aîné, naguère sous-gouverneur de Louis XIV, avait obtenu l'ambassade de Turin. Quant à la délicieuse marquise, elle était tombée dans les bras du duc de Bourbon alors âgé de trente ans. Grand, maigre, voûté sur des jambes arquées, borgne de surcroît, il n'a rien d'un séducteur mais il s'est considérablement enrichi grâce au système Law et au soutien des financiers Pâris. Vauchoux n'a aucun mal à entrer en contact avec Mme de Prie puisque sa maîtresse, la veuve Texier, la connaît depuis longtemps, son mari ayant été le caissier de Berthelot de Pléneuf. Tout ce petit monde est très proche des frères Pâris, qui ont prêté de l'argent à Stanislas.

7. Charles Jean-Baptiste Fleuriau, comte de Morville.

8. Levron, *op. cit.*, p. 33.

9. Levron, *op. cit.*, p. 131.

10. Anna Petrovna (1708-1728), fille de Pierre le Grand et de sa seconde épouse Catherine Skawronska, future impératrice Catherine Ire de 1725 à 1727. Anna Petrovna épousera en 1725 le duc Charles-Frédéric de Holstein-Gottorp.

11. Levron, *op. cit.*, p. 129.

12. Gaston May, *La Curne de Sainte-Palaye et ses relations avec Stanislas*, 1923, p. 7.

13. BNF, Coll. Bréquigny, vol. 68. Fils jumeau d'un receveur du grenier à sel d'Auxerre, né en 1697, devenu gentilhomme du duc d'Orléans, Jean-Baptiste La Curne de Sainte-Palaye était de santé délicate, ce qui avait retardé ses études. Devenu avocat au Parlement, il avait préféré poursuivre ses travaux littéraires, vivant auprès de sa mère, libéré de tout souci matériel par son frère jumeau Edme-Germain, conseiller à la cour des aides de Paris.

14. Pierre Gaxotte, *Le Siècle de Louis XV*, p. 97. Le roi et ses ministres ne sont pas encore familiarisés avec les noms polonais. Adelnau est en réalité Odolanov; quant à Anna Jablonowska, elle n'a pas épousé le comte de Leszno en secondes noces, mais en premières.

15. Gaber, *op. cit.*, p. 79.

16. Gaxotte, *op. cit.*, p. 98.

17. BNF, Coll. Bréquigny, vol. 68.

18. Gaber, *op. cit.*, p. 87.

19. BNF, Coll. Bréquigny, vol. 68.

20. Gaber, *op. cit.*, p. 88.

21. Gaber, *op. cit.*, p. 67.

22. Michel Antoine, *Louis XV*, p. 156.

23. AN, K 139[B]-140. Plusieurs copies de ces conseils existent, avec plus ou moins de variantes, notamment : AN, K 139[B]-140 n°s 24/13 et 24/16; K 138 n° 2; Ms. 822, n° 2; AAE, Correspondance Pologne Suppl., Coll. 4, f° 225. Bibliothèque Sainte-Geneviève : texte manuscrit de la main du roi Stanislas, Ms. 2017, 15 f[os]. Une autre copie se trouve à la bibliothèque Mazarine. Le texte figure en tête des *Œuvres du philosophe bienfaisant* et dans le tome II de *Stanislas, roi de Pologne* de l'abbé Proyart.

24. AN, K 139[B].

25. René Taveneaux et Laurent Versini, *Stanislas Leszczynski, inédits*, p. 11.

26. Mme de Saint-Ouen, *op. cit.*, p. 440.

27. Fille de Jean Jablonowski et de Jeanne de Béthune, Marie-Anne Jablonowska, princesse palatine de Russie, était venue vivre auprès de sa tante, Madame Royale. Belle fille aguicheuse et aventurière, elle deviendra rapidement la maîtresse de Charles-François-

Marie de Custine, comte de Wiltz, officier attaché au roi de Pologne et maître de camp-lieutenant du Stanislas-Roi, mais vraisemblablement aussi celle de Stanislas.

28. Il s'agit du fils de Mme d'Andlau au service de Stanislas, dont il ont l'envoyé à la cour de Versailles, portant, par exemple, les compliments de la nouvelle année du roi et de la reine de Pologne à Louis XV et Marie Leszczynska.

29. Le marquis de Monconseil, colonel du Royal-Biribi, était chargé de l'introduction des ambassadeurs lors du « mariage » à Strasbourg. Ami de Stanislas, qui l'avait nommé son grand veneur à Chambord. Le 20 septembre 1725, il avait épousé Cécile-Thérèse-Pauline Rioult de Curzay, dont le père était l'oncle de Mme de Prie. Quand elle résidait à Chambord, Mme de Monconseil était la dame d'atour de Catherine Opalinska. Marie, la sœur de Mme de Monconseil, épousa François de Polignac, colonel d'un régiment d'infanterie et chambellan de Stanislas.

30. En 1737, le Stanislas-Roi deviendra le Royal-Pologne.

31. Depuis les préparatifs du mariage de la princesse Marie, les Français ont pris l'habitude d'appeler le comte Michel Tarlo comte de Tarlo. En réalité, il s'appelait Michel Tarlo de Szczekarzewice.

32. Mme d'Andlau, devenue veuve, avait épousé le maréchal du Bourg.

33. Gaber, *op. cit.*, p. 106.

34. Gaber, *op. cit.*, p. 109.

35. BNF, Coll. Bréquigny, vol. 66, f°s 110-114. Ces phrases ont été écrites de la résidence de l'évêque de Blois, où loge une partie de la Cour.

36. En 1760, le château de Ménars deviendra la propriété de la marquise de Pompadour, qui le fera aménager par les architectes Gabriel et Soufflot.

37. Cabourdin, *op. cit.*, p. 31.

38. Sa sépulture a été violée à la Révolution. Et il ne reste aujourd'hui qu'un bas-relief en marbre blanc dans la cathédrale Saint-Louis de Blois.

39. Gaber, *op. cit.*, p. 112.

40. BNF, Coll. Bréquigny, vol. 66, f° 117.

Pion de Louis XV et nouvel échec en Pologne

1. Léonard Chodzko, *La Pologne historique...*, p. 111.

2. Pierre d'Anthoüard, seigneur d'Archambaut, est né en 1683

dans une vieille famille bourguignonne dont un membre est au service du roi de Suède. Passionné par l'armée, le jeune homme se met au service de Charles XII, qui l'élève au rang de colonel avant de l'attacher au service de Stanislas.

3. Germain-Louis Chauvelin (1685-1762). D'une famille de robe, ce jeune magistrat sera choisi par le cardinal de Fleury. Nommé le 23 août 1727, il sera brutalement disgracié le 20 février 1737.

4. Ce traité est aussi connu sous le nom de traité de Loewenwold, du nom d'un diplomate russe, frère d'un des favoris de la tsarine Anna Ivanovna.

5. L'empereur Charles VI, qui avait régné sur l'Espagne sous le titre de Charles II, régla sa succession selon les coutumes espagnoles. En 1703, son père Léopold Ier avait fait signer à ses deux fils un accord secret de « succession mutuelle » au cas où l'un des deux disparaîtrait sans descendance. Le 19 mai 1713, il ajouta à ce pacte une nouvelle clause établissant – comme en Espagne – la primogéniture en ligne masculine, puis en ligne féminine. C'est la pragmatique sanction, que Charles VI n'aura de cesse de faire admettre par les puissances européennes pour assurer la couronne sur la tête de Marie-Thérèse, qui naîtra en 1717.

6. Antoine-Félix, marquis de Monti (ou Monty), est né à Bologne le 29 décembre 1684. Militaire de carrière, successivement aide de camp dans les armées de Louis XIV en 1703, au service du duc de Vendôme, brigadier en 1719 puis colonel-lieutenant du Royal-Italie, son attitude pendant la guerre d'Espagne lui vaut d'être choisi pour des missions diplomatiques à Madrid. C'est en 1729 qu'il quitte Madrid pour représenter la France en Pologne.

7. Jacques Hulin est né à Paris le 20 octobre 1681, où son père travaillait pour le duc d'Orléans, futur Régent. Après le collège des Quatre Nations, le jeune homme entre au bureau des Affaires étrangères. Il parle couramment l'anglais, l'allemand, l'italien, l'espagnol, le portugais et le russe. Secrétaire d'ambassade, il a été envoyé en 1730 à Madrid pour seconder l'ambassadeur de France, le marquis de Brancas, pendant sa maladie. Hulin se retrouvera seul à représenter la France en Espagne. Sa mission avait été très appréciée par Chauvelin et Fleury.

8. AAE, Correspondance Pologne, vol. 14. Lettre de Monti à Louis XV.

9. AAE, Correspondance Pologne, vol. 14.

10. AAE, Correspondance Pologne, vol. 14. Lettre à Louis XV du 1er février 1733.

11. Pierre Boyé, *Stanislas Leszczynski et le troisième traité de Vienne,* 1898, p. 121.

12. AAE, Correspondance Pologne, vol. 14. 15 mai 1733.

13. BA, Ms. 6622. Papiers du Bourg, f° 3, 4 août 1733.

14. Libéré le 16 septembre 1733, d'Anthoüard n'a pas supporté ce traitement et meurt quelques mois plus tard.

15. AAE, Correspondance. Pologne, vol. 14. 15 septembre 1733.

16. AAE, Correspondance. Pologne, vol. 14.

17. AN, K 141².

18. Chodzko, *op. cit.*, p. 117.

19. Pierre Boyé, *Lettres inédites du roi Stanislas à Jacques Hulin,* Nancy, 1920, p. 54.

20. AAE, Correspondance Angleterre, vol. 377, f° 71. Correspondance Chauvigny à Chauvelin, 13 avril 1732.

21. AAE, Correspondance Angleterre, vol. 379, f° 75, 21 janvier 1733.

22. Traité de Turin du 25 septembre 1733.

23. Pacte de l'Escurial du 7 novembre 1733.

24. Gilles Perrault, *Le Secret du Roi,* tome I, p. 55.

25. À l'origine, le duché de Lorraine et le duché de Bar étaient distincts et gouvernés par deux dynasties différentes. Au xv° siècle, ils sont réunis sous l'autorité d'un même souverain, René I°ʳ duc d'Anjou et de Bar, qui a épousé Isabelle, héritière de la Lorraine. Bien que les duchés de Lorraine et de Bar forment l'entité politique la plus importante entre Meuse et Rhin, ils n'ont pas d'unité en raison des possessions de l'Empire insérées dans leurs terres ; notamment les Trois-Évêchés, Metz, Toul et Verdun, qui seront occupés par les rois de France à partir de 1552. Au fil des annexions françaises entre 1642 et 1661, les duchés se trouvent partagé par une bande de territoire qui permet aux armées françaises de relier Verdun au pays messin et à l'Alsace. Bien qu'enclavés dans le royaume de France, les duchés seront aussi occupés par les troupes de Louis XIV de 1670 à 1697.

26. Stanislas et Marie Leszczynska utilisaient souvent un langage codé qui amusait beaucoup les ministres de Louis XV tant il était candide. M. de la Roche signifie le cardinal de Fleury et M. de la Chauve désigne Chauvelin. Parfois leur correspondance comporte des passages chiffrés. Ces parties volontairement cachées au Cabinet des Dépêches ne portent pas sur des sujets politiques mais plutôt sur des affaires intimes.

27. AN, K 141².

28. AAE, Mémoires et Documents, France, 503, p. 117.

29. AAE, Correspondance Pologne, vol. 218, f° 129-134. 19 mai 1734.

30. ADD, Fonds Saint-Vallier 100 MI 60-63.

31. *Ibid.*

32. *Ibid.*

33. *Ibid.*

34. *Ibid.*

35. AN, K 141[2].

36. Stanislas Leszczynski, *Œuvres du philosophe bienfaisant,* tome I, p. 43.

37. Il existe plusieurs versions de ce récit destiné à sa fille Marie, dont notamment celle de la BNF, Fr 12148, f° 1, et celle de l'abbé Proyart, *op. cit.,* p. 253.

38. Proyart, *op. cit.,* p. 269.

39. *Ibid.,* p. 289.

40. Marienwerder se situe sur la rive de la basse Vistule. Jadis allemande, elle porte le nom polonais de Kwydzyn.

41. Proyart, *op. cit.,* p. 303.

42. *Ibid.,* p. 304.

43. Perrault, *op. cit.,* p. 86.

44. Perrault, *op. cit.*

45. AN, K 141[2]. 25 avril 1735.

46. AN, K 141[2]. 13 mai 1735.

47. Stanislas Leszczynski, *Œuvres du philosophe bienfaisant, op. cit.,* tome I, p. 184-185.

48. Pierre-Grégoire de Laziska dit Orlik, fils d'un ancien serviteur de Charles XII et de Stanislas Ier. En 1730, la France l'a envoyé en mission secrète à Constantinople.

49. Chodzko, *op. cit.,* p. 120.

50. Frédéric-Sébastien Wunibald Truchess, comte de Walbourg, colonel, puis major général. En 1740, Frédéric II en fera son envoyé extraordinaire à Hanovre, puis son ministre plénipotentiaire à Londres.

51. Pierre Boyé, *Correspondance de Stanislas Leszczynski avec Frédéric-Guillaume Ier et Frédéric II,* p. 45-46. Berlin, 17 mai 1736.

52. Boyé, *op. cit.,* p. 46. Berlin, 19 mai 1736.

53. *Ibid.,* p. 47.

54. *Mémoires du duc de Luynes sur la cour de Louis XV,* 1860, p. 108. Et comte Paul Biver, *Histoire du château de Meudon,* 1923, p. 224.

55. Voir l'intégralité de ce texte en annexe.

56. « ... promettons qu'arrivant le décès du roi de Pologne, duc de Lorraine et de Bar, notre seul et légitime souverain actuel, nous garderons et rendrons à Sa Majesté Très-Chrétienne la même fidélité, obéissance et service dont nous nous sommes tenus envers notre dit souverain seigneur actuel. »

57. C'est seulement le 18 novembre 1738, alors que la plupart des clauses ont déjà reçu un début d'exécution, que le troisième traité de

Vienne fixera les modalités. Les ratifications suivront, la publication de la paix est alors faite à Paris le 1ᵉʳ juin 1739.

58. À l'époque il était situé à l'emplacement de l'actuelle place du Marché.

59. Nicolas J. Fr., *Journal de ce qui s'est passé à Nancy...* BNF, Nouvelles acquisitions françaises, Ms. 4568.

60. Acte de cession dans le *Recueil des édits, ordonnances et règlements de Lorraine du règne du roi de Pologne, duc de Lorraine et de Bar,* 1748, vol. 6, p. 37-41.

61. Maurice Garçot, *Stanislas Leszczynski (1677-1766)*, Nancy, 1953, p. 127.

62. Sa Majesté Polonaise.

63. *Mémoires du duc de Luynes sur la cour de Louis XV, op. cit.,* p. 196.

CHAPITRE VI

Un figurant et son mentor

1. Charles V est né à Vienne en Autriche le 3 avril 1643 ; il meurt le 18 avril 1690 à Wels, au sud-ouest de Linz, alors qu'il se rend à une convocation de l'empereur.

2. *Les Habsbourg et la Lorraine*, Presses universitaires de Nancy, 1988, p. 154.

3. *Journal* de Jean Durival, BMN, Ms. 863.

4. En 1720, à Haroué, sur les vestiges de la demeure des Bassompierre, Marc de Beauvau fit édifier un magnifique château sur les plans de l'architecte Boffrand.

5. Cabourdin, *op. cit.,* p. 55.

6. Stanislas avait repris la faisanderie créée par François III en 1730.

7. Pierre Boyé, *Lettres inédites du roi Stanislas à Jacques Hulin,* p. 78.

8. 30 septembre 1736. Mais c'est par l'édit du 18 janvier 1737 que Stanislas nomme officiellement Chaumont de La Galaizière « chancelier et garde des Sceaux ».

9. 1671-1753.

10. Sur les dix-huit enfants du couple, six sont morts jeunes.

11. SHAT, Ya 32A, dossier Chaumont de La Galaizière.

12. Jean-Baptiste, dit comte de Lucé (1701-1777).

13. 23 février 1738. AN, KK 1005 ᴱ, p. 91, et Antoine, *op. cit.,* p 52.

14. AN, K 1190 n° 5 ter, et Antoine, *op. cit.,* p. 53.

15. AN, K 1192 n° 31, et Antoine, *op. cit.,* p. 54.

16. AN, K 1192 n° 109, et Antoine, *op. cit.*, p. 56.

17. Outre les mendiants, les malades, les invalides, les adolescents de moins de seize ans, les hommes âgés sans aide, étaient aussi exemptés les nobles, les ecclésiastiques, officiers et gardes-chasse du roi, les commis de la Ferme générale et tous ceux qui dirigeaient les corvéables. En revanche, les animaux de trait étaient eux aussi astreints à la corvée pour tirer les charrettes de pierres et de terre.

18. Antoine Chaumont de La Galaizière (1727-1812), conseiller au parlement de Paris en 1746, maître des requêtes en 1749, intendant des troupes du roi de France en Lorraine et Barrois le 18 novembre 1758 (commission du roi Stanislas), intendant de Lorraine et Barrois (commission du roi Stanislas) le 4 décembre 1758, intendant de Lorraine et Barrois (commission de Louis XV) le 25 février 1766; il sera ensuite intendant d'Alsace de 1778 à 1790.

19. 7 juillet 1737. AN, KK 1249, f°s 145-149, et Antoine, *op. cit.*, p. 58.

20. 23 juin 1737. AN, KK 1249, f°s 125-127, et Antoine, *ibid.*

21 Une septième place de conseiller d'État ordinaire, dite surnuméraire, a été créée en 1754.

22. Ils ont pouvoir de rapporter au sceau et de contresigner les actes du souverain et les expéditions en commandement.

23. Édit du 1er juin 1737. AN, E 3211, f°s 31-33.

24. Pierre-Paul Gallois connaissait bien la gestion des eaux et forêts, puisqu'il avait été chargé de veiller sur la conduite de M. de Savary, grand maître des eaux et forêts de la généralité de Rouen. Nommé par Orry en Lorraine, il était tenu de lui rendre compte directement de tout ce qu'il entreprendrait à propos des bois.

25. Par l'édit du 30 juin 1738 signé par le roi Stanislas, les Français sont admis dans les duchés aux mêmes droits et privilèges que les Lorrains, sans faire la demande de lettres de naturalité. Par réciprocité, le mois suivant, un édit de Louis XV, signé à Compiègne, assimile aux régnicoles les sujets du roi de Pologne, les déclarant capables de posséder en France tous offices ou bénéfices.

26. Les finances de la France étaient mises à mal par une politique étrangère ambitieuse et les dépenses pour l'entretien de la Cour. De plus, le système fiscal français péchait par son inefficacité et son injustice : les impôts directs – taille et capitation – ne touchaient pas les nobles ni le clergé. Et pour faire face aux dépenses extraordinaires occasionnées par les guerres, il fallut recourir à un impôt supplémentaire. Ce fut d'abord le dixième, levé de 1741 à 1749 (pendant la guerre de Succession d'Autriche), calculé en fonction de la richesse des contribuables. En 1749, il est remplacé par le vingtième, augmenté en 1765. Les privilégiés – clergé et Parlement – se sont opposés à ces mesures. Machault, le contrôleur général des

finances, instigateur de cet impôt, a résisté un temps à la pression grâce au soutien de Mme de Pompadour. Mais en 1757, après l'attentat de Damiens contre Louis XV, celui-ci met un terme aux fonctions de son ministre.

27. François d'Arlstay de Châteaufort (1702-1765) appartenait à une famille d'origine basque venue s'établir en Lorraine au xviie siècle.

28. *Réponse d'un seigneur de la cour du roi de Pologne, duc de Lorraine, à la lettre d'un de ses amis*, BMN, Ms. 1137 (360), fos 197-202, et *Stanislas Leszczynski, inédits, op. cit.*, p. 285-291.

29. Cabourdin, *op. cit.*, p. 82.

30. Charles-Louis-Auguste Fouquet (1614-1761), comte puis duc de Belle-Isle, était le petit-fils du surintendant Fouquet. Commandant en chef des Trois-Évêchés depuis 1727, gouverneur à partir de 1733; secrétaire d'État à la Guerre de 1758 à 1761. Stanislas et Belle-Isle étaient cousins. En 1729, il avait épousé en secondes noces Marie-Casimir de Béthune, fille de Louis-Marie de Béthune de Pologne, grand chambellan à Lunéville en 1737. Sa sœur, Jeanne de Béthune-Chabris, était mariée à Jean-Stanislas Jablonowski, oncle de Stanislas. Leurs filles feront tourner la tête à leur royal cousin : l'une, Catherine-Dorothée Jablonowska, sera la duchesse Ossolinska, l'autre, Marie-Anne Jablonowska, princesse de Talmont.

CHAPITRE VII

Vivre à Lunéville

1. En prenant de l'âge, Stanislas deviendra impotent; il se fera raser par Joseph Menciaux, frère des artistes *stucqueurs* qui ont travaillé à Nancy, Paris et Versailles. Celui-ci finira sa carrière comme bibliothécaire de Madame Sophie, l'une des petites-filles de Stanislas.

2. Lettre du 28 janvier 1757 adressée à un correspondant anonyme, citée par Pierre Boyé dans *La Journée du roi Stanislas,* « Pays lorrain », 1932, p. 100.

3. Boyé, *op. cit.,* p. 108. Montesquieu a séjourné jusqu'au 11 juillet 1747 à la cour de Lunéville en compagnie de Mme de Mirepoix ; mais des affaires de famille l'ont obligé à quitter précipitamment Lunéville.

4. Il faut lire « carache ».

5. *Le Cannaméliste français* est dédié au duc Ossolinski, « premier grand officier de la maison du roi de Pologne, mécène de la

cour d'un nouvel Auguste ». *Cannaméliste* est issu de *cannamel* qui désignait autrefois la canne à sucre.

6. Sorte de cylindre surmonté d'une boule décentrée, ce qui lui donne un air penché, le baba tire son nom du polonais *babka* : vieille femme.

7. *Réflexions sur divers sujets de morale*, BMN, Ms., 1137 (360), f° 1254, et *Stanislas Leszczynski, inédits, op. cit.*, p. 302.

8. Aux environs du 9 juin 1746, jour de la procession de la Fête-Dieu à Nancy.

9. Nicolas, *op. cit.*, p. 85.

10. À la mort du roi Stanislas, en 1766, ils seront soixante-sept.

11. Le prince et la princesse de Beauvau-Craon sont rentrés de Toscane et résident dans leur magnifique château d'Haroué, chef-d'œuvre de Boffrand. La princesse, qui a eu vingt enfants, en a quelques-uns auprès d'elle : le prince de Beauvau, la marquise de Boufflers, la maréchale de Mirepoix, la princesse de Chimay, la marquise de Montrevel, la comtesse de Bassompierre.

12. Françoise du Buisson d'Happoncourt (1695-1758) a épousé le 19 janvier 1712 François Huguet de Graffigny, chambellan du duc, dont elle a trois enfants qui meurent en bas âge. Brutalisée par son époux violent et grossier, elle obtient la séparation en 1723 et devient veuve deux ans plus tard. Avec le soutien de la duchesse Élisabeth-Charlotte, elle ouvre un salon littéraire à Lunéville, secondée par sa nièce Mlle de Ligniville, future Mme Helvétius. Elle entretient aussi une liaison orageuse avec Léopold Desmarest, fils du grand musicien de Léopold, de treize ans son cadet. Avant de devenir son amant, Panpan Devaux sera le confident de ses peines de cœur. Avec le traité de Vienne de 1736, qui donne les duchés de Lorraine à Stanislas Leszczynski, Mme de Graffigny se retrouve sans ressources. Le 11 septembre 1738, elle quitte Lunéville pour chercher différentes protections à Commercy, à Circy chez Mme du Châtelet, puis à Paris en 1739. C'est pendant sa période parisienne qu'elle obtient ses plus grands succès littéraires avec les *Lettres d'une Péruvienne* (1747) et sa pièce *Cénie* (1750), qui se joua à guichets fermés.

13. Raymond Herment, *Panpan Devaux*, Nancy, 1970, p. 56.

14. Gaber, *op. cit.*, p. 57.

15. À la mort du primat de Lorraine, Beauvau-Craon, le 9 juin 1742, Stanislas écarte la candidature de Zaluski et lui préfère le candidat du cardinal de Fleury, Antoine-Cleradius de Choiseul-Beaupré, qui deviendra aussi grand aumônier après le départ de Zaluski.

CHAPITRE VIII

Le petit Versailles lorrain

1. Germain Boffrand (1667-1754). Né à Nantes, fils d'un sculpteur-architecte, il est aussi par sa mère le neveu de Philippe Quinault, poète et librettiste de Lully. Il doit à son oncle son introduction dans les milieux artistiques parisiens proches de la Cour. S'il étudie la sculpture avec Bouchardon, il choisit l'architecture, entre dans l'agence de Jules Hardouin-Mansart et participe à plusieurs constructions royales. Ne pouvant prétendre à la succession du maître relayé par ses parents Robert de Cotte et Jacques Gabriel, il achète un office d'architecte-juré de la ville de Paris. Grâce à son oncle, il bénéficie de protections princières, dont celle du duc du Maine, fils légitimé de Louis XIV et grand maître de l'artillerie. Outre des commandes princières, Boffrand construit à ses risques des hôtels qu'il revend clefs en main. Protégé par la maison d'Orléans, il est normal que le duc Léopold fasse appel à lui pour ses châteaux lorrains. Homme de lettres à ses heures, il compose aussi des comédies et devient le biographe de son oncle Quinault.

2. Jean-Nicolas Jennesson (1686-1755).

3. Emmanuel Héré (1705-1763). Né à Nancy le 12 octobre 1705, Emmanuel Héré est le fils de Paul, commis des travaux du duc Léopold. D'origine tyrolienne, Paul Héré était arrivé en Lorraine avec son frère aîné, Jean-Fiacre, dans le sillage du duc. Emmanuel est né de son mariage avec Élisabeth Henry, une jeune Lunévilloise. Dès son enfance, Emmanuel a suivi son père sur les chantiers avant d'entrer au service de Germain Boffrand. Il accompagnera tout le règne lorrain de Stanislas, laissant une œuvre qui demeure, aujourd'hui encore, le plus bel exemple d'urbanisme baroque de France.

4. Lorsqu'il s'est installé au château de Lunéville, Stanislas n'a pas touché aux armes du duc Léopold qui ornent les salons. Il n'a pas non plus fait ajouter les siennes, préférant les réserver à ses propres constructions.

5. Maugras, *Les Dernières Années du roi Stanislas,* p. 349.

6. Albert Jacquot, *Le Mobilier. Les objets d'art des châteaux du roi Stanislas,* p. 43.

7. Les 28 février, 1er et 2 mars 1745.

8. Nicolas, *op. cit.,* p. 41.

CHAPITRE IX

Affaires de famille

1. Antoine, *op. cit.*, p. 301.
2. Aucun membre de la famille royale ne peut quitter le palais sans l'autorisation du roi.
3. Lettre adressée à M. d'Argenson, *in* Gaber, *op. cit.*, p. 35.
4. Nicolas, *op. cit.*, p. 1.
5. *Ibid.*
6. Louis XV connaît les sentiments de sa belle-mère, qui ne s'est jamais remise de la perte du trône de Pologne ; il sait aussi qu'elle est bien malade.
7. Pierre Boyé, *Le Roi Stanislas grand-père*, p. 315.
8. Nicolas, *op cit.*, p. 89.
9. Sigisbert ou Sigebert Ier, roi d'Austrasie de 561 à 575. Troisième fils de Clotaire Ier, il avait épousé Brunehaut, fille du roi des Wisigoths. Ce mariage attisa la jalousie de son frère Chilpéric Ier, roi de Neustrie. Sigebert périt sous les couteaux empoisonnés des sbires de Frédégonde, la maîtresse de Chilpéric.
10. Il s'agit de la maison des Arcades, dont la façade porte les armes du roi Stanislas.
11. La fontaine Stanislas existe toujours. Sur la pierre, on peut lire ce texte composé en 1813 par M. Campenon, membre de l'Institut :

Comme dans ces vallons cette eau
paisible et pure fait la
richesse et la parure.
Tel s'il avait régné sur eux
Stanislas eut rendu tous les peuples
heureux.
Contre le sort longtemps il a eu à se défendre
La flamme a couronné
Ce Phoenix des Bons Rois
Que n'a-t-il pu du ciel
interrompant les lois
Comme l'autre Phoenix renaître de
sa cendre.
Et la Fontaine d'avouer :
Heureuse du nom qui me reste,
Bon Roi ! Si je pouvais
Chaque jour recueillir les pleurs
dus pour jamais à
votre souvenir je ne
serois pas si modeste.

La fontaine fut restaurée en juillet 1876, et la légende veut qu'en ces lieux Berlioz ait composé *Les Troyens* entre 1850 et 1857.

12. Maugras, *Les Dernières Années du roi Stanislas*, p. 346.

13. *Ibid.*, p. 347.

CHAPITRE X

Les visiteurs de Lunéville

1. *La Lorraine dans l'Europe des Lumières*, p. 179.

2. Charlotte-Sophie d'Aldenburg (1715-1800) est d'ascendance danoise, française et allemande. Mariée contre son gré à l'Allemand William Bentinck, comte d'Empire, elle ne tarde pas à provoquer un scandale en obtenant une convention de séparation. Amie de Haller, Maupertuis, Réaumur et Voltaire, elle parcourt l'Europe avec sa progéniture, fait escale à la cour de Frédéric II, séjourne à Vienne, à Paris, à Venise et à Lunéville. À l'occasion, elle joue le rôle d'informatrice de Marie-Thérèse. Témoin de la Révolution française, ses lettres prennent souvent la défense des femmes.

3. Il s'agit du prince Louis et du prince Frédéric, tous deux frères cadets du prince régnant, Charles-Eugène, duc de Wurtemberg.

4. Comédie en cinq actes de Regnard.

5. Opéra-comique en un acte en prose et vaudevilles.

6. Louis de Thillay, surnommé Lécluse (vers 1711-1792), a débuté en 1737 à l'Opéra-Comique. Malgré le succès, il a troqué sa condition d'artiste contre la charge de dentiste auprès du roi Stanislas.

7. Maurice Lever, *Bibliothèque Sade (I) – Papiers de famille*, p. 508.

8. Sedlitz, village de Bohême réputé pour ses eaux minérales efficaces dans le traitement des maladies du foie.

9. Ferdinand-Jérôme de Beauvau-Craon, frère cadet de Mme de Boufflers.

10. Saint-Lambert ne logeait pas au château de Lunéville, n'étant pas un intime du roi Stanislas ; il habitait Nancy, où il est tombé malade. Émilie est intervenue auprès de Mme de Boufflers pour qu'il soit confortablement logé à Lunéville. C'est donc à l'hôtel de Craon, chez elle, que la marquise de Boufflers l'installe. Attenant au palais, cet hôtel était proche du Kiosque.

11. Il s'agit de la femme de chambre d'Émilie.

12. Émilie du Châtelet, *Lettres d'amour au marquis de Saint-Lambert*, p. 32.

13. Pastorale héroïque en musique de Houdar de La Motte.

14. Il s'agit de la « salle de comédie » construite par la régente Élisabeth-Charlotte en 1733 au sud-est du château. Le bâtiment est relié au château par une galerie en équerre qui permet une communication directe avec les appartements ducaux. Une partie des décors de l'opéra de Nancy, réalisés par Bibiena, y ont été transférés. Stanislas continuera à dépouiller Nancy au profit de son théâtre de Lunéville. En revanche, il fera construire un opéra à Nancy en 1755.

15. Voltaire, *Correspondance choisie*, p. 217.

16. AN, AP, Papiers Mme Geoffrin en cours d'inventaire.

17. Vraisemblablement la comédie de Néricault Destouches, *La Fausse Agnès ou Le Poète campagnard* (1736). Saint-Lambert jouait le rôle de Nicolas, faux Léandre qui s'introduit dans la famille de la jeune Angélique, « fausse Agnès », plus rusée que l'ingénue de *L'École des femmes* de Molière, pour supplanter un autre prétendant dont on peut supposer que le rôle était tenu par Voltaire.

18. Comédie en trois actes de Du Fresny, jouée le 2 août 1748.

19. Paroles de Paradis de Moncrif, musique de Rebel et Francœur.

20. La princesse de La Roche-sur-Yon.

21. Émilie du Châtelet, *op. cit.*, p. 112.

22. Un valet vraisemblablement; mais il n'a pu être identifié.

23. Émilie du Châtelet, *op. cit.*, p. 138-139.

24. M. du Châtelet a été convaincu d'endosser la paternité de l'enfant.

25. Lettre du 18 février 1749 à Saint-Lambert. Émilie du Châtelet, *op. cit.*, p. 159.

26. Voltaire écrira un *Éloge historique* en préface à ce livre qu'il publiera en 1759.

27. Lettre à Mme de Boufflers datée de Paris, le 3 avril 1749. Émilie du Châtelet, *op. cit.*, p. 259.

28. Il arrive le 14 avril pour repartir le 28 avril 1749.

29. En 1748, la paix d'Aix-la-Chapelle met un terme à la guerre de Succession d'Autriche. Vienne n'accordera à l'infant d'Espagne, don Philippe, que les duchés de Parme, Plaisance et Guastalla. La paix signée le 18 octobre, don Philippe s'empresse de prendre possession de ses duchés; son épouse, Madame Infante, fait un crochet par Versailles, où elle arrive le 31 décembre; elle repartira le 6 octobre de Fontainebleau pour embarquer à Antibes.

30. En aidant les amours d'Émilie, Stanislas pense éloigner Saint-Lambert de Mme de Boufflers.

31. Il s'agit de Jolivet.

32. Émilie du Châtelet, *op. cit.*, p. 191.

33. Jolivet, mis à sa disposition par Stanislas.

34. Lettre du début août 1749. Émilie du Châtelet, *op. cit.*, p. 238.

35. Saint-Lambert avait envoyé ses premiers vers à Voltaire bien avant de la rencontrer. Depuis plusieurs années, il travaille à un long poème descriptif intitulé *Les Saisons* qu'il publiera en 1769, ce qui lui vaudra d'entrer à l'Académie française.

36. Lettre de Voltaire au comte et à la comtesse d'Argental du 28 août 1749. *Correspondance choisie*, p. 235-236.

37. C'est ce qu'il écrit à l'abbé Claude-Henri de Fuzée de Voisenon, confident d'Émilie. *Op. cit.*, p. 236.

38. Plutôt que de reprendre le titre d'*Électre* de Crébillon, Voltaire l'intitule *Oreste*. La pièce sera jouée le 12 janvier 1750, retirée puis reprise le 19 pour sept représentations.

39. Levron, *Stanislas Leszczynski*, p. 334-335.

40. La baronne de Staal de Launay est la dame de compagnie et la confidente de la duchesse du Maine. Femme de lettres, elle est aussi l'amie de Mme du Deffand.

41. Émilie du Châtelet, *op. cit.*, p. 245.

42. Le jour même (10 septembre 1749), il écrit à Mme du Deffand une lettre qui commence ainsi : « Je viens de voir mourir [...] une amie de vingt... » Mais le 15 octobre, il écrit à Frédéric II : « J'ai perdu un ami de vingt-cinq années, un grand homme qui n'avait de défaut que d'être femme, et que tout Paris regrette et honore. » Enfin, le 23 octobre, il écrit à d'Argental : « Je n'ai point perdu une maîtresse, j'ai perdu la moitié de moi-même, [...] une amie de vingt ans que j'ai vu naître. »

43. Aujourd'hui, église Saint-Jacques.

44. *Bibliothèque Sade (I), op. cit.*, p. 522.

45. Charles-Édouard Stuart, dit le Prétendant ou le prince Édouard (1720-1788), fils de Jacques-Édouard-François Stuart qui avait épousé une princesse Sobieski, avait essayé de remonter sur le trône de ses pères en juillet 1745 en débarquant en Écosse. Mais ce fut un échec ; depuis, le prince errait en Europe.

46. On l'orthographie aussi Humiecska.

47. On trouve aussi l'orthographe suivante : Borwslaski (1739-1837). Pensionné du roi Stanislas-Auguste Poniatowski, il s'était fâché avec la comtesse parce qu'il avait épousé l'une de ses dames d'honneur, Izoline Barbonten, dont il eut trois enfants de taille normale. Depuis 1782, il vivait à Durham en Angleterre.

48. Bébé mesurait trente-trois pouces, soit 89,5 centimètres, et Boruslawski n'avait que vingt-huit pouces, soit 75,6 centimètres.

49. François-Xavier Auguste (1730-1806) était lieutenant général à la tête d'un corps de dix mille Saxons. En 1771, sous le nom de prince de Lusace, il s'installe en France et vit au château de Pont-sur-Seine jusqu'à ce que la Révolution le chasse, en 1790.

CHAPITRE XI

Dévot et défenseur des jésuites

1. Le bâtiment accueille aujourd'hui un collège.
2. Jean Népomucène est né à Nepomuk en Bohême vers 1330. En 1380, il a été jeté d'un pont dans les eaux de la Vltava parce qu'il a refusé de violer le secret de la confession. Invoqué lors des inondations, il était devenu le saint patron de la Bohême. Stanislas avait transmis à sa fille Marie sa dévotion pour saint Jean Népomucène. Mais plus tard ce fut au tour de Madame Louise de suivre sa mère la reine dans son adoration du saint. Et lorsqu'elle entra au Carmel de Saint-Denis, Madame Louise lui aménagea un ermitage dans le jardin du couvent.
3. Joseph Gille, dit Provençal (1679-1749). Fils de Jean Gille, maître sellier, il fut l'élève du sculpteur Collignon, puis de son parent Claude Charles. Après cinq ans en Italie dont trois à Rome, il rentre en Lorraine en 1698 et participe à la fondation de l'Académie royale de peinture et sculpture de Nancy en 1702. C'est comme fresquiste qu'il acquiert la renommée. Protégé du duc Léopold, il entre au service du roi Stanislas en 1737 et réalise pour lui de nombreuses peintures religieuses. Il sera le maître de Richard Mique.
4. À la Révolution l'église a été saccagée. Les grilles ont été enlevées, sauf celle qui sépare le chœur de la nef, qui porte toujours le chiffre de Stanislas Leszczynski.
5. Aujourd'hui, ce monument est visible à côté de celui de Catherine Opalinska. Il a été placé là lors de la première restauration du chœur, en 1807. Il est aussi d'une très belle facture.
6. René Taveneaux, « L'univers religieux de Stanislas », *La Lorraine dans l'Europe des Lumières,* p. 187.
7. « La Religion », *Œuvres du philosophe bienfaisant*, 1763, tome IV, p. 173-174.
8. *Ibid.,* p.175.
9. « Réflexions sur divers sujets de morale », *Œuvres du philosophe bienfaisant,* 1763, tome IV, p. 122.
10. *Ibid.,* p. 117.
11. Aujourd'hui Saint-Jacques.
12. Jean Girardet, né à Lunéville en 1709, mort à Nancy en 1778. Fils de Philibert, « lingier de S.A.R. », et de Nicole-Thérèse Mavelot, petite-nièce du peintre Charles Mellin. Après des études au collège de Lunéville, droit et théologie à l'université de Pont-à-Mousson, une période brève dans la cavalerie, il apprend la peinture auprès de Claude Charles, à Nancy. Au retour d'un voyage à Rome, il travaille pour le duc Léopold, puis pour François III à Florence,

dont il décore le plafond de la bibliothèque du palais Pitti. Rentré en Lorraine, il travaille pour la duchesse douairière avant d'entrer au service de Stanislas.

13. Marie Leszczynska, qui avait eu Girardet comme professeur de dessin lors de son séjour lorrain en 1765, a fait venir le peintre à Versailles après la mort de Stanislas. Girardet aurait donc travaillé au Sacré-Cœur de Toul à Versailles. Voilà pourquoi on attribue à la reine Marie un tableau de la même composition qui est conservé à Saint-Georges de Compiègne.

14. Né à Besançon en 1695, Joseph de Menoux appartient à une excellente famille de robe. À quatorze ans, il entre dans un collège dirigé par les jésuites, et il ne quittera plus l'ordre. Il enseigne dans plusieurs collèges avant de se consacrer à la prédication. Supérieur des prêtres de la Mission de Nancy, c'est en prêchant devant le roi et la reine de Pologne qu'il ne tarde pas à fréquenter la cour de Lunéville.

15. Pierre Boyé, « La journée du roi Stanislas », *Pays lorrain*, 1932, p. 102.

16. « Réflexions sur divers sujets de morale, » *Œuvres du philosophe bienfaisant*, tome IV, p. 153.

17. Article III, dans *Recueil des fondations et établissements faits par le roi de Pologne, duc de Lorraine et de Bar*, Lunéville, 1762, VI-206 p, in-fol, nouvelle édition, augmentée et corrigée.

18. Réimprimé à Nancy. Le père Pichon a dédié son livre à la reine Catherine Opalinska.

19. Cabourdin, *op. cit.*, p. 204.

20. *Recueil des fondations...*, *op. cit.*, p. 16.

21. Nicolas, *op. cit.*, p. 66-67.

22. *Ibid.*

23. Les *Grandes Remontrances* ont été imprimées à Paris le 24 mai 1753. Plus de vingt mille exemplaires ont été vendus en quelques jours.

24. *Stanislas Leszczynski, inédits, op. cit.*, p. 231.

25. *Ibid.*, p. 232.

26. *Ibid.*, p. 235.

27. *Ibid.*, p. 239.

28. *Ibid.*, p. 239.

29. *Remontrances* de la cour souveraine le 2 janvier 1755, p. 13 (Favier, catalogue du fonds lorrain, 6431), et *Stanislas Leszczynski, inédits, op. cit.*, p. 274-275.

30. *Stanislas Leszczynski, inédits, op. cit.*, p. 278.

31. *Ibid.*, p. 279.

32. AN, K 141^2.

33. Le soir du 5 janvier 1757.

34. AN, K 141². Lettre du 19 mai 1762.

35. Né à Turin en 1738, où il a fait de brillantes études chez les jésuites. Son intelligence et son aisance laissaient augurer une carrière prometteuse dans l'ordre.

36. AN, K 141².

37. La « belle mignonne » était un crâne que la reine éclairait de l'intérieur pour mieux se pénétrer de la vanité des choses de la terre. La légende veut que ce soit le crâne de Ninon de Lenclos.

38. Maugras, *op. cit.*, p. 341.

39. AN, K 141². 3 mars 1763.

40. *Stanislas Leszczynski, inédits, op. cit.*, p. 265.

41. *Ibid.*, p. 267.

42. *Ibid.*, p. 268-269.

43. Dans « Le procès des jésuites devant les parlements de France », de Jean Egret, *Revue historique*, juillet-septembre 1950, p. 27.

44. AN, K 141².

CHAPITRE XII

Pour une Église sociale

1. Dom Augustin Calmet (1672-1757). Originaire des environs de Commercy, ce savant abbé bénédictin, appartenant à la congrégation de Saint-Vanne, a participé aux travaux de recherche et de réflexion de l'académie de Moyenmoutier avant de diriger, de 1704 à 1706, celle de Munster en Alsace. Ensuite, il a passé dix ans à l'abbaye mauriste des Blancs-Manteaux où il a rassemblé la matière pour réaliser son grand projet de mettre l'Écriture sainte à la portée des fidèles. Après un bref passage à Moyenmoutier, il est nommé prieur titulaire de Lay-Saint-Christophe, puis, en 1718, abbé de Saint-Léopold de Nancy, avant de recevoir l'abbaye de Senones en 1729, qu'il conservera jusqu'à sa mort. Ses ouvrages, *Commentaire littéral sur tous les livres de l'Ancien et du Nouveau Testament, Histoire de l'Ancien et du Nouveau Testament* et *Histoire ecclésiastique et civile de Lorraine*, ont forgé sa renommée internationale. Au moment où souffle l'esprit réformateur des Lumières, il est le sage que l'on consulte sur les affaires ecclésiastiques.

2. Stanislas Joseph Konarski, né en 1700, est le dernier enfant de Georges Konarski, castellan de Zawichost, lié par le sang aux Tarlo ; il meurt en 1773.

3. *De emendandis eloquentiae vitiis* (Réforme des vices de l'éloquence), 1741.

4. Mais l'historien René Taveneaux, qui a scrupuleusement analysé les écrits du roi avec Laurent Versini dans *Stanislas Leszczynski, inédits,* écrit : « Celui qi fut un homme libre · il se plaisait à dialoguer avec les hommes de son choix quelles que fussent leurs options philosophiques. Un éclectisme volontaire et soigneusement réglé avait présidé à la composition de la Cour. »

5. Les thèses richéristes ont été exposées par Edmond Richer dans un livre publié en 1611, le *De ecclesiastica et politica potestate libellus*. L'auteur y enseigne que l'Église est gouvernée par la hiérarchie des évêques successeurs des apôtres et par les prêtres successeurs des soixante-douze disciples assemblés au concile de Jérusalem. Ainsi, les prêtres sont juges pour la foi et conseillers pour la discipline; une telle Église relève de la démocratie cléricale. Qualifiée de scandaleuse, cette thèse, au fil des ans et des règnes, a été reprise, voire réinterprétée au siècle des Lumières.

6. *Œuvres du philosophe bienfaisant*, 1763, tome II, p. 12.

7. *Ibid.*, p. 3.

8. *Œuvres du philosophe bienfaisant, op. cit.,* tome III, p. 307-308.

9. *Stanislas Leszczynski, inédits, op. cit.,* p. 279.

10. BMN, Ms. 1136 (360) : Œuvres manuscrites, f°s 286-287. Texte dans *Stanislas Leszczynski, inédits, op. cit.,* p. 245-248.

11. « Réponse d'un citoyen demeurant à Liège à son ami de Paris », dans Œuvres manuscrites, f° 155 v°. Texte dans *Stanislas Leszczynski, inédits, op. cit.,* p. 259.

12. « Réponse à la lettre d'un ami », dans *Œuvres du philosophe bienfaisant*, 1763, tome III, p. 303.

13. Recueil des mandements de l'évêché de Toul, BMN 50820, tome IV, f° 208.

14. *Œuvres du philosophe bienfaisant*, 1763, tome I, p. 251-274.

15. *Ibid.,* tome IV, p. 1-42.

16. *Ibid.,* p. 2.

17. Maugras, *Dernières Années du roi Stanislas, op. cit.,* p. 257-258.

18. *Ibid.,* p. 260, 261, 263.

19. *Ibid.,* p. 264.

20. « Le vrai bonheur consiste à faire des heureux », dans *Œuvres du philosophe bienfaisant, op. cit.,* tome I, p. 223.

21. *Recueil des fondations et établissements du roi de Pologne,* p. 25.

22. Des bureaux de charité.

23. *Recueil des fondations...,* p. 83.

24. *Ibid.,* p. 44.
25. *Ibid.,* p. 170.
26. *Ibid.,* p. 167.
27. Œuvres manuscrites, f. 300 r° ; texte dans *Stanislas Leszczynski, inédits, op. cit.,* p. 185.

CHAPITRE XIII

Tout pour la Lorraine
De l'éducation à la médecine

1. À l'époque où a été rédigée cette lettre, fin 1757, le Dauphin avait quatre garçons : Bourgogne, Berry, Provence et Artois. Il en aura huit en tout, dont cinq seulement survivront.
2. Pierre Boyé, *Le Roi Stanislas grand-père, op. cit.,* p. 278.
3. *Ibid.*
4. Abbé Proyart, *op. cit.,* tome II, p. 104.
5. *Ibid.* Une autre version des *Réflexions sur l'éducation et particulièrement des princes* a été publiée en 1763 dans le tome I des *Œuvres du philosophe bienfaisant* (p. 251-275). Plus austère, le texte, entièrement refondu pour être lu par tout le monde, a perdu toute sa saveur.
6. *Ibid.,* p. 105.
7. *Ibid.,* p. 107.
8. *Ibid.,* p. 124.
9. *Ibid.,* p. 129.
10. *Recueil des fondations et établissements faits par le roi de Pologne, op. cit.,* p. 85.
11. *Ibid.,* p. 86-87.
12. *Ibid.,* p. 149.
13. *Ibid.,* p. 153. La musique n'était pas oubliée non plus dans le programme éducatif.
14. *Recueil des fondations et établissements..., op. cit.,* p. 203.
15. Charles Bagard est né à Nancy en 1696 dans une famille qui compte de nombreux médecins. Diplômé de l'université de Montpellier, il rentre au pays pour exercer à Nancy. Parmi ses ouvrages, une *Histoire de la thériaque.* Il meurt en 1772.
16. « Projet d'association des médecins et des chirurgiens », BMN, Ms. 1137 (360), f° 318r°, et *Stanislas, inédits, op. cit.,* p. 217.
17. Claude-Humbert Piarron de Chamousset (1717-1773) : chevalier, originaire du Beaujolais, il était apparenté aux plus grandes familles, dont les Gondi. À la mort de son père, en 1737, il lui succède comme maître ordinaire de la Chambre des comptes à Paris.

Mais, préférant consacrer sa vie à faire le bien, il abandonne sa charge à son frère cadet. Possédant des connaissances en médecine, en chirurgie et en pharmacie, il ouvre un hôpital rue du Mail à Paris, où il reçoit deux cents malades par jour. Apprécié de Louis XV, il partage la conception de la bienfaisance du roi Stanislas. En 1761, le duc de Choiseul l'a nommé intendant général des hôpitaux sédentaires de l'armée du roi. On attend de lui qu'il remette de l'ordre dans ces institutions trop souvent aux mains des fournisseurs des armées.

18. Lettre manuscrite, Drouot, 23 mars 1994, n° 640.

19. La plupart des villes avaient des médecins pourvus d'une stipende, c'est-à-dire d'une pension accordée par les officiers municipaux, afin qu'ils donnent gratuitement leurs soins aux malades indigents.

20. BMN, Ms. 1137 (360), f° 116.

CHAPITRE XIV

Couronnement littéraire : une académie à Nancy

1. Louis-Élisabeth de La Vergne, comte de Tressan (Le Mans, 4 novembre 1705-Paris, 31 octobre 1783), a été dans son enfance le compagnon de jeu du roi Louis XV, dont la gouvernante, la duchesse de Ventadour, était sa propre tante. Protégé du duc d'Orléans, il a changé plusieurs fois de carrière ; tour à tour diplomate, militaire, il s'est finalement fixé en Lorraine où il a été nommé grand maréchal de la cour du roi Stanislas. Littérateur, il a rendu ses lettres de noblesse aux romans de chevalerie, alors qu'à l'époque le goût antique dominait les lettres. En 1747, alors qu'il était gouverneur du Boulonnais, il avait rédigé un énorme mémoire intitulé *Essai sur le fluide électrique considéré comme agent électrique* qui lui ouvrit les portes de l'Académie des sciences grâce aux rapports élogieux de Réaumur et de La Condamine. Il était aussi membre des académies de Londres, Berlin, Édimbourg, Montpellier et Caen.

2. *La Lorraine dans l'Europe des Lumières, op. cit.,* p. 302.

3. *Recueil des fondations et établissements..., op. cit.,* p. 121-122.

4. Il s'agit de l'île de la Réunion.

5. Le comte de Caraman est une vieille connaissance puisqu'il se trouvait à Wissembourg lors de l'annonce des fiançailles de Marie Leszczynska en qualité de colonel de Royal-Berry.

6. Il est devenu le grand maître des cérémonies du roi Stanislas.

7. Gaston Maugras, *Dernières Années du roi Stanislas,* 1906, p. 445.

8. *Mémoires de la Société royale des sciences et belles-lettres de Nancy,* tome III (1755), p. 192-193.

9. Maugras, *op. cit.,* p. 61-62. Lettre du 8 mai 1751.

10. *Ibid.,* p. 64-65.

11. Élie Catherine Fréron (Quimper, 18 janvier 1718-Paris, 10 mars 1776). Critique littéraire, chrétien, hostile aux Encyclopédistes, il crée l'*Année littéraire* en 1754. Protégé par la reine, le Dauphin, le roi Stanislas – qui sera le parrain de son fils –, le duc d'Orléans, Choiseul et le comte d'Argenson, il est lié aux jésuites tout en étant aussi franc-maçon. Il aura la dent dure pour Marmontel, Jean-Jacques Rousseau et Voltaire. Il est en quelque sorte le porte-parole des dévots.

12. Voltaire, *Correspondance choisie,* p. 566, lettre 388, aux Délices le 1er septembre 1766.

13. Charles Palissot de Montenoy (Nancy, 3 janvier 1730-Paris, 15 juin 1814). Littérateur, fils d'un chevalier, conseiller d'État de Léopold, il avait composé une épopée en latin, *Samson,* à neuf ans, soutenu une thèse de théologie à douze et écrit à dix-huit une tragédie biblique, *Sardanapale,* devenue *Zarès,* puis *Ninus Second,* jouée en 1751. Cette même année, dom Calmet l'a retenu parmi les « enfants célèbres » de la Lorraine dans sa *Bibliothèque lorraine.* Préférant la poésie et la critique à une carrière ecclésiastique, il a été remarqué par Fréron qui l'a fait entrer à l'académie de Nancy. Tout en partageant ses idées, il est un grand admirateur de Voltaire auquel il consacrera sous l'Empire *Le Génie de Voltaire.*

14. L'abbé Gabriel-François Coyer est né à Baume-les-Dames en 1707 ; formé par les jésuites, ordonné prêtre, il opte pour le camp des philosophes et devient un familier de l'hôtel de Bouillon. Le duc Charles-Godefroy avait épousé la petite-fille de Jean Sobieski. Il devient le précepteur de son fils, le prince de Turenne, qui a déjà pour gouverneur le chevalier de Ramsay, disciple de Fénelon et grand propagateur de la franc-maçonnerie.

15. Le manuscrit a été retrouvé à la Bibliothèque historique de la ville de Paris. BHVP, Ms. 618.

16. François Vincent Marc de Beauvau-Craon, né à Lunéville le 23 janvier 1711, mort à Paris le 9 mai 1742. Il était le fils du prince de Craon (1676-1754), grand écuyer de Lorraine et président du conseil de régence de Toscane, et le frère du prince de Beauvau, maréchal de France.

17. Raconté par un journaliste de Weimar dans *Acta Historico-Ecclesiastica,* Zweiter Band, p. 1055. Cité par Pierre Chevallier dans *La Lorraine dans l'Europe des Lumières, op. cit.,* p. 77.

18. *Ibid.*, p. 79.

19. Charles de Fieux, chevalier de Mouhy (Metz, 1701-Paris, 1784) ; écrivain tenté par le succès de l'abbé Prévost, il a écrit des romans comme *La Paysanne parvenue, La Mouche ou Les Aventures de Monsieur Bigand, Les Délices du sentiment.*

20. *Anti-Machiavel*, chapitre VIII, p. 105. C'est Voltaire qui avait été chargé de l'édition et de la correction du manuscrit royal aux mains du libraire-éditeur Van Duren à La Haye. L'affaire ne fut pas simple à mener.

21. *Ibid.*, p. 130.

22. *Ibid.*, p. 137.

23. *Correspondance inédite de Stanislas... avec les rois de Prusse, op. cit.*, p. 23. Lettre du 31 août 1749.

24. Voltaire, *Correspondance*, p. 242. Lettre du 15 octobre 1749.

25. Maugras, *op. cit.*, p. 250.

26. *La Lorraine dans l'Europe des Lumières, op. cit.*, p. 259.

27. Maugras, *op. cit.*, p. 255.

28. *Ibid.*, p. 257.

29. Cabourdin, *op. cit.*, p. 346.

30. Maugras, *op. cit.*, p. 386.

31. Ce texte a été inséré dans le tome IV des *Œuvres du philosophe bienfaisant, op. cit.*, p. 317.

32. Jean-Jacques Rousseau, *Confessions*, livre VIII (1750-1752), 1920, p. 141-142.

33. *La Lorraine dans l'Europe des Lumières, op. cit.*, p. 184, extrait de l'abbé Lesueur, *Maupertuis et ses correspondants*, 1896, p. 329-330.

34. *Glos wolny wolnose ubezpieczajacy*, littéralement « La parole libre, garante de la liberté » ; plus connu sous le titre « La voix libre du citoyen ». Il semble que le roi Stanislas ait traduit lui-même le texte en français, qui paraît en 1749 à Nancy. Il y a plusieurs éditions de cet essai dont celles qui figurent dans les *Œuvres du philosophe bienfaisant* sous le titre *Observations sur le gouvernement de Pologne*, éditions de 1763 et 1764, et dont le texte a été vraisemblablement peigné par le chevalier de Solignac.

35. *Œuvres du philosophe bienfaisant, op. cit.*, tome II, p. 43-45.

36. *Ibid.*, tome III, p. 5.

37. *Ibid.*, p. 29.

38. BMN, Ms. 1137 (360), f° 302 r° -304v°, copie d'un secrétaire f° 158r° -162r°, et *Stanislas Leszczynski, inédits, op. cit.*, p. 142-150.

39. *Œuvres du philosophe bienfaisant, op. cit.*, tome IV, p. 105.

40. Nicolas Barbon a publié *A Discourse of Trade* en 1690, Vauban, *La Dîme royale* en 1707, année de la parution du *Traité sur la nature des richesses, de l'argent et des tributs* de Boisguillebert.

41. *Œuvres du philosophe bienfaisant, op. cit.*, tome III, p. 236.
42. *Ibid.*, p. 251-252.
43. *Ibid.*, p. 285-288.
44. BMN, Ms. 1137 (360), p. 268.

CHAPITRE XV

Nancy, capitale

1. Gaston Maugras, *op. cit.*, p. 138-139.
2. Mme de Saint-Ouen, *op. cit.*, p. 98.
3. Charles Palissot de Montenoy composait des pièces de théâtre, notamment des tragédies dont *Ninus second*, représentée le 3 juin 1751 à Paris. Devant son maigre succès, il opta pour la comédie.
4. Palissot de Montenoy, *Théâtre et œuvres diverses*, Londres-Paris, 1763, tome II, p. 63.
5. La pièce de Palissot met en scène des originaux de toutes sortes, un financier, un médecin, une femme auteur, un philosophe, mais aussi des poètes et de beaux esprits. Si la plupart des personnages sont fantaisistes, le philosophe, lui, ressemble beaucoup à Rousseau.
6. *Œuvres de Palissot, op. cit.*, tome II, p. 40-41.
7. Le roi Stanislas.
8. Jean-Jacques Rousseau, *Les Confessions, op. cit.*, livre VIII, p. 175.
9. Cette perspective n'existe plus depuis 1846, année où une ordonnance royale autorisa la construction de mansardes sur les terrasses.
10. Jean-Baptiste Lamour (1698-1771), nommé serrurier de la ville de Nancy en 1726, puis du roi Stansislas ; il travaille désormais à toutes les constructions de Héré.
11. Jean Lamour, *Recueil des ouvrages en serrurerie*, Nancy, 1767.
12. La fontaine a été en partie supprimée pour permettre l'accès au jardin de la Pépinière.
13. Barthélemy Guibal, Nîmois de naissance, est venu s'installer à Lunéville sous le règne du duc Léopold, en 1721 ; il avait alors vingt-deux ans. En 1724, il succède au « premier sculpteur » de François III, le Français François Dumont. Son fils, Nicolas, né de son premier mariage, deviendra le premier peintre et le directeur de la galerie du duc de Wurtemberg.

14. *Ibid.*

15. Cette perspective a été amputée par le percement d'un passage pour accéder aux nouveaux bâtiments du musée accolé à l'hôtel de ville. Seul un dessin de Fontaine de 1860 permet de se faire une idée du décor de la cage d'escalier.

16. André Joly (1706-1781 ?). Peintre et architecte, né à Saint-Nicolas-de-Port le 26 janvier, sera l'élève de Claude Jacquart, alors peintre de batailles et auteur des fresques de la primatiale de Nancy. S'il travaille au début pour François III, il devient peintre du roi Stanislas dès 1738 ; il décore notamment toutes les « maisons de plaisance ».

17. Jean Girardet (1709-1778). Peintre d'histoire, portraitiste, miniaturiste, il reçoit le titre de peintre ordinaire en 1758 puis premier peintre du roi de Pologne.

18. *Stanislas Leszczynski, inédits, op. cit.*, « De l'affermissement de la paix générale », p. 102.

19. Richard Mique (1728-1794). Architecte, fils d'un maître-maçon, il aurait étudié à Paris chez Blondel. Dans le sillage de Héré, il a pris progressivement sa succession de premier architecte du roi. Il a construit les portes Sainte-Catherine et Stanislas à Nancy. À la mort de Stanislas, en 1766, il devient l'intendant des Bâtiments et Jardins de la reine Marie Leszczynska et construit un couvent réservé à de jeunes Versaillaises. Ensuite, il bâtit à la demande de Madame Louise, devenue sœur Thérèse de Saint-Augustin, la chapelle des Carmes de Saint-Denis, avant de passer au service de Marie-Antoinette. On lui doit le délicieux temple de l'Amour à Versailles. Il a été guillotiné quelques jours avant la chute de Robespierre.

20. Affecté au général commandant gouverneur de Nancy, le palais a pris le nom aujourd'hui de palais du gouverneur.

21. Paul-Louis Cyfflé (1724-1806). Sculpteur, ce Brugeois s'est installé à Lunéville vers 1746 où il entre dans l'atelier de Guibal tout en prenant pension dans une mansarde au dernier étage de sa maison. Modeleur et dessinateur du roi, puis ciseleur du roi, il est pensionné par Stanislas. En 1751, lorsqu'il épouse à Lunéville la fille du facteur d'orgues nancéien Joseph Marchal, c'est Emmanuel Héré qui fait office de témoin et signe le contrat de mariage.

22. En 1814, la statue a été remplacée par une allégorie du « génie de la France » par Labroise, puis en 1831 on substitue à cette femme ailée une statue de Stanislas, œuvre de Georges Jacquot dont l'aspect massif jure avec la légèreté de son écrin. Jacquot n'a pas le talent de ses prédécesseurs et son œuvre est la cible de nombreux critiques ; même Delacroix, de passage à Nancy en 1857, ne lui épargne pas ses sarcasmes. Aujourd'hui, elle rappelle le rôle joué en Lorraine par Stanislas « le Bienfaisant ».

23. Léopold Roxin (vers 1702-1762). Fils de Charles, huissier de la chambre de Léopold, il a été professeur à l'Académie de Florence avant de se rendre à Vienne. En 1737, il est nommé peintre du roi de Pologne, et en 1740 concierge du château royal d'Einville. Peintre d'histoire et portraitiste, il devient en 1758 peintre de la ville de Nancy.

24. « Elles garantissent le salut public ».

25. « La discorde enchaînée par un lien délibérément voulu ».

26. « L'ancienne et la nouvelle fidélité s'accordent dans un même vœu ».

27. « Éternel traité de concorde, année 1756 ».

28. L'église primatiale devint cathédrale lorsque, en 1777, on créa, aux dépens de l'antique diocèse de Toul, celui de Nancy.

29. Pierre Boyé, *Correspondance inédite de Stanislas Leszczynski avec les rois de Prusse, op. cit.*, p. 75.

30. L'église abbatiale Saint-Remy est rapidement devenue l'église paroissiale Saint-Jacques.

CHAPITRE XVI

Père des arts et mécène comblé

1. Antoine-Joseph Loriot (1716-1782).

2. Pierre Boyé, *Lettres inédites du Roi Stanislas... à Jacques Hulin, op. cit.*, p. 116. Lettre du 13 octobre 1753.

3. Le tableau se trouve au Musée historique lorrain, tout comme le portrait du père Agalangeli.

4. François Sénemont (1720-1782). Fils d'un cabaretier de Nancy, ami de Dominique Collin, il travaille avec Provençal et Pérignon au catafalque de Catherine Opalinska. Nommé peintre du roi en 1754, il est surtout connu pour ses portraits, des tableaux commémoratifs religieux et des décors de théâtre. En 1756, il est nommé peintre de la ville et réalise l'année suivante des fresques allégoriques à l'hôtel de ville de Nancy.

5. Dominique Pergaut (1729-1808). Fils d'agriculteurs de Vacqueville, il est présenté à Girardet par l'abbé Culatte, curé de sa paroisse. Après plus de quatre années passées en Italie, il rentre à Lunéville et se spécialise dans la nature morte et le trompe-l'œil. En 1773, il est nommé directeur de la manufacture de Saint-Clément et ouvre une école publique de dessin à Lunéville.

6. François Dumont (1751-1831). Fils d'un cocher de Stanislas, il est d'abord l'élève du sculpteur Mathis avant de devenir celui de

Girardet. À la mort du roi de Pologne, il tente sa chance à Paris, survit grâce au soutien des Lorrains qui entourent la reine, peint des boutons pour les tailleurs à la mode ; enfin, il devient le miniaturiste de Marie-Antoinette, puis premier peintre du roi Louis XVI. Emprisonné à la prison de l'Abbaye, il est sauvé de la guillotine par la chute de Robespierre.

7. Jean-Baptiste Isabey (1767-1855). Né à Nancy, d'origine franc-comtoise, il est passé par l'atelier de Girardet avant d'entrer dans celui de David et de devenir un familier de Joséphine de Beauharnais.

8. Gérard Voreaux, *Les Peintres lorrains du xviiie siècle*, Paris, 1998, p. 15.

9. *Gazette d'Amsterdam*, n° 72, de Lunéville, 28 août 1739. Dans *La Lorraine dans l'Europe des Lumières, op. cit.*, p. 208.

10. La Comédie est utilisée jusqu'en 1756, puis elle est transformée en caserne.

11. Le nom est orthographié Camasse ou Gamaces selon les sources.

12. Lettre du 26 septembre 1748.

13. Émilie du Châtelet, *op. cit.*, p. 145.

14. Stanislas en fera don en 1753 à la Comédie de Nancy. En 1756, il lui léguera aussi plusieurs décors.

15. Henry Desmarest (1661-1741). Né à Paris dans un milieu modeste, il devient page de la musique de Louis XIV. Remarqué par Lully, protégé par la dauphine, son rêve d'ascension dans la maison du roi s'envole. On le retrouve maître de chapelle du collège des jésuites de Paris, mais une aventure galante l'entraîne vers l'exil à Bruxelles auprès de Maximilien-Emmanuel de Bavière, à Madrid auprès du roi Philippe V, puis en 1707 il entre au service de Léopold Ier à Lunéville, auquel il restera fidèle jusqu'en 1737. Il n'entrera pas au service de Stanislas et meurt à Lunéville le 7 septembre 1741.

16. À la différence du « petit motet », qui se joue à une ou deux voix et basse continue, le « grand motet » nécessite des solistes, des chœurs et un orchestre.

17. L'expression « terre de Lorraine » permet de transgresser un privilège réservé à Sèvres ; car cette « pâte à marbre » utilisée par Cyfflé s'apparentait beaucoup à la porcelaine.

18. Magny a exécuté sept exemplaires de cet instrument : le premier a été fabriqué pour le duc de Chaulnes qui en avait fourni les indications. Le cabinet de physique du duc, membre de l'Académie des sciences, était très réputé. L'instrument se trouve aujourd'hui au musée du Conservatoire national des arts et métiers à Paris. Un autre

exemplaire est conservé actuellement à l'École polytechnique; il provient sans doute des collections de l'Académie royale des sciences. En plus du microscope de Stanislas qui se trouve au Musée historique lorrain à Nancy, il existe encore celui dit « de Mme de Pompadour », entré jadis dans les collections du comte de Noailles et qui se trouve aujourd'hui dans une collection privée. Parmi les trois microscopes dont on a perdu la trace, figure celui que possédait Louis XV.

CHAPITRE XVII

Le sage de l'Europe

1. Pierre Boyé, *Le Roi Stanislas grand-père, op. cit.*, p. 352.

2. *Ibid.*, p. 351-352, et abbé Proyart, *op. cit.*, tome II, p. 273-274.

3. Maciej Miechowita a publié à Cracovie en 1517 un traité en latin, *Tractatus de duabus Sarmatiis Asiana et Europeana* (Traité des deux Sarmaties d'Asie et d'Europe).

4. Mme de Saint-Ouen, *Œuvres choisies de Stanislas..., op. cit.*, p. 256, et *Stanislas Leszczynski, inédits, op. cit.*, p. 32.

5. *Projet de triple alliance contre les Moscovites*, BMN, Ms. 1137 (360) f° 173 r° -175 r°, et *Stanislas Leszczynski, inédits, op. cit.*, p. 75-80.

6. BMN, Ms. 1137 (360), f°s 164 r° -170r°, et *Stanislas Leszczynski, inédits, op. cit.*, p. 81-94.

7. BMN, Ms. 1137 (360), f°s 188r° -192r°, et *Stanislas Leszczynski, inédits, op. cit.*, p. 95-105.

8. BMN, Ms. 1137 (360), f° 191r°.

9. BMN, Ms 1137 (360) f°s 137r° -141r°, et *Stanislas Leszczynski, inédits, op. cit.*, p. 107-118.

10. *Œuvres du philosophe bienfaisant, op. cit.*, tome III, p. 248.

11. Pierre Boyé, *Correspondance inédite avec les rois de Prusse, op. cit.*, p. 78-79.

12. Abbé Proyart, *Histoire de Stanislas Ier, op. cit.*, tome II, p. 176. Lettre du 2 avril 1760.

13. Le 29 août 1756.

14. Boyé, *Correspondance inédite avec les rois de Prusse, op. cit.*, p. 80.

15. Ce congrès aboutit à la signature de deux traités, celui de Paris, le 10 février 1763, qui concerne l'Angleterre et la France, et, le 15 février, celui de Hubertsbourg, signé par l'Autriche, la Saxe et la Prusse.

16. BMN, Ms. 1137 (360) f°s 259 r°-260r°, et *Stanislas Leszczynski, inédits, op. cit.,* p. 130.

17. AN, K 141².

18. À la mort d'Élisabeth de Russie, le 4 janvier 1762, c'est son neveu qui lui succède sous le nom de Pierre III, grand admirateur de Frédéric II; son mépris pour les Russes lui vaut d'être déposé par l'armée, qui installe son épouse Catherine à sa place. Le 10 juillet 1762, elle devient Catherine II de Russie.

19. *Stanislas Leszczynski, inédits, op. cit.,* p. 135.

20. Il veut dire qu'il n'a pas pu se présenter en qualité de citoyen polonais en raison de sa position en Lorraine.

21. *Stanislas Leszczynski, inédits, op. cit.,* p. 135-136.

22. *Ibid.,* p. 136.

23. *De l'affermissement de la paix générale,* BMN, Ms. 1137 (360), f° 189.

24. *Mémorial du roi Stanislas Leszczynski,* publié par Jerzy Zycki, Varsovie, 1932, préface d'Auguste Zaleski, p. 3, et *Stanislas Leszczynski, inédits, op. cit.,* p. 36.

CHAPITRE XVIII

La Lorraine perd son bienfaisant

1. AN, K 141².

2. AN, K 141².

3. Madame Élisabeth, dernier enfant du Dauphin et de Marie-Josèphe de Saxe, est née le 23 mai 1764.

4. ADD, Fonds Saint-Vallier : 100 MI 148.

5. Après la mort du duc Ossolinski, Stanislas avait accordé en 1757 la jouissance d'un pavillon de La Malgrange, la Ménagerie, à Mme de Boufflers.

6. Marie Leszczynska avait voulu marier son père à la jeune femme, de cinquante ans sa cadette. Stanislas, qui avait beaucoup ri de ce projet, avait sympathisé avec la princesse. Elle était devenue une habituée de Lunéville. À l'automne 1762, Stanislas l'a nommée auprès de l'abbesse de Remiremont, la princesse Charlotte, fille du duc Léopold. Elle lui succédera en 1773 et y demeurera jusqu'en 1782.

7. Madame Louise fait allusion aux deux séjours de ses sœurs Adélaïde et Victoire en 1761 et 1762.

8. Pierre Boyé, *Le Roi Stanislas grand-père, op. cit.,* p. 359-360.

9. *Ibid.*, p. 360-361.
10. BMN, Ms. 1137 (360), f° 107.
11. AN, K 141².
12. François Ducaud-Bourget, *Louis Dauphin de France*, p. 262.
13. *Ibid.*, p. 263.
14. AN, K 141².
15. Mme de Saint-Ouen, *op. cit.*, p. 103, et Gaston Maugras, *op. cit.*, p. 427.
16. Charles-Hilaire Perret a été chirurgien-major de l'hôpital de Lunéville (1751), chirurgien ordinaire du roi dès 1757, puis chirurgien ordinaire du roi stipendié de Lunéville et de l'hôpital militaire et bourgeois, juré aux rapports pour le district du bailliage de cette ville ; enfin, depuis 1763, premier chirurgien du roi et garde des chartes et des statuts de la maîtrise des chirurgiens de Lorraine et Barrois. Il exercera jusqu'à sa mort en 1772.
17. Nicolas Maillard est docteur en médecine de la faculté de Montpellier, médecin de l'hôtel du roi, associé correspondant au collège royal de médecine de Nancy et depuis 1757 médecin stipendié de la ville de Lunéville.
18. AN, K 141².
19. Mme de Saint-Ouen, *op. cit.*, p. 87.
20. Gaston Maugras, *op. cit.*, p. 431.
21. François Dezoteux (1724-1803). Chirurgien-major du régiment du roi, en garnison à Lunéville. Docteur en médecine de Besançon, il s'est illustré par des travaux sur l'inoculation. Il terminera sa carrière comme inspecteur général des hôpitaux militaires.

CHAPITRE XIX

Louis XV dilapide l'héritage

1. AN, E. 3259.
2. AN, E. 2433.
3. Marie Leszczynska a voulu que son cœur soit déposé auprès des dépouilles de ses parents dans la crypte de l'église de Bon-Secours. Louis XV a exécuté ses dernières volontés et fait ériger un petit monument en forme de médaillon à côté du mausolée du roi Stanislas.
4. René Taveneaux, *Histoire de Nancy, op. cit.*, p. 306.

SOURCES ET BIBLIOGRAPHIE

SOURCES MANUSCRITES

Archives nationales (AN)

KK 1148-1157 : Audience du sceau de Lorraine.
KK 1129-1131 : Inventaire de la succession de Stanislas (1753-1767).
KK 498-499 : État des recettes et dépenses 1740, 1747.
K 1190 n° 15 : À propos de l'exploitation des bois.
K 139^B, 141, 147, 148 : Mariage de Marie Leszczynska et correspondance.
K 1188 : Inventaire des meubles et états de la maison de Stanislas.
K 1189 : Obsèques et exécutions testamentaires de Stanislas (1743-1767).
K 1190 n° 5 ter, n° 6 : Mémoire de Trudaine et n° 15 (maréchal duc de Belle-Isle).
K 575 : Mariages, inventaires, testaments de la maison de France et de Lorraine.
K 505, 506 : Comptes divers des maisons de Louis XV et de Marie Leszczynska.
K 157-159 : Papiers du comte de Broglie, dont correspondance secrète avec le roi (1752-1774).
E 2861-3272 : Duché de Lorraine.
E 2433 n° 48 : Arrêts rendus après la mort du roi Stanislas.
E 3146-3149 : Conseil aulique.
E 3133 : État des anciennes rentes et fondations du roi de Pologne.
P 4035-P 4035 5 : Registres du contrôle général des finances de Lorraine et Barrois.

O¹ 827-829 : Registres d'audiences royales (Versailles).
O¹ 903 : Obsèques de Marie Leszczynska.
O¹ 1044 : Obsèques de Catherine Opalinska.
O¹ 3784 : Missions du roi de Pologne.
O¹ 1324-1342 : Châteaux de Blois et de Chambord.
O¹ 3717-3742 : Maison de la reine Marie Leszczynska.
O¹ 3746 : Maison de Mesdames.
T 153 [98] : Articles, arrêtés, de l'arrangement pris pour la maison de Lorraine (1737).

Archives départementales de la Drôme (ADD)
Fonds du château de Saint-Vallier.

Archives départementales de Meurthe-et-Moselle (ADMM)
Série 3 F – Fonds dit de Vienne : Dossier Chancellerie et Conseils.
Ms. 192 : Inventaire du duc Ossolinski.

Archives des Affaires étrangères (AAE)
– Angleterre
  Correspondance : vol. 377, 379.
– France
  Mémoires et documents : vol. 173, 503, 1258, 1306, 1307, 1311, 1312.
– Lorraine
  Correspondance : vol. 131, 132, 145.
– Pologne
  Correspondance : vol. 14, 173, 175, 178, 218, 219, 221-224, 227-307.
  Mémoires et documents : vol. 1, 2, 12-18, 26-28.

Service historique de l'armée de terre (SHAT)
Ya 32 : Dossier Chaumont de La Galaizière.
Ya 158, 159 : École des cadets de Lunéville.

Riksarkivet Stockholm (RAS)
Polonica, vol. 326 (relations entre Stanislas Leszczynski et le roi Charles XII).

Bibliothèque nationale de France (BNF)
Collection Brequigny : Papiers La Curne de Sainte-Palaye, vol. 66 et 119.
Journal du libraire Nicolas : Ms. 4568.

Bibliothèque de l'Arsenal (BA)
Correspondance du Bourg : Ms. 6615.
Papiers du Bourg : Ms. 6622.
Fête donnée à Sa Majesté le roi Stanislas par madame la marquise de Monconseil, à Bagatelle, le 29 septembre 1756 : 1 3269.

Bibliothèque historique de la ville de Paris (BHVP)
Ms. 618 : Gazetin

Bibliothèque municipale de Nancy (BMN)
Ms. 296 : Correspondance diplomatique. Nouvelles à la main adressées au roi Stanislas.
Ms. 785 : Mélanges historiques relatifs à la Lorraine.
Ms. 1079 (406) : Pièces rassemblées par le duc Ossolinski (2 volumes).
Ms. 1310-1325 (863) : Journal de Durival (14 volumes).
Ms. 1024 : *Journal de ce qui s'est passé en Lorraine depuis 1745 jusqu'en 1749* par le libraire Nicolas.
Ms. 1136 (360) : Manuscrits du feu roi de Pologne Stanislas Ier, la plupart écrits de sa main...
Ms. 1487 : Manuscrit de Gaston May sur La Curne de Sainte-Palaye.
50820. IV : Recueil des mandements de l'évêché de Toul.

ŒUVRES IMPRIMÉES DE STANISLAS

La Voix libre du citoyen (texte polonais), s.l., 1733, 1 vol. in-4°.
Lettre du roi de Pologne Stanislas Ier, où il raconte la manière dont il est sorti de Dantzig, durant le siège de cette ville, La Haye, s.d., in-8°.
La Voix libre du citoyen, ou Observations sur le gouvernement de Pologne, s.l. n.n., 1749, 2 vol. in-8° de XXXII-196 et 167 p.
Le Philosophe chrétien, s.l. n.n., 1749, in-12, 55 p.
Réflexions sur divers sujets de morale, s.l. n.n., 1750, in-8°, 113 p.
Réponse d'Ariste aux Conseils de l'amitié, imprimé à Lyon en 1747, s.l. n.n., 1750, in-8°, 235 p.
Réponse au discours qui a remporté le prix de l'Académie de Dijon, s.l. n.n., 1751, in-8°, 34 p.
Entretien d'un Européen avec un insulaire du royaume de Dumocala, s.l. (Nancy), 1752, petit in-8°, 87 p.
Entretien d'un Européen avec un insulaire du royaume de Dumocala, nouvelle édition, s.l. (Paris, Jamet), 1754, petit in-12, 104 p. ; suivi de *Réponse à la lettre d'un ami,* p. 105-181, des extraits du *Journal de Trévoux* et des lettres concernant *Dumocala,* p. 183-250.

Lettre à un ami, s.l. n.n. n.d., in-16, 20 p.

Nouvelles Découvertes pour l'avantage et l'utilité du public, Nancy, chez Henner, Imprimeur ordinaire du Roi et de la Société royale, sur la Place de la Ville-Neuve au Nom de Jésus, s.n. n.d., petit in-4°, 57 p.

Pensées sur les dangers de l'esprit, s.l. n.n. n.d. (1755), in-16, 22 p.

Entretien d'un souverain avec son favori, sur le bonheur apparent des conditions humaines, s.l. n.n., 1760, in-8°, 18 p.

L'Incrédulité combattue par le simple bon sens, s.l. (Nancy), n.n., 1760, in-8°, 34 p. ; 2ᵉ édition, s.l. n.n. n.d., in-8°, ɪɪ-60 p.

Œuvres du philosophe bienfaisant, Paris, s.n., 1763, 4 vol. in-12 (plusieurs éditions en 1764 et 1769).

Recueil de diverses matières, Nancy, Vve et Claude Leseure, 1765, in-8°, 88 p.

Réflexions sur soi-même, s.l. n.n. n.d. (1765), petit in-12, 31 p.

De l'amitié, Nancy, 1767, in-8°, 8 p.

Œuvres choisies de Stanislas roi de Pologne, duc de Lorraine et de Bar, précédées d'une notice historique par Mme de Saint-Ouen, Paris, J. Carez, 1825, in 8°, VII-450 p.

Les Opuscules inédits de Stanislas, roi de Pologne, duc de Lorraine et de Bar, publiés par Louis Lacroix, « Mémoires de l'Académie Stanislas » (Nancy, 1866).

Mémorial du roi Stanislas Leszczynski : De l'affermissement de la paix générale, publié par Jerzy Zycki, préface d'Auguste Zaleski, Varsovie, 1932.

Œuvres du roi Stanislas, choix présenté et préfacé par René Taveneaux, Nancy, Beaux livres grands amis, 1966, in-4°, 163 p.

Stanislas Leszczynski. Entretien d'un Européen et d'un habitant du royaume de Dumocala, présenté et annoté par Laurent Versini, Nancy, Publications de l'université de Nancy-II, 1981, xɪx-57 p.

Stanislas Leszczynski, inédits, introduction, notices et notes par René Taveneaux ; établissement du texte, variantes et notes par Laurent Versini, Nancy, Presses universitaires de Nancy, 1984, 348 p.

Sᴏᴜʀᴄᴇs ɪᴍᴘʀɪᴍᴇ́ᴇs

Chronique de la Régence et du règne de Louis XV (1718-1763) ou Journal de Barbier (Paris, 1866, 8 vol.).

Correspondance secrète du comte de Broglie avec Louis XV (1756-1774), publ. pour la Société de l'histoire de France par D. Ozanam et M. Antoine (Paris, 1956-1961, 2 vol.).

Correspondance inédite de Stanislas Leszczynski avec les rois de Prusse Frédéric-Guillaume et Frédéric II (1736-1766), publ. par Pierre Boyé (Paris, Nancy, 1906).

Correspondance choisie de Voltaire, publ. par Jacqueline Helle-gouarc'h (Paris, 1997).

Histoire de ma vie, mémoires de Casanova (Paris, 1990, 3 vol.).

Journal de l'abbé de Véri, publ. par le baron J. de Witte (Paris, 1920-1930, 2 vol.).

Journal de la Régence (1715-1723) par Jean Buvat, publ. par E. Campardon (Paris, 1865, 2 vol.).

Journal du marquis de Dangeau, publ. par L. Dussieux, E. Soulié, etc. (Paris, 1854-1860, 19 vol.).

Journal et mémoires de René-Louis de Voyer, marquis d'Argenson (Paris, 1867, 9 vol.).

Journal et mémoires de Mathieu Marais, ... sur la régence et le règne de Louis XV, publ. par M. de Lescure (Paris, 1863-1868, 4 vol.).

Lettres inédites du roi Stanislas, duc de Lorraine et de Bar, à Marie Leszczynska (1754-1766), publ. par Pierre Boyé (Paris-Nancy, 1901).

Lettres inédites du roi Stanislas avec Jacques Hulin, son ministre en cour de France (1733-1766), publ. par Pierre Boyé (Nancy, 1920).

Lettres inédites du chancelier d'Aguesseau, publ. par D.B. Rives (Paris, 1823).

Lettres d'amour d'Émilie du Châtelet au marquis de Saint-Lambert, publ. par Anne Soprani (Paris, 1997).

Mémoires du duc de Choiseul (1719-1785), publ. par F. Calmettes (Paris, 1904).

Mémoires du duc de Luynes sur la cour de Louis XV (1735-1758), publ. par L. Dussieux et E. Soulié (Paris, 1860-1865, 17 vol.).

Souvenirs de Favier, publ. *Journal de la Société d'archéologie lorraine* (Nancy, novembre 1897).

ÉLÉMENTS DE BIBLIOGRAPHIE

ANTOINE (Michel), *Le Fonds du Conseil d'État et la chancellerie de Lorraine aux Archives nationales* (Nancy, 1954).

–, *Henry Desmarest* (Paris, 1965).

–, *Le Gouvernement et l'administration sous Louis XV. Dictionnaire biographique* (Paris, 1978).

–, *Le Dur Métier de roi* (Paris, 1983).

–, *Louis XV* (Paris, 1989).

ASPREY (Robert B.), *Frédéric le Grand* (Paris, 1989).

AUBERT (Antoine), *La Vie de Stanislas Leszczynski, surnommé le Bienfaisant, roi de Pologne, duc de Lorraine et de Bar* (Paris, 1769).

BARBEY (Jean), *Être roi* (Paris, 1992).

BAZIN (Germain), *Classique, baroque et rococo* (Paris, 1965).

BEAU (Antoine), « La mort du roi Stanislas », *Annales médicales de Nancy,* tome V, 1966, p. 205-225.

–, « Le docteur Casten Rönnow, premier médecin du roi Stanislas », *Le Pays lorrain,* 1972, p. 161-173.

BEAUSSANT (Philippe), *Les Plaisirs de Versailles* (Paris, 1996).

BELAVAL (Yvon), « Qu'est-ce que les Lumières ? », *Revue du xviiie siècle,* n° 10, 1978, 526 p.

BÉLY (Lucien), *Espions et ambassadeurs au temps de Louis XIV* (Paris, 1990).

–, *La Société des princes, xvi-xviiie siècles* (Paris, 1999).

BENTINCK (comtesse de), *Une femme des Lumières. Écrits et lettres (1715-1800),* textes présentés par Anne Soprani et André Magnan (Paris, 1997).

BIVER (comte Paul), *Histoire du château de Meudon* (Paris, 1924).

BLED (J.-P.), FAUCHER (E.), TAVENEAUX (R.), *Les Habsbourg en Lorraine* (Nancy, 1988).

BOGDAN (Henry), *Les Chevaliers Teutoniques* (Paris, 1995).

BOIS (Jean-Pierre), *Maurice de Saxe* (Paris, 1992).

BOYÉ (Pierre), *La Cour de Lunéville en 1748-1749 ou Voltaire chez le roi Stanislas* (Nancy, 1891).

–, *Le Budget de la province lorraine et du Barrois sous le règne nominal de Stanislas [1737-1766]* (Nancy, 1896).

–, *La Cour polonaise de Lunéville* (Nancy, Paris, Strasbourg, 1926).

–, *Stanislas Leszczynski ou le troisième traité de Vienne* (Vienne-Cracovie, 1898).

–, *Les Châteaux du roi Stanislas en Lorraine* (Nancy, 1910).

–, *Le Roi Stanislas grand-père, 1725-1766* (Paris, 1921).

–, *Le Chancelier Chaumont de La Galaizière et sa famille* (Nancy, 1939).

–, « La journée du roi Stanislas », *Le Pays lorrain,* 1932, p. 97-117.

BRIOT (Frédéric), *Usages du monde, usages de soi. Enquête sur les mémorialistes d'Ancien Régime* (Paris, 1994).

Bulletin de la Société lorraine des études locales, n° 31, 1967-I; n°s 32-33, 1967-II/III.

CABOURDIN (Guy), *Quand Stanislas régnait en Lorraine* (Paris, 1980).

–, *La Vie quotidienne en Lorraine aux xviie et xviiie siècles* (Paris, 1984).

–, *Les Temps modernes,* tome II : *De la paix de Westphalie à la fin de l'Ancien Régime,* Encyclopédie illustrée de la Lorraine (Nancy-Metz, 1991).

CALMET (dom Augustin), *Histoire de la Lorraine* (Nancy, 1745-1757, 7 vol.).

CASTELLAN (Georges), *Histoire des peuples d'Europe centrale* (Paris, 1994).

CHOTTIEO (due de), *La vieille dame du quai Conti* (Paris, 1978).

CHAPOTOT (Stéphanie), *Les Jardins du roi Stanislas en Lorraine* (Bar-le-Duc, 1999).

CHAUNU (Pierre), *La Civilisation de l'Europe des Lumières* (Paris, 1971).

CHAUSSINAND-NOGARET (Guy), *Choiseul, naissance de la gauche* (Paris, 1998).

D.C*** CHEVRIÈRES (Jean-Guillaume de), *Histoire de Stanislas Premier, roi de Pologne, Grand duc de Lituanie, duc de Lorraine et de Bar...* (Londres, 1741).

CHODZKO (Léonard), *La Pologne historique, littéraire, monumentale et illustrée* (Paris, 1831-1841).

CIESLAK (Edmund), *W obronie tronu króla Stanislawa Leszczynskiego* (Gdansk, 1986).

–, *Stanislaw Leszczynski* (Wroclaw-Warszawa-Krakow, 1994).

–, *L'Aide militaire française à Stanislas Leszczynski (1733-1734)*, Conférence prononcée au Centre scientifique de l'Académie polonaise des sciences (Paris, 1978).

CLOULAS (Ivan), *Les Châteaux de la Loire au temps de la Renaissance* (Paris, 1996).

COLLIN (Hubert) [dir.], *La Vie artistique*, Encyclopédie illustrée de la Lorraine (Nancy-Metz, 1987).

CONTE (Francis), *Les Slaves* (Paris, 1986).

CORTEQUISSE (Bruno), *Mesdames de France. Les filles de Louis XV* (Perrin, 1989).

DAHL (Julius) et LOHMEYER (Karl), *Das barocke Zweibrücken und seine Meister* (Waldfischbach, 1957).

DELAPORTE (abbé), *Le Voyageur français* (Paris, 1777, tome XXII).

DEL PERUGIA (Marie-Magdeleine), *Madame Louise de France* (Paris, 1998).

DES RÉAULX (marquise), *Le Roi Stanislas et Marie Leszczynska* (Paris, 1895).

DOSCOT (Gérard), *Stanislas Leszczynski et la cour de Lorraine* (Paris, 1969).

DUCAUD-BOURGET (François), *Louis Dauphin de France. Le fils du Bien-Aimé* (Paris, 1961).

FABRE (Jean), *Stanislas-Auguste Poniatowski et l'Europe des Lumières* (Strasbourg, 1952).

FAVIER (Jean), *Catalogue des livres et imprimés du fonds lorrain de la Bibliothèque municipale de Nancy* (Nancy, 1898).

FRANCE-LANORD (Albert), *Emmanuel Héré, architecte du roi Stanislas* (Nancy, 1984).

FRÉDÉRIC II, *Anti-Machiavel, ou Essai de critique sur « Le Prince » de Machiavel*, publ. par M. de Voltaire (Amsterdam, 1741).

GABER (Stéphane), *Stanislas Leszczynski en exil (1714-1733)*, mémoire de maîtrise (Nancy, 1969).

–, *L'Entourage polonais de Stanislas à Lunéville (1737-1766)*, thèse de 3ᵉ cycle (université de Nancy-III, 1972).

–, « Aperçu sur la bibliothèque des Ossolinski d'après un inventaire de 1756 », *Lotharingia VII* (Nancy, 1997).

GARÇOT (Maurice), *Stanislas Leszczynski [1677-1766]* (Nancy, 1953).

GAXOTTE (Pierre), *Le Siècle de Louis XV* (Paris, réédition 1998).

–, *Frédéric II* (Paris, réédition 1996).

GILLIERS (sieur), *Le Cannaméliste français, ou Nouvelle Instruction pour ceux qui désirent d'apprendre l'office* (Nancy, 1768).

GOURARIER (Zeev), *Arts et manières de table en Occident des origines à nos jours* (Thionville, 1994).

GRIGNON (Georges), *La Médecine*, Encyclopédie illustrée de la Lorraine (Nancy-Metz, 1994).

HAECHLER (Jean), *L'Encyclopédie. Les combats et les hommes* (Paris, 1998).

HAUSSONVILLE (comte d'), *Histoire de la réunion de la Lorraine à la France*, tome IV (Paris, 1860).

HELLER (Michel), *Histoire de la Russie et de son empire* (Paris, réédition 1997).

HÉRÉ (Emmanuel), *Recueil des plans, élévations et coupes des châteaux, jardins et dépendances que le Roy de Pologne occupe en Lorraine* (Paris, 1752-1753, 2 vol.).

HERMENT (Raymond), *Panpan Devaux* (Nancy, 1970).

HUMBERT (Chantal), *Les Arts décoratifs en Lorraine de la fin du XVIIᵉ siècle à l'ère industrielle* (Paris, 1993).

INGUENAUD (Marie-Thérèse), « Le fermier général en Lorraine, Helvétius (1744-1745) », *Revue du XVIIIᵉ siècle* (n° 18, Paris, 1986, p. 201-207).

JACQUOT (Albert), *Le Mobilier. Les objets d'art des châteaux du roi Stanislas* (Paris, 1907).

JAROSZEWSKI (Tadeusz S.), *Polska : Palace izamki* (Warszawa, 1996).

JOBERT (Ambroise), *La Commission d'éducation nationale en Pologne [1773-1794]* (Dijon, 1941).

KLIOUTCHEVSKI (Vassili O.), *Pierre le Grand* (Paris, réédition de 1991).

KOLODZIEJCZYC (Dariusz), « La reconquête catholique de la Podolie », *Revue du XVIIᵉ siècle* (n° 199, 1998).

La Batut (Yves de), *Louis XV,* Documents annotés (Paris, 1933).

Labourdette (Jean-François), *Vergennes* (Paris, 1990).

Lamour (Jean), *Recueil des ouvrages en serrurerie que Stanislas le Bienfaisant roi de Pologne, duc de Lorraine et de Bar, a fait poser sur la place Royale de Nancy à la gloire de Louis le Bien-Aimé, composé et expliqué par [...] son serrurier ordinaire...* (Nancy-Paris, 1767).

La Rochefoucauld (Gabriel de), *Marie Leszczynska, femme de Louis XV* (Monaco, 1943).

Le Brun (Jacques) [dir.], « Les Jésuites », *Revue du xviiie siècle* (n° 8, 1976).

Lever (Maurice) [éd.] « Bibliothèque Sade », *Papiers de famille,* tome I : *Le règne du père (1721-1760),* (Paris, 1993).

Levron (Jacques), *Stanislas Leszczynski, roi de Pologne, duc de Lorraine* (Paris, 1984).

–, *Madame Louis XV* (Paris, 1987).

Lipinski (Edward), *De Copernic à Stanislas Leszczynski. La pensée économique et démographique en Pologne* (Paris-Varsovie, 1961).

Lonchamps (Alix), *Le Château d'Haroué en Lorraine* (Sarreguemines, 1984).

Lorraine (La), (Paris, 1886).

Lorraine (La) dans l'Europe des Lumières, Actes du colloque organisé par la faculté des lettres de l'université de Nancy [Nancy, 24-26 octobre 1966] (Nancy, 1968).

Maire (Catherine), *De la cause de Dieu à la cause de la Nation. Le jansénisme au xviiie siècle* (Paris, 1998).

Mangin (Marie-Claire), « Histoire de la Bibliothèque royale de Nancy », *Académie Stanislas* (2 octobre 1998).

Marcel (Simone), *Histoire de la littérature polonaise* (Paris, réédition de 1990).

Marot (Pierre), *Le Vieux Nancy* (Nancy, 1935).

–, *Emmanuel Héré [1705-1763]* (Nancy, 1954).

–, *La Place royale de Nancy* (Nancy, 1966).

Marsy (A. de), *Voyage du chevalier de Bellerive au camp du roi de Suède à Bender en 1712* (Paris, 1872).

Maugras (Gaston), *Dernières Années du roi Stanislas* (Paris, 1906).

Mauzi (Robert), *L'Idée du bonheur dans la littérature et la pensée française au xviiie siècle* (Paris, 1979).

Mazé (Jules), *La Cour de Louis XV* (Paris, 1944).

Mercier (Gilbert) et Delestre (Philippe), *Bébé, le nain de Stanislas* (Sarreguemines, 1985).

Montesquieu, *Considérations sur les causes de la grandeur des Romains et de leur décadence. Avec dialogue de Scylla et* d'Eucrate, Lysimaque, Dissertation politique sur la politique des Romains dans la Religion, le Discours sur Cicéron (Paris, 1967).

NICOLAS (Émile), *Le Microscope de Stanislas* (Nancy, 1930).

NEWTON (William R.), *L'Espace du roi. La cour de France au château de Versailles, 1682-1789* (Paris, 2000).

OGG (David), *L'Europe du XVIIe siècle* (Paris, 1932).

OSTROWSKI (Jan), « Tschifflik, la maison de plaisance du roi Stanislas à Deux-Ponts », *Revue du XVIIIe siècle* (n° 4, 1972).

–, « Temple de plaisir, Niezwykly Palac Stanuslawa Leszczynskiego w Chanteheux », *Kwartalnik Architektury I Urbanistyki* (tome XIX, R. 1974).

PAGÈS (Georges), *La Guerre de Trente Ans* (Paris, 1991).

PALATINE (Madame), *Lettres françaises,* publ. par Dirk van der Cruysse (Paris, 1989).

PALISSOT DE MONTENOY (Charles), *Théâtre et œuvres diverses* (Londres-Paris, 1763, 2 vol.).

PARISOT (Robert), *Histoire de Lorraine,* tome II : *1552-1789* (Bruxelles, 1978).

PERRAULT (Gilles), *Le Secret du roi* (Paris, 1994, tome I).

POULET (Jules), *Discours de la Cour souveraine de Lorraine sous Stanislas. M. d'Aristay de Châteaufort* (Nancy, 1876).

POULL (Georges), *La Maison ducale de Lorraine, devenue la maison impériale et royale d'Autriche, de Hongrie, et de Bohême* (Nancy, réédition de 1991).

PROYART (abbé Liévin-Bonaventure), *Histoire de Stanislas Ier, roi de Pologne, duc de Lorraine et de Bar* (Lyon, 1784, 2 vol.).

Recueil de documents sur l'histoire de la Lorraine (Nancy, 1865).

Recueil des édits, ordonnances et règlements de Lorraine du règne du roi de Pologne, duc de Lorraine et de Bar (Nancy, 1748, 8 vol.).

Recueil des Fondations et Établissemens fais par le roi de Pologne, duc de Lorraine et de Bar (Lunéville, 1762); suivi du *Compte général de la Dépense des édifices et bâtimens que le Roi de Pologne, duc de Lorraine et de Bar a fait construire pour l'embellissement de la ville de Nancy, depuis 1751, jusqu'en 1759* (Lunéville, 1761).

ROGER (Jacques), *Les Sciences de la vie dans la pensée française au XVIIIe siècle* (Paris, 1963).

ROSSET (François), *L'Arbre de Cracovie. Le mythe polonais dans la littérature française* (Paris, 1996).

ROSSINOT (André), *Stanislas, le roi philosophe* (Neuilly, 1999).

ROUSSEAU (Jean-Jacques), *Discours sur les avantages des sciences et des arts* (Genève, 1752).

–, *Confessions* (Paris, réédition de 1920, 3 vol.).

Rubès (Jan) et Crugten (Alain van), *Mythologie polonaise* (Bruxelles, 1998).

Sars (Comte Maxime de), *Le Cardinal de Fleury, apôtre de la paix* (Paris, 1942).

Saxe (maréchal de), *Mes rêveries ou Mémoires sur l'art de la guerre*, publ. par l'abbé Pérau (Amsterdam-Leipzig, 1757, 2 vol.).

Schama (Simon), *Le Paysage et la mémoire* (Paris, 1999).

Scher-Zembitska (Lydia), *Stanislas Ier. Un roi fantasque* (Paris, 1999).

Serwanski (Maciej), « La place de la Pologne en Europe sur l'échiquier français au xviie siècle », *Revue du xviie siècle* (n° 190, 1996).

–, « Jean III Sobieski et la Sainte Ligue », *Revue du xviie siècle* (n° 199, 1998).

Simonin (Pierre) et Clément (Roland), *L'Ensemble architectural de Stanislas* (Nancy, 1966).

Stroey (Alexandre), *Les Aventuriers des Lumières* (Paris, 1997).

Taveneaux (René), *Le Jansénisme en Lorraine (1640-1789)* (Paris, 1960).

–, (dir.), *Histoire de Nancy* (Toulouse, 1978).

Textes d'histoire lorraine du vi^e siècle à nos jours, Société lorraine des études locales (Nancy, 1933).

Tollet (Daniel), *Histoire des juifs en Pologne du xvie siècle à nos jours* (Paris, 1992).

Toussaint (Maurice), « Séjour de Stanislas à Deux-Ponts », *Le Pays lorrain* (Nancy, 1923).

Tronquart (Martine), *Les Châteaux de Lunéville* (Metz, 1991).

Trousson (Raymond), *Jean-Jacques Rousseau* (Paris, 1988, 2 vol.).

Tymowski (Michel), *Une histoire de la Pologne* (Paris, 1993).

Utopie et institutions au xviiie siècle. Le pragmatisme des Lumières, Actes du colloque organisé par la faculté des lettres de Nancy [Nancy, 23-26 juin 1959] (Paris-La Haye, 1963).

Valentin (Dr Michel), *Maupertuis, un savant oublié* (Cesson-Sévigné, 1998).

Vaucher (Paul), *Robert Walpole et la politique de Fleury* [1731-1742] (Paris, 1924).

Vautrin (Hubert), *La Pologne du xviiie siècle vue par un précepteur français,* publ. par Maria Cholewo-Flandrin (Paris, 1966).

Verneret (Hubert), *Marie de la Grange d'Arquien* [1641-1716] (Précy-sous-Thil, 1997).

Versini (Laurent) [dir.], *La Vie intellectuelle,* Encyclopédie illustrée de la Lorraine, sous la direction de René Taveneaux (Nancy-Metz, 1988).

433

VOLTAIRE, *Histoire de Charles XII, roi de Suède* (Paris, 1987).

–, *Œuvres historiques,* publ. par René Pomeau (Paris, 1957).

Voltaire et l'Europe, Catalogue de l'exposition à l'hôtel de la Monnaie à Paris (1994-1995), sous la direction de René Pomeau (Paris-Bruxelles, 1994).

VOREAUX (Gérard), « Le peintre lorrain Jean Girardet en Würtemberg », *Lotharingia VII* (Nancy, 1997).

–, « Les châteaux de La Malgrange », *Le Pays lorrain* (Nancy, 1995).

–, « André Joly, premier peintre et architecte de Stanislas Leszczynski », *Le Pays lorrain* (Nancy, 1996).

–, *Les Peintres lorrains du XVIIIe siècle* (Paris, 1998).

WITTROM (Reinhard), *Peter I, Czar und Kaiser* (Gottingen, 1964).

ZDZITOWIECKA (Halina), *Projets de rétablissements du roi Stanislas en Pologne pendant son séjour à Lunéville [1737-1766]* (Paris, 1915).

1677 : 20 octobre : naissance de Stanislas Leszczynski à Lvov.

1695 : Voyage éducatif en Europe.

1696 : Poursuite du voyage de Stanislas en Europe.
Printemps : Stanislas est à Paris et à Versailles.
17 juin : mort du roi de Pologne, Jean III Sobieski, à Wilanow.
Stanislas est nommé staroste du palatinat d'Odolanov.

1697 : Charles XII monte sur le trône de Suède.
Le duc de Lorraine, Léopold Ier, récupère ses duchés.
5 juin : Auguste, l'Électeur de Saxe, est élu roi de Pologne.
18 septembre : couronnement à Cracovie d'Auguste II.
octobre-décembre : traité de Ryswick et fin de la guerre de la Ligue d'Augsbourg.

1698 : 15 mai : le duc Léopold Ier entre dans Lunéville.
25 mai : mariage de Stanislas Leszczynski avec Catherine Opalinska.
25 octobre : Léopold Ier épouse Élisabeth-Charlotte, fille de Monsieur et de la Princesse Palatine.

1702 : 5 mai : Charles XII et son armée entrent dans Varsovie.
Novembre : troisième occupation de la Lorraine par les troupes françaises.
Léopold Ier s'installe à Lunéville.

1703 : 2 janvier : mort de Raphaël Leszczynski, père de Stanislas.
4 janvier : mort de Jean-Stanislas Jablonowski, grand-père maternel de Stanislas.
23 juin : naissance de Marie Leszczynska à Breslau.

1704 : 15 février : Auguste II est déposé.
31 mars : première rencontre entre Charles XII et Stanislas.
12 juillet : Stanislas est élu roi de Pologne.

1705 : 4 octobre : sacre à la cathédrale de Varsovie de Stanislas Ier.

1706 : 24 septembre : Charles XII, Auguste II et Stanislas Ier signent la paix d'Altranstädt.

1709 : 8 juillet : défaite de Charles XII à Poltava.
Charles XII prisonnier des Turcs à Demotika. Auguste II reprend possession de la Pologne.

1710 : 15 février : naissance du futur Louis XV.

1712 : Stanislas part rejoindre Charles XII en Bessarabie.
Stanislas en résidence surveillée à Bender.

1713 : 11 avril : traité de paix d'Utrecht et fin de la guerre de Succession d'Espagne.
23 mai : libération de Stanislas.
8 septembre : promulgation de la bulle *Unigenitus.*

1714 : 4 juillet : Stanislas prend possession du duché de Deux-Ponts.

1715 : 1er septembre : mort de Louis XIV.
Régence de son neveu, Philippe d'Orléans.

1717 : 20 juin : mort de la princesse Anne, fille aînée de Stanislas.
15 août : tentative d'enlèvement de Stanislas.

1718 : 11 décembre : Charles XII est tué à la bataille de Friderikskall en Norvège.

1719 : mars : Stanislas Leszczynski se réfugie à Wissembourg.

1721 : 25 novembre : signature du contrat de mariage entre Louis XV et l'infante d'Espagne.

1722 : 25 octobre : Louis XV sacré à Reims.

1723 : 2 décembre : mort de Philippe d'Orléans ; le duc de Bourbon lui succède auprès de Louis XV.

1724 : Octobre : renvoi en Espagne de l'infante.
6 décembre : Charles VI publie la Pragmatique Sanction.

1725 : 27 mai : annonce officielle du mariage de Louis XV avec Marie Leszczynska.
15 août : mariage par procuration à Strasbourg.
5 septembre : mariage à Fontainebleau.
22 septembre : Stanislas et Catherine Opalinska quittent Strasbourg pour Chambord.

1726 : 11 juin : disgrâce du duc de Bourbon ; Fleury devient le principal ministre à 73 ans.

1727 : 14 août : naissance des jumelles Marie Louise Élisabeth et Anne Henriette, premiers petits-enfants de Stanislas.
Septembre : mort de Madame Royale, mère de Stanislas.

1729 : 27 mars : mort du duc de Lorraine Léopold Ier.
4 septembre : naissance du dauphin Louis, à Versailles.

29 novembre : François III, fils du duc Léopold, arrive en Lorraine.

1730 : 30 août : naissance du duc d'Anjou, second fils de Louis XV. Il ne vivra que trois ans.

1er juin : François III rend hommage à Louis XV pour le Barrois.

1731 : Voltaire publie l'*Histoire de Charles XII.*

1733 : 1er février : mort d'Auguste II.

23 août : Stanislas quitte la France pour se rendre à Varsovie.

26 août : à Brest, le sosie de Stanislas s'embarque pour la Pologne.

12 septembre : Stanislas est élu roi de Pologne.

22 septembre : menacé par les Russes, Stanislas se réfugie à Dantzig.

5 octobre : Auguste III est proclamé roi de Pologne. Siège de Dantzig.

Guerre de Succession de Pologne (1733-1738).

10 octobre : Louis XV déclare la guerre à l'empereur Charles VI.

Stanislas publie *Glos wolny* en polonais.

1734 : 18 mars : les Russes assiègent Dantzig.

27 juin : Stanislas s'échappe de Dantzig déguisé en paysan.

3 juillet : Stanislas arrive à Marienwerder, en Prusse.

9 juillet : capitulation de Dantzig.

10 juillet : Stanislas hôte du roi de Prusse à Königsberg.

1735 : 3 octobre : préliminaires de Vienne.

1736 : 12 février : mariage à Vienne de François III de Lorraine avec Marie-Thérèse de Habsbourg.

4 juin : Stanislas s'installe à Meudon.

30 septembre : déclaration de Meudon. Stanislas abandonne ses droits sur la Pologne et reçoit la Lorraine en viager.

1737 : 18 janvier : nomination du chancelier Chaumont de La Galaizière auprès de Stanislas.

8 février : cérémonie de cession du Barrois à Bar-le-Duc.

21 mars : cérémonie de cession de la Lorraine à Nancy.

3 avril : Stanislas entre dans Lunéville.

2 mai : conclusion du traité de Vienne.

9 juillet : mort du grand-duc de Toscane Jean-Gaston

Médicis, François de Lorraine prend possession de la Toscane.

1738 : 18 novembre : signature de la paix de Vienne et fin de la guerre de Succession de Pologne.

1739 : 21 mai : Stanislas crée les Missions royales.

26 août : mariage par procuration de Louise-Élisabeth avec l'infant d'Espagne. Stanislas organise une grande fête à Lunéville.

1740 : 31 mai : mort de Frédéric-Guillaume Ier de Prusse ; son fils lui succède et prend le titre de Frédéric II.

20 octobre : mort de l'empereur Charles VI. Début de la guerre de Succession d'Autriche (1740-1748).

1742 : 24 janvier : Charles-Albert de Bavière élu empereur.

Stanislas fait construire le Rocher à Lunéville.

1743 : 29 janvier : mort du cardinal de Fleury. Louis XV gouverne seul.

La guerre menace les duchés de Lorraine.

1744 : 14 janvier : incendie au château de Lunéville.

3 mai : Louis XV rejoint l'armée de Flandre.

8-28 août : Louis XV est malade à Metz.

28 septembre : Stanislas reçoit Louis XV et Marie Leszczynska à Lunéville.

23 décembre : mort de la duchesse douairière Élisabeth-Charlotte à Commercy.

1745 : Début du Secret du Roi.

20 janvier : mort de l'empereur Charles VII.

23 février : le Dauphin épouse l'infante d'Espagne. Stanislas fête dignement l'événement.

11 mai : bataille de Fontenoy.

13 septembre : François de Lorraine devient l'empereur François Ier. Il est couronné le 4 octobre.

1746 : Victoires de Maurice de Saxe.

22 juillet : mort de la dauphine.

1747 : 9 février : le Dauphin épouse Marie-Josèphe de Saxe.

19 mars : mort de Catherine Opalinska.

Séjour de Montesquieu à la cour de Stanislas.

1748 : Voltaire et Émilie du Châtelet à la cour de Stanislas.

18 octobre : traité d'Aix-la-Chapelle et fin de la guerre de Succession d'Autriche.

Stanislas rédige *De l'affermissement de la paix générale* et Montesquieu publie *L'Esprit des lois.*

1749 : Stanislas publie la traduction française de *Glos wolny, La Voix libre du citoyen ou Observations sur le gouvernement de Pologne.*

Stanislas publie *Le Philosophe chrétien* et *Le Combat de la volonté et de la raison.* Charles-Édouard Stuart séjourne à la cour de Lunéville entre 1749 et 1751.

Voltaire et Émilie du Châtelet à Lunéville à partir du 20 juillet.

4 septembre : naissance de la fille de Mme du Châtelet, prénommée Stanislas Adélaïde.

10 septembre : Mort de Mme du Châtelet et départ de Voltaire.

Stanislas publie *Réponse au discours qui a remporté le prix de l'Académie de Dijon.*

1750 : Stanislas publie : *Réflexions sur divers sujets de morale* et *Réponse d'Ariste aux Conseils de l'amitié.*

28 décembre : fondation de la Bibliothèque publique de Nancy.

1751 : 3 février : séance inaugurale de la Société royale des sciences et belles-lettres de Nancy. Stanislas y est surnommé « le Bienfaisant ».

13 septembre : naissance d'un duc de Bourgogne, fils du Dauphin.

1752 : 24 janvier : début des aménagements de la place Royale de Nancy par Héré.

Stanislas publie *Entretien d'un Européen avec un insulaire du royaume de Dumocala.*

Agitation parlementaire en France : scandale des billets de confession (mars).

15 mai : création du Collège royal de médecine à Nancy.

1754 : 23 août : naissance à Versailles de Louis-Auguste, duc de Berry, futur Louis XVI, troisième arrière-petit-fils de Stanislas.

1755 : 6 février : deuxième incendie au château de Lunéville.

17 novembre : naissance à Versailles de Louis-Stanislas, comte de Provence, futur Louis XVIII.

26 novembre : fêtes de la dédicace de la place Royale à

Nancy.

Stanislas publie *Pensées sur les dangers de l'esprit.*

1756 : 1ᵉʳ mai : renversement des alliances, la France s'allie à l'Autriche par le traité de Versailles.

Début de la guerre de Sept Ans (1756-1763).

1ᵉʳ juillet : mort du duc Ossolinski.

1757 : 5 janvier : attentat de Damiens contre Louis XV.

27 juillet : Saint-Dié dévasté par un incendie.

9 octobre : naissance à Versailles de Charles, comte d'Artois, futur Charles X.

1758 : Mort de Mme de Graffigny à Paris.

Visite à Lunéville du prince Xavier de Saxe, frère de la dauphine.

3 septembre : assassinat de Joseph Iᵉʳ, roi de Portugal ; début de l'affaire des Jésuites.

1ᵉʳ novembre : le duc de Choiseul, secrétaire d'État aux Affaires étrangères.

4 décembre : Antoine Chaumont de La Galaizière, fils du chancelier, nommé intendant des duchés.

1759 : 18 novembre : Stanislas envoie sa vaisselle d'argent à la fonte, à la Monnaie de Metz.

11 décembre : troisième incendie au château de Lunéville.

1760 : Stanislas publie *L'Incrédulité combattue par le simple bon sens, essai philosophique d'un roi*, et *Entretien d'un souverain avec son favori, sur le bonheur apparent des conditions humaines.*

1761 : Stanislas publie sa traduction de l'abbé Clément : *Histoire de l'Ancien et Nouveau Testament. Interprétation édifiante tirée des saints Pères pour l'instruction morale de toutes les conditions.*

2 juillet-25 septembre : Mesdames à Plombières et à Lunéville.

1762 : 26 mai-7 septembre : second séjour de Mesdames en Lorraine.

9 juillet : Catherine II prend le pouvoir en Russie.

11-12 juillet : incendie du Kiosque.

Stanislas refuse de chasser les Jésuites de Lorraine.

1763 : Publication des écrits de Stanislas rassemblés dans : *Œuvres du philosophe bienfaisant.*

3 février : mort de Héré à Lunéville.

440

10 février : traité de Paris et fin de la guerre de Sept Ans.

9 juin : mort du nain Bébé.

5 octobre : mort du roi de Pologne, Auguste III.

1764 : Expulsion des Jésuites de France.

7 septembre : élection de Stanislas II Auguste Poniatowski, dernier roi de Pologne.

14 septembre : dernier séjour de Stanislas à Versailles.

1765 : 18 août : mort de l'empereur François Iᵉʳ à Innsbruck.

19 août : Marie Leszczynska séjourne à Commercy jusqu'au 10 septembre.

20 décembre : mort du Dauphin à Fontainebleau.

1766 : 2 février : Stanislas assiste à Notre-Dame-de-Bon-Secours à la messe de Purification de la Vierge.

3 février : messe pour le Dauphin à la primatiale de Nancy, en l'absence de Stanislas.

5 février : chute accidentelle de Stanislas à Lunéville.

23 février : Stanislas meurt des suites de ses brûlures.

27-28 février : le roi prend possession de la Lorraine.

3 mars : Stanislas Leszczynski est inhumé à Notre Dame-de-Bon-Secours.

10 mai : le cardinal de Choiseul-Beaupré célèbre une messe à la primatiale de Nancy.

13 mai : le chancelier Chaumont de La Galaizière quitte la Lorraine.

1768 : 24 juin : mort de Marie Leszczynska.

Juillet : Louis XV expulse les Jésuites de Lorraine.

GLOSSAIRE DES TERMES RELATIFS À LA POLOGNE

CASTELLAN

À l'origine, au Moyen Âge, le castellan était en Pologne un officier de justice. À partir du XVIᵉ siècle, il correspond aux lieutenants généraux des provinces de France. Le castellan commande sous l'autorité du palatin qu'il représente en son absence. Dans les provinces orientales, les fonctions de castellan et de voïévode se confondent.

CHANCELIER (ou grand chancelier)

Il s'agit du « principal ministre » de la république nobiliaire polonaise. C'est lui qui dirige la politique étrangère du pays. Il y en avait un pour la Couronne et un pour la Lituanie.

CONFÉDÉRATION

Union politique conclue entre les nobles; ces « partis » avaient le droit de s'opposer au pouvoir royal.

CONSTITUTION

Textes des décisions d'une diète.

DIÈTE

Assemblée des députés de la noblesse. Il y avait une diète en Pologne et une diète en Lituanie : tous les ans, elles votaient les impôts.

C'était aussi le nom que l'on donnait à la réunion des deux chambres (sénat et diète) en vue de l'élection du roi ou de son couronnement. Elle prend alors le nom de diète d'élection, diète de couronnement...

DIÉTINE PROVINCIALE

Assemblée des nobles d'une province. Elle propose des textes et élit les députés à la diète.

442

HETMAN

Général d'armée nommé à vie par le roi de Pologne.

JAGELLON

Dynastie de princes lituaniens qui a gouverné la Pologne de 1386 à 1572.

MAGNAT

Dans la république nobiliaire de Pologne, les magnats sont de grands seigneurs qui possèdent des propriétés latifundiaires.

MARÉCHAL

Titre porté par les chefs provinciaux de la noblesse. Mais il y a aussi le grand maréchal de la Couronne, chargé de l'ordre, de la sécurité, des cérémonies dans la résidence du roi et alentour.

PALATIN

L'ancienne Pologne était divisée en palatinats ou voïévodies. Le palatin gouvernait son district, il rendait la justice et y faisait la police.

PIAST

Dynastie polonaise de seigneurs issus de Grande-Pologne; ils ont gouverné la Pologne du xe au xive siècle.

RZECZPOSPOLITA

République nobiliaire rassemblant la Pologne et la Lituanie depuis 1569.

SÉNAT

Assemblée composée d'une centaine de personnes regroupant les magnats, évêques, voïévodes et starostes. C'est la chambre haute.

STAROSTE

« Capitaine de ville », sorte de haut officier mis en place sous le règne de Casimir le Grand. Il est nommé et révoqué par le roi. Inférieur hiérarchique des palatins et des castellans.

SZLACHTA

Dans la république nobiliaire polonaise, il s'agit du groupe formé par la petite et moyenne noblesse.

VOÏÉVODE

Responsable d'une province (voïévodie). Voïévodes et castellans sont choisis par le roi parmi la noblesse locale.

DÉCLARATION DE MEUDON [1]

Devant nous rendre incessamment dans les États dont la souveraineté nous est acquise, tant en vertu des préliminaires du 3 octobre 1735, que par la convention signée à Vienne le 11 avril 1736 entre SMTC et SMI [2], et considérant que des États qui après notre décéds doivent appartenir à la France ne peuvent trop tôt être régis selon les maximes et principes du gouvernement de SMTC, nous avons jugé ne pouvoir mieux faire que de convenir pour les détails, de manière qu'il ne reste aucun doute sur la forme de l'administration des duchés de Lorraine et de Bar. En conséquence nous déclarons :

1. Qu'accédant pleinement et entièrement aux préliminaires et à ma convention signée entre SMTC et SMI le 11 avril de la présente année, nous exécuterons et ferons exécuter toutes les conditions dans l'étendue de nos nouveaux États regardant ladite convention, comme si elle était icy insérée de mot à mot.

2. Ayant fait connaître à SMTC qu'au lieu de nous charger des embarras des arrangemens qui regardent l'administration des finances et revenus des duchés de Bar et de Lorraine nous préférerions qu'il nous fût assigné une somme annuelle sur laquelle nous puissions compter, nous nous sommes contentés de la somme de 1 500 000 livres, monnaye de France, à compter du premier jour d'octobre de la présente année jusqu'à la mort du grand-duc, comme aussi, ledit cas de mort du grand-duc arrivant,

---

1. Texte publié par le comte d'Haussonville, *op. cit.,* p. 439-441, pièce LX.
2. SMTC : Sa Majesté Très-Chrétienne, le roi de France. SMI : Sa Majesté Impériale, il s'agit de l'empereur.

444

de nous faire augmenter ladite somme de 1 500 000 livres jusqu'à celle de deux millions monnaye de France, le tout payable de mois en mois.

3. Au moyen de ce dont nous nous tenons content, nous consentons et agréons que SMTC se mette en possession dès à présent et pour toujours des revenus du duché de Bar et de ceux du duché de Lorraine, lorsque nous en aurons la souveraineté réelle et actuelle, auxquels revenus nous renonçons, à condition néanmoins que l'administration s'en fera toujours en notre nom, comme souverain desdits duchés, et étant aux droits du duc de Lorraine. Renonçant pareillement à faire aucune imposition ni établissement d'aucun nouveau droit à notre profit, sous quelque nom et patente que ce puisse être.

4. En conséquence nous déclarons que notre intention est que toutes impositions de quelque nature qu'elles soient ou puissent être, soient levées au profit de SMTC, que les fermes, salines, domaines, bois, étangs, et tous autres droits tant du duché de Lorraine que de celuy de Bar, soient administrés ainsy que SMTC le jugera à propos, et par les officiers qu'il lui plaira de commettre et de choisir, lesquels cependant seront pourvus par nous, et que le produit d'impositions, fermes, domaines, bois, salines, étangs et tous autres droits usités de toute nature affermés ou régis, et de quelque façon qu'ils soient administrés, soient perçus au profit de SMTC sans que nous y puissions rien prétendre pour le présent ni pour l'avenir.

5. Nous conserverons la nomination de tous les bénéfices, emplois de judicature et militaires, nous engageant à ne nommer auxdits bénéfices et emplois qu'avec le concert de SMTC, et les brevets, commissions ou provisions seront expédiés en notre nom.

6. Nous nous engageons aussy à ne vendre aucun office, et à n'en créer aucun nouveau soit de justice, militaire et de finance, et en cas que sadite MTC jugeât à propos d'en créer mesme moyennant finances ; nous promettons d'y donner notre consentement et d'accorder auxdits officiers les provisions nécessaires sans rien prétendre dans le produit de la finance.

7. Nous nommerons un intendant de justice, police et finances dans le duché de Lorraine et de Bar, ou autre personne sous tel titre et domination qui sera jugé à propos, lequel sera choisi de concert avec SMTC. Ledit prétendant ou autre exercera en notre nom le mesme pouvoir et les mesmes fonctions que les intendants de province exercent en France. Il sera établi en Lorraine ou Barrois un conseil de finances composé de personnes nommées de concert avec SMTC, et pourvu par nous, à la tête duquel

conseil sera l'intendant ou autre personne choisie, et ce conseil aura le pouvoir de décider en dernier ressort de toutes les contestations et jugements des tribunaux ordinaires, concernant les revenus ordinaires ou extraordinaires, domaines, bois, droits et impositions du pays.

8. Il sera libre à SMTC d'établir, de concert avec nous, des troupes qui sont à son service en telles places de nos États qu'il sera jugé convenable, comme aussy de mettre en quartier dans le plat pays tel nombre de troupes d'infanterie et de cavalerie que SMTC jugera nécessaire pour le bien et la seureté du pays, lesquelles troupes y auront le mesme traitement qu'elles ont dans les provinces de nouvelle acquisition comme l'Alsace et la Franche-Comté.

9. Ne seront cependant placées aucunes troupes françaises dans notre résidence sans notre consentement.

10. Sera pareillement libre à SMTC, aussi de concert avec nous, de faire fortifier tel endroit ou place qu'elle jugera à propos.

11. Enfin, en mesme temps que nous recevrons le serment actuel de fidélité de nos nouveaux sujets, nous le ferons prester éventuel au nom de SMTC.

En foy de quoy nous avons signé le présent acte, et y avons fait apposer le sceau de nos armes.

Fait au château de Meudon, le 30 septembre 1736.
Signé Stanislas, Roy.

Séminaire royal des Missions établit au faubourg de Pierre à Nancy : 691 320 livres.

Fondations faites à Notre-Dame-de-Bon-Secours et construction de l'église et des bâtimens : 172 924.

Fondation pour des enfants orphelins à l'Hôpital-Saint-Julien de Nancy : 218 150.

Fondation en faveur des pauvres attaqués de maladies épidémiques, de la grêle ou des incendies : 300 000.

Maison de religieux de la Charité, Ordre de Saint-Jean-de-Dieu, fondée à Nancy : 131 234.

Fondation pour les pauvres malades des États à l'Hôpital de Plombières : 81 106.

Donation faite à l'Hôpital Saint-Jacques de Lunéville, pour une Fondation des opérations de la taille : 47 225.

Maison de Charité fondée à Lunéville : 38 139.

Construction de l'église de Saint-Remy et bienfaits à la Fabrique de la paroisse et à la ville de Lunéville : 150 915.

Fondation à la chapelle du Château, à l'église Saint-Remy, et avantages faits à la ville et aux pauvres de Lunéville : 600.

Fondation de messes, aux Minimes de Lunéville : 6 000.

Messes fondées, aux Dominicains de Nancy : 1 000.

Hospice de Capucins établis à La Malgrange, et bien-faits à leur maison de Nancy : 37 122.

Fondation de bouillons en faveur des pauvres malades des lieux, où le Roi a des bâtimens : 72 000.

Messes fondées au Monastère de Graffinthal, dans la Lorraine Allemande : 1 000.

Noviciat des Frères des Écoles Chrétiennes établis à Maréville et Fondation d'École gratuite à Nancy : 33 000.

Écoles-Chrétiennes fondées à Lunéville : 28 000.

Donation en faveur des pauvres de Paris : 100 000.

Fondation d'une Bourse pour le corps des marchands de Nancy : 140 000.

Chaires de Mathématiques et de Philosophie fondées à Nancy : 35 000.

Fondation d'une chambre de Consultation à Nancy : 218 000.

Société Littéraire et Bibliothèque publique fondées à Nancy : 150 151.

447

Fondation de Mission dans le Royaume de Pologne : 420 000.
Magasins à bled, établis en Lorraine et Barrois : 220 000.
Anniversaire perpétuel pour le Roi, dans l'Ordre des Chartreux
Nouveau Palais des Juridictions à Nancy : 160 000.
Collège-Royal de Médecine établi à Nancy.
Places pour six jeunes Gentils-Hommes, au Collège de St. Louis à
    Metz.
Places pour douze jeunes Demoiselles aux Dames du St. Sacrement à
    Nancy : 249 000.
Places pour douze jeunes Gentils-Hommes Lorrains et Barisiens à
    l'École Militaire de Paris.
Pensions pour douze Gentils-Hommes qui s'attacheront au Service
    Militaire de France : 120 000.
Pension faite au Collège de Bar, pour continuer l'instruction de la jeu-
    nesse : 10 666.
Écoles Chrétiennes fondées à Bar-le-Duc : 26 400.
Autre École Chrétienne fondée à Commercy : 13 200.
Fondation en faveur des pauvres honteux des Villes de Lorraine et
    Barrois : 200 000.
Messes fondées en l'Eglise des Théatins de Paris : 2 000.
Bien-faits et fondation de Messes aux Carmes de Lunéville : 17 749.
Fondation en faveur des Curés et Vicaires infirmes du Diocèse de
    Toul : 48 000.
Supplément aux Fondations du Roi sur les objets des aumônes de
    Bon-Secours, de l'Hôpital de Plombières, du Collège des Jésuites
    de Nancy, et des Religieux de St.-Jean-de-Dieu : 30 000.
Autre supplément concernant la nouvelle Fondation faite en faveur de
    plusieurs Paroisses de Lorraine et Barrois, les Jésuites de la Pro-
    vince de Champagne, les Collèges de Nancy et de Bar, la Biblio-
    thèque publique de Nancy, et la Fondation concernant les maladies
    épidémiques : 170 000.
Érection de la Statuë de Louis XV, sur la Place Royale de Nancy et
    Bâtimens faits en conséquence : 3 711 286.
Nouvelle Fondation et Addition à l'Établissement des frères de St.
    Jean-de-Dieu de Nancy : 90 321.
Nouvelle Fondation de douze messes par année, et autres Bienfaits en
    l'Église des Pères Minimes de Lunéville : 4 310.
Fondation de vingt-quatre Messes par année et autres Bien-faits en
    l'Église Collégiale de Commercy : 7 996.
Bien-faits à la Maison des Orphelines de Lunéville : 22 000.
Pour aider à la construction de deux Églises Paroissiales dans la Forêt
    de Darney : 5 400.
Nouveaux Bien-faits à la Ville de Nancy : 166 000.
Casernes de Nancy : 71 000.
Secours gratuits, dans les cas de revers de fortune, en faveur des Habi-
    tans de Nancy : 100 000.
TOTAL au cours de France : 8 518 223 livres.

Extrait du *Recueil des fondations et établissements faits par le roi de
Pologne, duc de Lorraine et de Bar.*

SUCCESSION DU ROI STANISLAS

Décisions de Louis XV à propos des châteaux et maisons

Lunéville et dépendances :
S.M. désire quant à présent conserver ce château et veut qu'il soit pourvu à son entretien.

La Malgrange :
S.M. destine ce château, dont une partie sera supprimée, pour les commandants, qui seront tenus de fournir à l'entretien de la partie qui sera conservée.

Commercy :
L'intention de S.M. est que ce château ne soit point entretenu.

Jolivet :
S.M. veut que cette maison soit vendue, ou démolie pour en être les matériaux vendus, si c'est le parti le plus avantageux qu'on en puisse tirer.

Einville :
L'intention de S.M. est que le restant des bois qui compose le parc soit coupé et que la maison soit donnée à titre d'accensement, ou qu'elle soit démolie si l'accencement ne peut avoir lieu. Quant aux revenus de ce domaine, ainsi que [de] celui de Jolivet, l'intention de S.M. est qu'ils soient réunis à la Ferme générale.

Chanteheux :
L'intention du roi est qu'il soit vendu ou donné à titre d'accensement, et que si la vente où l'accensement ne peuvent avoir lieu il soit démoli.

Fait et arrêté à Versailles, le 17 mars 1766.

Louis.
Pour ampliation :
De L'Averdy.

(Pierre Boyé, *Les Châteaux du roi Stanislas...*, *op. cit.*, p. 106.)

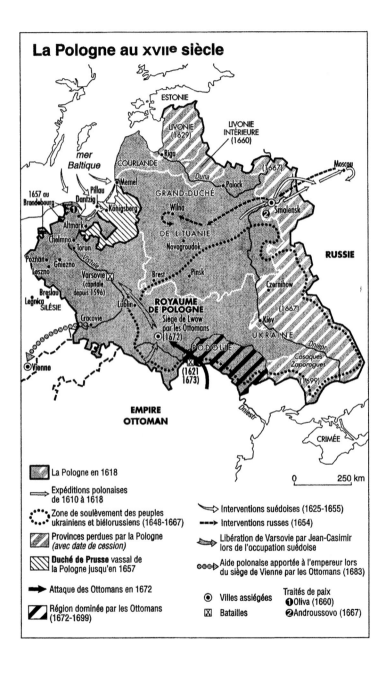

La Pologne au XVIIᵉ siècle

ESTONIE

LIVONIE
(1629)

LIVONIE
INTÉRIEURE
(1660)

mer
Baltique

COURLANDE

Riga

Moscou

Duna

Polock

(1667)

1657 au
Brandebourg

Pillau

Memel

GRAND-DUCHÉ

Dantzig

Königsberg

Wilna

Smolensk

Altmark

DE LITUANIE

Chelmno

Torun

Novogroudok

RUSSIE

Poznan

Gniezno

Leszno

Vistule

Brest

Pinsk

Varsovie
(capitale
depuis 1596)

Czernihow

Breslau

Legnica

SILÉSIE

Lublin

ROYAUME
DE POLOGNE

(1667)

Cracovie

Siège de Lwow
par les Ottomans
(1672)

Kiev

UKRAINE

Dniepr

Vienne

(1621)
(1673)

PODOLIE

Cosaques
Zaporogues

(1699)

EMPIRE
OTTOMAN

Dniestr

CRIMÉE

La Pologne en 1618

0   250 km

Expéditions polonaises
de 1610 à 1618

Zone de soulèvement des peuples
ukrainiens et biélorussiens (1648-1667)

Interventions suédoises (1625-1655)

Interventions russes (1654)

Provinces perdues par la Pologne
(avec date de cession)

Libération de Varsovie par Jean-Casimir
lors de l'occupation suédoise

Duché de Prusse vassal de
la Pologne jusqu'en 1657

Attaque des Ottomans en 1672

Aide polonaise apportée à l'empereur lors
du siège de Vienne par les Ottomans (1683)

Région dominée par les Ottomans
(1672-1699)

Villes assiégées

Batailles

Traités de paix
❶Oliva (1660)
❷Androussovo (1667)

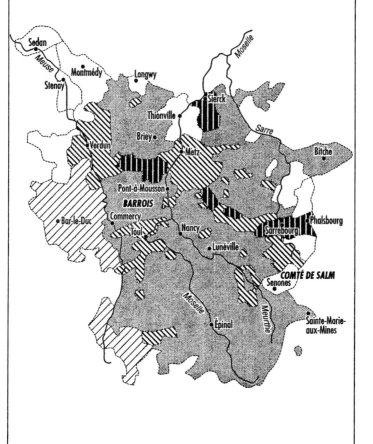

La Lorraine au XVIIIᵉ siècle

Sedan

Meuse

Moselle

Montmédy

Longwy

Stenay

Sierck

Thionville

Briey

Verdun

Metz

Sarre

Bitche

Pont-à-Mousson

BARROIS

Bar-le-Duc

Commercy

Toul

Nancy

Phalsbourg

Sarrebourg

Lunéville

COMTÉ DE SALM

Senones

Moselle

Meurthe

Épinal

Sainte-Marie-aux-Mines

Barrois mouvant

Trois Évêchés

Duchés de Lorraine et de Bar

INDEX DES NOMS DE PERSONNES

461

INDEX DES NOMS DE PERSONNES

REMERCIEMENTS

Le professeur René Taveneaux a été un maître exceptionnel. Il a suivi et guidé les étapes de cette biographie; malheureusement il n'aura pas eu le plaisir d'en voir l'aboutissement.

Ma gratitude va à l'historien Michel Antoine et au professeur Pierre Chaunu qui m'ont conseillée dans mes recherches.

Je remercie Gérard Ermisse, inspecteur général des Archives de France, et Ariane Ducrot, à l'époque conservateur en chef des Archives privées aux Archives nationales, qui se sont intéressés à mes travaux, ainsi que S.E. l'ambassadeur de Pologne en France, Stefan Meller.

Je remercie Marie-Claire Mangin, conservateur honoraire de la Bibliothèque municipale de Nancy, qui m'a aidée dans la quête des documents et Michèle Musy qui a participé au défrichage des archives.

Je remercie Galina Christou qui a assuré la « saisie » du manuscrit et Jean-Claude Muratori qui en a été le premier lecteur critique.

De nombreux amis ont contribué à la préparation de cet ouvrage. Qu'il me soit permis de les remercier tous par ordre alphabétique : Marta Balinska, l'abbé Louis Barbesant, Frédérique Bazzoni, conservateur aux Archives nationales, Xavier Beguin-Billecocq, Ghislain Brunel, conservateur aux Archives nationales, Judith Burko, Pierre-Jean Chalençon, le professeur Edmund Cieslak, Hubert Collin, directeur des Archives de Meurthe-et-Moselle, Claire Constans, conservateur au château de Versailles, Catherine Dufayet, Nelly Dusserre, R. Gerard, conservateur du Musée municipal de Brunoy, François Hauter, Mireille Klein, conservateur au musée de l'Armée, Sigmud Markiewicz, conservateur en chef de la Bibliothèque municipale de Nancy, Olga et Paul Muratori, Michèle Nathan-Tilloy, directrice des Archives de la Drôme, Christine Nougaret, conservateur en chef aux Archives nationales, Jacques Perot, directeur du château et du domaine de Compiègne, Mᵉ Hervé Poulain, Jean Rigault, Emmanuel Rousseau, conservateur aux Archives nationales, Eric Roussel, Francine Roze, conservateur au Musée historique lorrain, Nathalie Simon, Ludivine Thiry, Marie-José Villadier, conservateur du Musée d'art et d'histoire de la ville de Meudon, Aniela Vilgrail, les professeurs Adam Zamoyski et Teresa Zielinska.

470

TABLE DES MATIÈRES

471

CHAPITRE III
Les routes de l'exil,
de Zweibrücken à Wissembourg

CHAPITRE IV
L'avenir de Marie Leszczynska

CHAPITRE VIII

Vivre à Lunéville

CHAPITRE VIII

Le petit Versailles lorrain

CHAPITRE IX
Affaires de famille

CHAPITRE X
Les visiteurs de Lunéville

CHAPITRE XI
Dévot et défenseur des jésuites

CHAPITRE XII

Pour une Église sociale

CHAPITRE XIII

Tout pour la Lorraine
De l'éducation à la médecine

CHAPITRE XIV

Couronnement littéraire :
une académie à Nancy

CHAPITRE XV

Nancy, capitale

CHAPITRE XVI

Père des arts et mécène comblé

CHAPITRE XVII

Le sage de l'Europe

TABLE DES MATIÈRES

Achevé d'imprimer en octobre 2004
par la Sté TIRAGE sur presse numérique
www.cogetefi.com

35-65-0817-3/03
Dépôt légal : octobre 2004 - N° d'édition : 52471
N° d'impression : 90044
ISBN : 2-213-60617-X
Imprimé en France